共感覚への旅

モダニズム・同時代論

新見隆……著
Ryu Niimi

ART DIVER

――この一書を、未来の娘たち、芸術の種子たちに捧ぐ。

Dedicated to "Daughters of the future", all kind of seeds of Arts.

01

《一角獣と貴婦人》より「私の唯一の望みに」1500年頃、
フランス国立クリュニー中世美術館蔵
［出典：『貴婦人と一角獣展：フランス国立クリュニー中世美術館所蔵』
NHK、NHKプロモーション、2013年］

アントン・ロマコ《バラを摘む少女》1883年、ベルヴェデーレ宮美術館(オーストリア絵画館)蔵
[Courtesy of Österreichische Galerie Belvedere]

リヒャルト・ゲルストル
《裸の自画像、1908年9月12日》
1908年、レオポルド美術館蔵
［出典："Richard Gerstl", Neue Galerie New York, Hirmer Verlag, 2017］

グスタフ・クリムト
《ピアノを弾くシューベルト I》
1896年、レオポルド美術館蔵
［出典："Gustav Klimt: The Beethoven Frieze and the Controversy over the Freedom of Art", Stephan Koja (ed.), Prestel Verlag, 2007］

オスカー・シュレンマー
《「トリアディック・バレエ」、ピンクセクションのフィギュア》
U. ヤイナ・シュレンマー、C. ラマン・シュレンマーによる再構成、
中央・右のフィギュアは「バウハウス 1919–1933」展（セゾン美術館、1995年）で初めて展示
オスカー・シュレンマー・シアター・アーカイヴ、
C. ラマン・シュレンマー蔵

ジョルジュ・ルオー《クマエの巫女》
1947年、パナソニック汐留美術館蔵
[出典：『ルオーと日本　響き合う芸術と魂――交流の百年』パナソニック汐留美術館、2020年]

藤田嗣治（レオナール・フジタ）《アンナ・ド・ノアイユの肖像》
1926年、DIC川村記念美術館蔵

ジョセフ・アルバース《正方形讃歌》1952–54年、DIC川村記念美術館蔵

マーク・ロスコ《無題》1958年、DIC川村記念美術館蔵

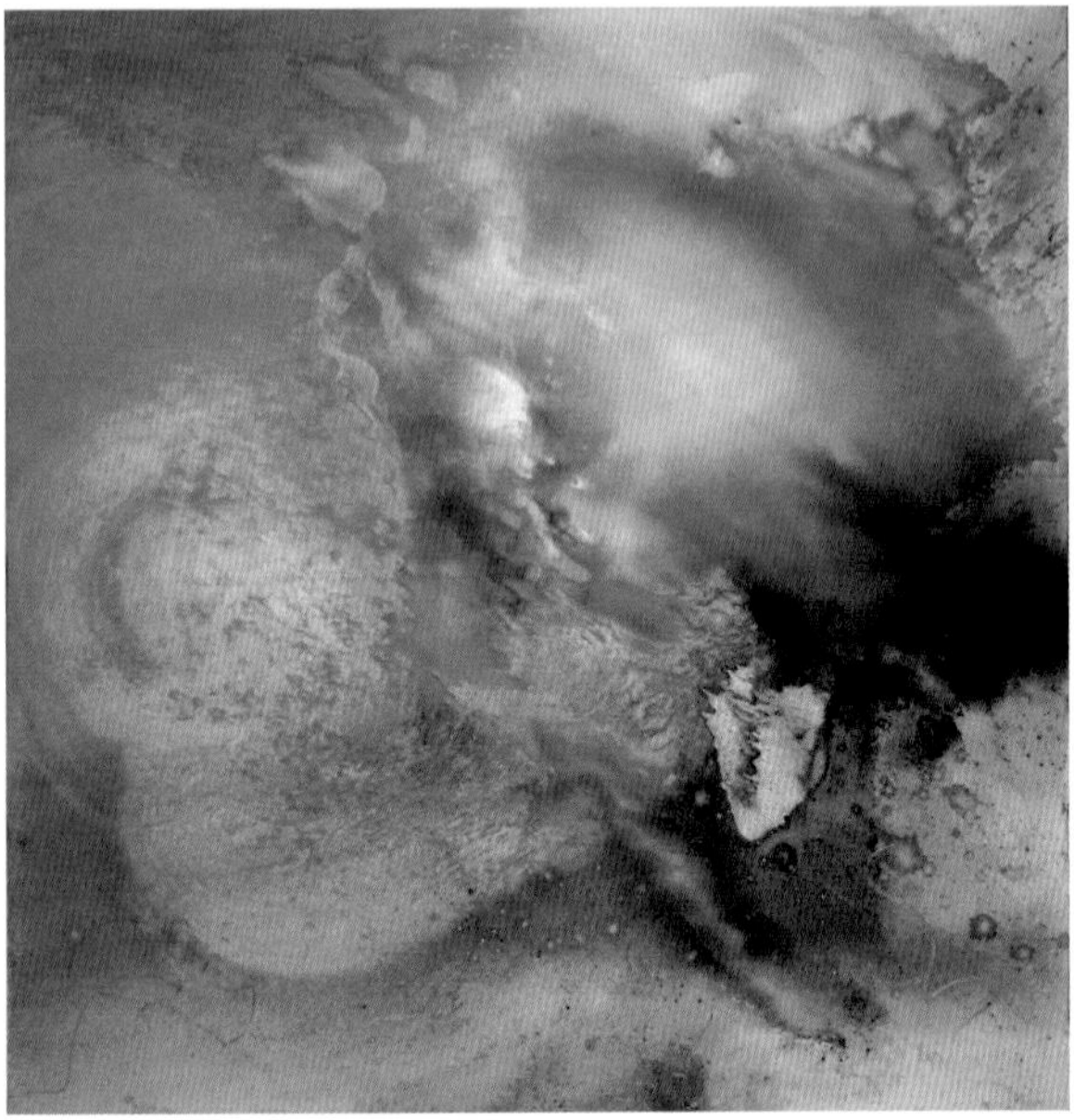

横尾龍彦《青い風》2003年、個人蔵

椎名絢《宿・中庭》2019年、個人蔵［撮影：村上賀子］

関根直子《パノラマ》2007年、府中市美術館蔵［撮影：Ryota Atarashi］

新見藍《祈りの時間》
2021年、個人蔵

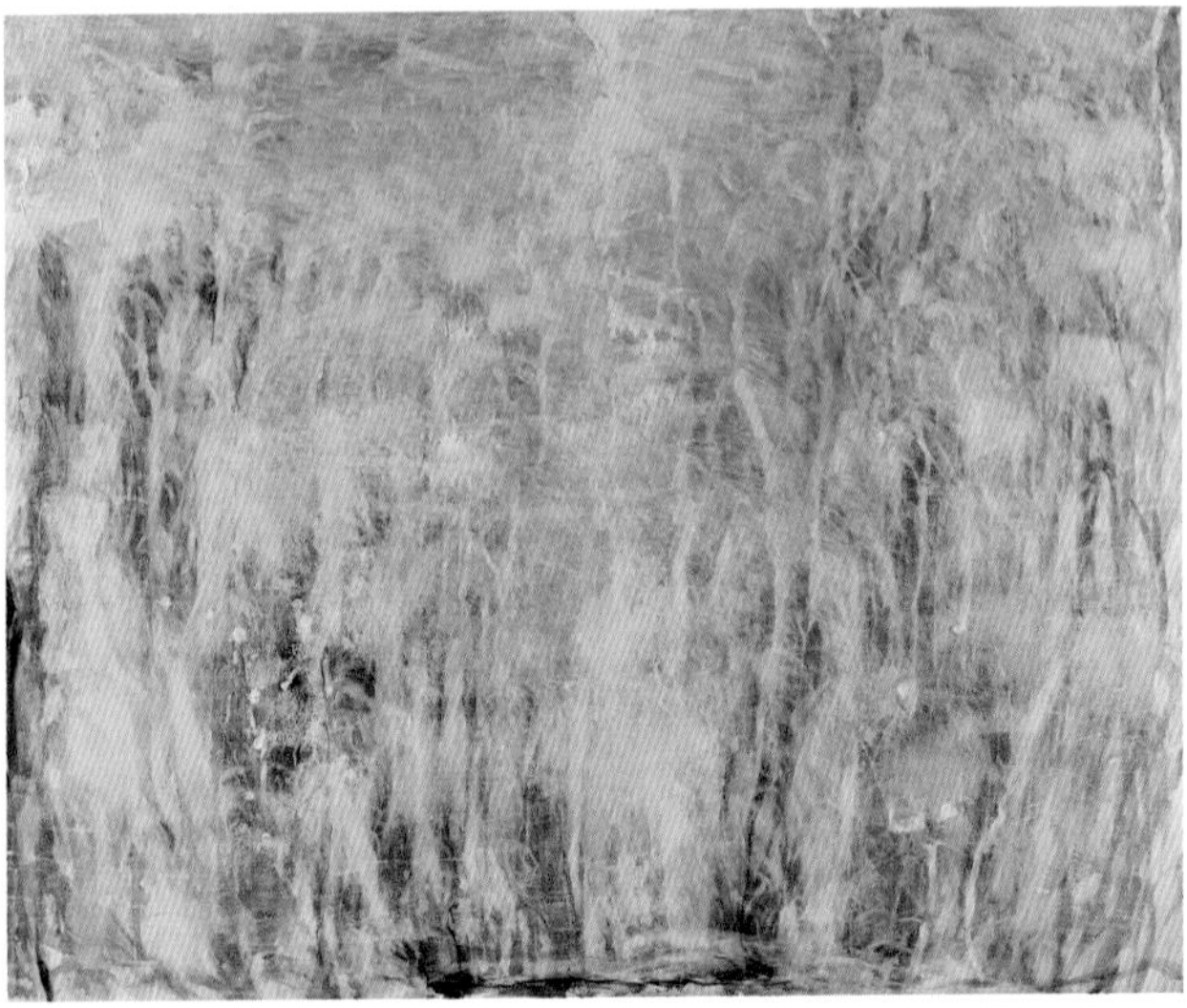

松本陽子《生命体について》2021年
［撮影：山本糾　© Yoko Matsumoto, Courtesy of Hino Gallery］

樋口健彦《大黒玉》2023年

中村錦平「東京焼・メタセラミックスで現在をさぐる」展示風景（Spiral Garden） 1994年［撮影：畠山崇］

中村洋子《雲に飛ぶ、うっ蜘蛛》「生への言祝ぎ」展示風景（大分県立美術館） 2016年

真島直子《脳内麻薬1》
2013年、ヒノギャラリー蔵
［撮影：山本糾
©Naoko Majima,
Courtesy of Hino Gallery］

長谷川さち
上：《mirror》
下：《mountain》
ともに2017年
［撮影：山本糾］

古石紫織《water mirror》2023年

内田亜里《葬る山、斎く島》2022年

吉雄介「哲学するトタン――吉雄介彫刻展」展示風景（松屋銀座デザインギャラリー1953）2020年
［撮影：ナカサアンドパートナーズ］

留守玲《森――下向きに生える100の麟角》2006年、作家蔵［撮影：斎城卓］

徳丸鏡子《してえる島》2017年、ギメ東洋美術館蔵

内田あぐり《残丘──あくがれ》2019年、
神奈川県立近代美術館蔵［撮影：山本糾］

藤本由紀夫《EARS WITH CHAIR (NASU)》2022年

さかぎしよしおう《8012》2008年、豊田市美術館蔵

共感覚への旅＝モダニズム・同時代論

新見隆＝著

アートダイバー

「表現の影」を求めて
――音の香りをきく美術家たち

それぞれの絵画や彫刻、工芸などの造形は、あるいはまた別にいうと、音楽作品にもまた、固有の質感があるはずだろう。だが質感と言い、その造形圏内を漂う何ともとらえどころの無いような、実態のない浮遊する気配のようなもの。

それは、ある時そこここに漂ってはまた儚《はかな》く消え去って、彼方に足早に走り去ってゆく。あるいは密かに立ち去ってゆく。だがまた思いかけず、ふと忘れてしまった頃に不意の来客のように静かにかたわらに居るモノ。それに私どもは、ただ驚く。

ほんとうは、それらは作品や作家という実態の、そのまた影のようなものだ。それはまた、それぞれめいめいの仕事が生まれた、その同時代に特有の空気感なのかも知れない。作品でもない、作家でもない、そのどちらとも言えないがたしかにあるような時代の肉体の、空気や気配。それはもしかしたら、その作品を見ている、聴いている、私ども自身の肉体の側にこそ在って、その中にこそ宿った何ものなのかも知れない。

私どもは、またひとしなみに憑かれた者であろうか。

憑かれたモノ、憑かれた者の、さらにそのはざまにあるもの。

同じ時代を呼吸した、その個別のそれぞれの風土を生きた絵画や音楽には、そこに通底する「見えない空気感」のようなものがあるはずだ。それを今、「表現の裏側」、「表現されなかったもの」と、言い切ってもいいだろう。

それは生涯一学芸員として、ただただ「モノ＝作品」の実感に触れてさわって生きてきた私の四十余年の稼業的実感であった。

小難しく言いたいわけではないが、あらゆる表現はその背後に、表現されなかった「表現の影」を纏《まと》っているものだ。創造者には、作家には、たぶんこの影はどうでも良いことだろう。（嫌それもまた、輪廻転生ではないが、まわり回っては関係があるのだろうが）亡霊のように私ども「見る者」に付き纏っては離れない、その「表現の影」を飽くことなく追うのが、この小著の中で私が目指したことでもあるのかも知れない。

本書の一つのねらいは、それを個別の作品どうしにみてゆくことだ。

だから「共感覚」と大上段に振りかぶってはいるものの、個別の、例えば画家の絵画の色づかいを、別の作曲家の音色から分析したり解明したりする？というような厳密な論理的著述などは、私はやっていない。とうてい出来ない相談だ。だから多くの読者は「なんだ、ただ並べて書いているだけじゃないか」と訝《いぶか》るかも知れない。おっしゃる通りだが、何故その二つを並べるのか、という私なりのキーワードや接点は設定してあるから、読めばああそういうことなのか、とたぶん分かってもらえるはずだ。

今やもう私は、この本の続編を書き始めていて、例えばそれは「幻視の女王」と言われた畏敬、いや畏怖してやまない歌人、葛原妙子と、本書にも登場する二十世紀音楽の巨匠、メシアンを「並べて」書いている。テーマは、二人にとっての「終末」の意味がそれぞれの作品にどう現れたかだ。さらに、義塾慶応仏文の大学時代から研究したかったが挫折した、悲劇の女性哲学者、シモーヌ・ヴェイユと、ウィーン学派の異端児アントン・ヴェーベルンを、「世界を圧縮する」という観点で書いている。さらには、いずれ書こうと思っている『ウィーンと京都は合わせて行く（食べる）となお美味い』という未来著の予行演習で、ウィーン出身の異端の言語哲学者、ヴィトゲンシュタイン（たった一個だが設計もしているのでね）と、京都の粋なる住宅建築家、藤井厚二を「正方形」という関心から、書いている。

十九世紀ロマン派きっての立役者、かのリヒャルト・ワグナーを気取るわけじゃないが、彼が楽劇として、詩やセリフ（文学）と音楽と美術（や舞踊）を総合したように、さまざまな異ジャンルを横断して、私じしんが縦横無尽に楽しんだ結果（をぜひ、楽しんでもらうため）の、この本は報告書のようなものでもある。

前著『時を超える美術―「グローカル・アート」の旅』（光文社新書）あたりから、私は、自分は厳密なる研究書などを書くのはもう無理だな（若い頃みたいにやろうと思えばやれるけど）、もっと柔らかい、それぞれ私の好きな作家の風合いや時代の空気感を知ってもらう、軽妙？で晦渋《かいじゅう》な？エッセイの方に完全にシフトしている。だから、この本の中には、頭で勉強したものは無い。ここに書かれてあるのは根っからの学芸員、「モノ」に触れて世界を受け取ってきたキュレーターとして、身体で考えたものしか書いてはいない。

扱うほとんどは大きく捉えてルネサンス以降の近代、あるいはその継承としての現代の作品、主には二十世紀モダニズムの前衛作家と、現代の同時代の作家たちである。ルネサンスは、その直前の大航海時代と表裏一体、つまり、全ヨーロッパが土地にべったりくっついた重農主義から、移動・「旅」してモノを運ぶ重商主義へ転換した、グローバリゼーションの始まりだ（ご承知のとおり、その前の正倉院の時代にも、たしかにそれは有ったのだが）。

専門は何処の何だ、と問われると、前世紀末のヨーロッパや西欧のアール・ヌーヴォーの造形美術と建築、それに与えた日本美術（建築や工芸も）の影響、いわゆるジャポニズムだと言う。だがお前は大学でいったい何を教えているのか？と聞かれるが、具体的にはミュージアムの学芸員の育成とそれにかかわる教育だ、と表面的には答えるだろう。だが、本心は、「芸術に対する、愛と情熱」と、答えるしかないようだ。

作品には、背後に意味するものと、表面にたたえる質感がある。その象徴する意味を追うようなイコノロジー表徴（見える形や徴《しるし》の、背後に隠された意味を追うこと）は私には向かないから、自然、様式的な質感（何が、ではなく、どのように描かれているか）を語る方に向かったので、それらはほとんどが作家の自然観の表明であったと思えるようになったのである。

一般には反自然的と思われている、グローバル化の権化のようなモダニズム作品に、意外なことに風土や自然に根ざした質感を追求したものが多いのだ。それは、モダニズムが離れようとして離れられなかった、土着的なヴァナキュラーなものを無意識に探したからだろう。

モダニズムとは、単に故郷喪失ではなく、「失われた共感覚」への旅だ。

民芸運動の柳宗悦が喝破したように、中世では国家などの「共同体」そのものが、美の基準や概念とその現前として存在していて、近代に入って個人主義が都市化機械化のなかで出てくる過程で失われ、「自然と肉体の乖離《かいり》」が起こり、謂ゆる近代人の故郷喪失の飽くない旅が始まった、というのが定説だろう。

中世では、音は見るものであり、色も聴くものであって、それは相互に補完するというより、同じ感覚の質を別個の道具で表現し合うもので、つまりは元来は一体のものとして、人間は齟齬《そご》を覚えなかったのであろう。

モダニズム以降の作品の背後には、乖離したそのような「共感覚」への、見果てぬ郷愁や飽くない渇望が隠された作品が散見される。

この本は、そうしたモダニズム以降の芸術の諸相を自然観をめぐって、美術と音楽の同時代的共時性において探ることで、モダニズム以降を「失われた共感覚」への彷徨《ほうこう》としてその具体例を探ってみるものだ。

そんな試みにしばし、お付き合いいただきたいと思う。

だからこの二十八の物語りは、どの章からめくって読んでいただいても、構わない構成になっている。

最後に若い頃に熱中して、大きな影響を受けた美術批評家、宮川淳の言をひこう。

「本の存在理由はそこに閉じ込められた意味の亡霊にではなく、本の空間にあるべきではないだろうか。鳥の羽のように折りたたまれ、本を開くことによって象徴的にくりひろげられる空間……そのとき、憑きまとう意味の亡霊から解き放されて、すでに別の軽やかな意味作用へ、あの『ほとんど振動性の消滅』へと向かってすべりはじめるのでないならば、ここに拾い集められたこれらの過去の断片にとって、本とは苦痛以外のものではないだろう。」（『引用の織物』一九七五）

目次

2章…「共感覚への旅」──同時代作家論

序章

「自然観としての共感覚」

序にかえて

——失われた「五感」への旅、あるいはクリュニー修道院のボードレール

近代という旅

私ども近代人が、皆ひとしく旅人であるという認識は、今や定説化されたもののような気がする。ヨーロッパ中世が重農主義から重商主義に移り、大航海時代が始まって世界のグローバル化が進んだわけだが、そこに近代の第一歩があった。だから、地理的に横に移動して、冒険の果てに新しいものを発見するのが旅だが、また今日からすれば、過去にさかのぼる旅もある。それは必然的に、「失われた」何かを探す旅、ということになるだろう。

だから旅の出発点には贖《あがな》いようのない、ある種の喪失こそがある。

旅人というのは、十八世紀から十九世紀にかけて胎動したヨーロッパのロマン主義全体に見られる常套テーマでもあった。それはシューベルトの「冬の旅」から、いっきょにとんで昭和の始め、日本近代の

大衆小説の雄であった林芙美子のあのヒット作『放浪記』の一節、「私は宿命的に放浪者である。私は古里を持たない」まで、偏在するものでもあっただろう。都市化によって地方農村を捨てて出稼ぎに出てきた、私ども大衆の元祖である労働者たちは、その一節におそらくは、万感を込めた共通分母を見ただろうから。また「望郷病」という病理学的精神障害が発見されたのは、ルネサンス以降ヨーロッパ各地の軍隊に送られた、スイスの傭兵たちの中に見出されたものであったという。[註1]

大正末から昭和にかけて、都市化・産業化の中で失われつつあった土着の文化を求めた民藝運動の主導者、柳宗悦もまた中央政権から遠く、虐《しいた》げられた、見捨てられた民衆文化の中にそれを見出した。いわく朝鮮、沖縄、アイヌ、そして都市近郊に打ち捨てられた、困窮する全国各地の農村そのものであった。それまで中世にあった、共同体、国家などの美の概念そのものが近代になって失われ、以降それらは「懐古する美」としてのみ、「ミュージアムの中でのみ」回顧されるものになったのだ、と喝破《かっぱ》した。アーツ・アンド・クラフツ運動の開祖、柳の大先輩、ウイリアム・モリスが『ユートピアだより』を書いたことにも、象徴されるだろう。[註2]

近代人は、失われたユートピアを求めて長く旅してきたのであった。

教科書的に言っても、だから産業革命と市民革命をへて、テクノロジーの進化が生活を利便化して人間を幸せにする、といまだ信じてその恩恵を受けている私ども近代人は、それが地方に定着してローカルな暮らしをしていようと、都市で情報と刺激に満ちた豊かで快適なグローバルな生活をしていようと、畢竟《ひっきょう》、「失われた」何かを求めて旅する旅人以外の者では無いのである。

古里としての、自然

近代人である私どもが、決定的に乖離《かいり》してそこから疎外された古里とは、ではいったいどこにあったのだろう。

私は、それこそが自然そのものであったのではないか、と長く感じてきた。

専門は何かと問われたら、アール・ヌーヴォー、世紀末芸術と答えるわけだが、四十年以上、学芸員として実物に触れてつき合って来たこれらの潮流のすべての作物が、自然への渇望その叫びであった、というのがまさしく私の実感であった。

爾来《じらい》、二十世紀モダニズムのそれぞれの潮流に接し、この我が身の肉体で深入りすればするほど、全ての作品、作家たちの仕事はひとしなみに、彼らの自然観の表明であった。おそらくは、一人ひとりが如何にちがっても、また多様であっても、それは現代作家たちにも通底するものでもあるのだが、手を動かして造形する者なら誰でも、自然と自らの肉体からは逃れられないというのが私の考えである。

だから小著を『共感覚への旅』と題したのは、噛み砕いていえば、それぞれの作家の自然観、肉体論を書いたものという意味である。そして、近代において失われた「五感の悦び」を回復するために、作家が世界という他者、素材という他者とどう付き合って、苦闘しながらもそれらを見いだしてきたのかについての、私的ドキュメントであるということだ。

カルチエ・ラタンの壁

パリ、セーヌ河左岸、ノートルダム寺院からサン・ミシェル河岸をソルボンヌの方へ歩いてすぐのところに、その美術館はある。ひっそり、と言った方がいいだろうか。

美術館というより、鉄の柵に囲まれた石壁の連なりがまず目に飛び込んでくるから、吃驚もする。ローマの浴場跡の古層の石壁が今も生々しい。その浴場跡に建てられたのが、中世の女子修道院、クリュニーであった。近くには、小さなローマ時代の競技場跡、アレーナもある。

ビザンチンの素朴で神秘的なジュエリーや、黒く輝くどっしりした中世の甲冑類、ゴチック家具や重厚な物入れなどを見ながら奥へ進むと、地下のいちばん奥に、丸い円筒形の部屋に行き着く。

ここが至宝、「一角獣と貴婦人」のタピスリーの展示室である。

いつ行っても、ひっそりした静謐というか冷たい霊気のごときものが漂う。

このロトンダ、黒い円形室に、大きな毛織物のタピスリーが、六枚かかっている。通称、「五感のタピスリー」といわれていて、世紀末ドイツの詩人リルケもかの『マルテの手記』に登場させて、絶賛してもいる。

「女性たちが疲れているせいだ、とぼくは思う。彼女たちは何百年間も、愛の仕事全般を引き受けてきた。[…]にもかかわらず彼女たちは昼も夜も我慢し続けて、愛と悲惨で自らを肥やしていった。この上ない苦しみに迫られて、彼女たちは並外れた『愛する人』に生まれ変わった。自分が呼び求める男を超えてしまい、男が戻ってこなくても、彼を凌駕《りょうが》してしまう。ガスパラ・スタンパのように。あるいは、例のポルトガル人女性のように。彼女たちは自分の苦しみが、苦しく冷たい見事なまでの塊になって抱えきれなくなるま

で、愛を捧げ続けた」。タピスリーの法悦が、やがて女性の愛の超越まで思索？されるのが、リルケらしい特徴だが。[註3]

中世末期、十五世紀の終わりにある貴族がベルギー、フランドルの織物工房に発注してつくらせたとされる。二メートルを越える大きなもので、織り手が何人か、いや何十人かかかって、年単位で織られたものと、容易に想像はつく。ヨーロッパ各地に残るこの手の中世タピスリーの、屈指の名作として盛名高い。何より有名にしたのは、この「五感」のテーマを繰り広げる、さまざまにイコノロジー的伝説をもつ聖獣、一角獣と貴婦人の図像だろう。

「見る」、「聴く」、「嗅ぐ」、「味わう」、「触る」。その五感がそれぞれ、五枚ある。

「見る」、そこでは、貴婦人が手鏡を一角獣に、かざして、その顔を見させている。

だがまた、この謎のタピスリーの主人公は、実は、この二人？二頭？でもあり、またそうでもないように、見る者には感じられるのである。彼らを取り巻く、野や森には、緑の絨毯を背景に、さまざまな小動物、猿やリスや鳥などが細かに配

《一角獣と貴婦人》より「聴覚」1500年頃
フランス国立クリュニー中世美術館蔵
［出典：『貴婦人と一角獣展：フランス国立クリュニー中世美術館所蔵』NHK、NHKプロモーション、2013年］

置されて、皆、目線を彼らに、この手鏡に集中させているのが、分かる。あるいは、その周りの小さな花々までもあたかも「聞き耳」を立てているようだ。だが、何に対して？

「聴く」では、竪琴が奏でられる、「嗅ぐ」では薬玉のようなものが、「味わう」ではまた謎の薬玉のようなものが差しだされる。そして、「触る」では、彼の角を彼女はとうとう、ゆっくりと優しげに愛撫するのであった。

一角獣と貴婦人は、目を見合わせながら、耳をそばだてながら、互いの匂いを嗅ぎながら、そうした、エロス的関係の宇宙図の中に佇む。最後の六枚目だけが、他の五枚とはちがって大きな天蓋が描かれていて、そこにまた、有名な言葉が縫い込まれてある。［口絵1頁］

「私の、たった一つの、望みに」。

失われたものへの叫び、あるいは

「夜のように、光のように広々とした、
深く、また、暗黒な、ひとつの統一の中で、
遠くから混じり合う長い木霊さながら、
もろもろの香り、色、音はたがいに応え合う。［註4］」

その時私は、この六枚目のタピスリーの前に佇む一人の男を想像する。偏屈で他人と交わらない、自らの感覚に固執し偏執するある芸術家の姿、その近代的一典型である。

そして、彼は、そう呟《つぶや》いている。世界は暗黒の中で、響き、香り合っていると。

二月革命、ルイ・ナポレオン時代の王政復古期に、畢生の大作『悪の華』を上梓して、フランス象徴詩の幕開けを牽引した、ボードレール(Charles Baudelaire, 1821-67)その人である。

集中の傑作の一つ、「コレスポンダンス」。私は、「万物照応」と訳したい。

共感覚という観念をボードレールに示唆したのは、スウェーデンの神秘家スウェーデンボリであり、また空想社会主義者であった、フーリエであったとも伝えられる。そこにはまた、宇宙を人間の縮図、あるいは人間の肉体を世界模型、に看《み》とる思考が隠されてもいる。いずれにしてもこの時、ボードレールは、彼から三百五十年、三世紀半前のこれらのタピスリーの世界に、嘆息しながら過去と、失われた共感覚を振りかえっていたともみえるし、また、未来への危機の預言にひらめいていたとも、思われる。

森羅万象に対する感受性が芸術であるとすると、それのたしかにあった時代を懐かしみ、また、機械化や都市化の中で、人間の肉体と宇宙生命や自然が乖離して、切り離される、そういう時代の到来を警鐘していたともいえる。いずれにしても。この小著は、一つのささやかな旅であって、その六枚目の「望み」の向から先を訪ねるものだ。

そのためにモダン・同時代のそれぞれの作家たちを、私は是非ともこの書物に招来したい、と思いながら書いたものだ。それぞれめいめいが私にとっての共感覚の場に無理矢理ひきずり出されて、いささか迷惑がっているかも知れないが、どうか読者におかれては、この旅にしばしお付き合いいただきたいと、心から願っている。

［註］

1 四方田犬彦さんの言。出典は失念した。オリエンス宗教研究所の『聖書と典礼』にも、あったと記憶する。この序は、まったく新しく書いたものだが、内容的には、『青春二十世紀美術講座――激動の世界史が生んだ冒険をめぐる十五のレッスン』（東京美術、二〇二二）の序章に、重なる部分がある。

2 畏敬する芸術学者、長田謙一先生による画期的な論考「日本の眼――柳宗悦と『美術館としての日本』」『「〈美術〉展示空間の成立・変容――画廊・美術館・美術展」平成十一―十二年度文部科学省科学研究費助成金［基盤研究（B）（一）］研究報告書』研究代表者：長田謙一千葉大学教育学部教授（当時）、二〇〇一年三月、から、学んで借りた。前後するが「『表現の影』を求めて」（18-22頁）の柳観も同様。

3 リルケ『マルテの手記』（松永美穂訳、光文社「古典新訳」文庫、二〇一四）

4 悪の華（第二版）「四　照　応《コレスポンダンス》」『ボードレール全集Ⅰ 悪の華』（阿部良雄訳、筑摩書房、一九八七）。ボードレールについても、巻末の阿部の解説から借りた。

1章

「故郷喪失の旅、モダン編」——美術と音楽の共時性

1-01

光の奇蹟

——田中希代子のサン＝サーンス、あるいは岡崎京子の孤独

夏、疾駆する神

その夏はことのほか暑く、陽は人々の背中をじりじりと灼いて、人影は街にもまばらであった。大分の海でじつに久方ぶりで私は波に揺られて夏の青空を仰ぎ、火照った身体を日がなもて余して数日を過ごした。

カミーユ・サン＝サーンス（Camille Saint-Saëns, 1835–1921）のピアノ協奏曲五番、世に「エジプト風」として知られるこの曲を、どうして田中希代子（1932–96）という、特異で「伝説的な」日本人ピアニストの演奏、その実況録音で聴こうと考えたのかも今ではおぼろな記憶しかない。だがその演奏からは、不思議な過去の匂い、それも私のよく知らない、いやほんのわずかは記憶の澱《おり》の底にあるような、戦後日本の清冽な夏の季節の匂いがたしかに立ちこめてきた。

ピアノの一音一音から、あの頃の街の香り、埃《ほこり》っぽい道路や、糊のパリッときいた麻の洋服の肌合い、すっきりした化粧水をつけた大人の女たちの爽《さわ》やかな空気など、得も言われぬ、颯爽《さっそう》として溌剌《はつらつ》な「戦後の夏」の匂いがたしかに立ちこめてきたのである。たぶんそれは私個人のノスタルジーの成せるわざであって、あるいは錯覚と言ってもさほどちがってはいないだろうが、どうやら、人間の身体の過半は、上手くは言葉に表わせないそうした痛みにも似た触覚的記憶のなかに、長く封じ込められているようだ。忘れていたというより、身体のそれこそ澱の底に沈み隠れていたもの、それが今まで見たことのない生き物のようにゆっくり頭をもたげてあらわれた、驚愕する瞬間であったのかもしれない。

よく知られるように、ノスタルジアとは、十七世紀に発見された心の病の一種であった。望郷病、ともいわれ、ヨーロッパ中に散らばったスイスの傭兵たちのなかに発見された自己喪失的夢遊病、あるいは、故郷哀惜の痛みゆえに、自分がどこの誰とも分からなくなってしまうアイデンティティー喪失にかかわる近代病の由だった。ただ、それが病ではないかたちで顕在するのは、そしてその治癒じたいはロマン派芸術のある種の広大な達成の水脈、その裾野の広がりまで歴史が待たなければならなかったのは言うまでもない。[註1]

ベートーヴェンのかの「テンペスト」も、シューベルトの「彷徨い人《さすらいびと》」も、そしてショパンの「バラード」も「舟歌」も、すべてはロマン派の達成、この、近代人が宿痾《しゅくあ》としてもっていた「旅する宿命」、「故郷喪失者の彷徨」に沿うため、それに同化するための、長い道のりの里程標だったのではないだろうか。

田中希代子の演奏は、颯爽と駿駆《しゅんく》する競走馬、サラブレッドの疾駆《しっく》そのものだった。

そのスピードと強度こそは「いま、ここ」である現在すらすでに、過去の故郷として置き去りにする、そうした類いの旅の速度の焦燥《しょうそう》、その宿命的速度をもっていたのである。

爽快俊敏、大胆可憐、縦横自在の野生の獣のように、その指と身体は軽やかに飛び回り、雄々しく跳ね回り、ゆっくり徘徊して、また、ささやくように蠢《うごめ》いた。そこには朝の光と真夏の日差し、夕刻の蒼い黄昏、夕べのしとやかさ、それらすべてが一瞬のなかに煌《きら》めきながら変転万化する、宇宙の実相そのものがあった。同時にじつに類い稀なることに、一種の「秩序感」というか、一般的には「構成感」と評される、背筋のピンと伸びた溌剌さをいささかも失わない、単なる雄弁な歌い手であるヴィルトゥオーソを超えた清々しい現代性をも、また十全に備えていた。

「モダニティーへの憧憬」、それこそが、田中希代子の演奏が、私にある種の「失われた時代の体温」を感じさせた、ひとつの大きな要因であろうかとも思われる。その孤独で乾いた音色は、今までの溺愛したピアニスト、その誰ともまったくいささかも重ならない、ユニークで類例の無いものだった。ホロヴィッツのエキセントリックとも、コルトーの柔らかい晦渋《かいじゅう》とも、リヒテルの緊迫とも、ミケランジェリの鋭利とも、また畏敬するアスケンナーゼの熟成ともそれはまったく違っていた。

あえて言えば、田中じしんが敬愛するというハスキルの利発さと、あの思いきりの良いキッチリとした秩序感、さらには、ほとんど田中希代子と同世代と言っていい、敬愛してやまぬこれも屈指のピアニスト、遠山慶子さんに、私のなかのイメージとして言えば重なるものがあったかもしれない。

そのスピード、テンポ、前のめりになり「生き急ぐ」青春の疾駆のなかに、遠い記憶のなかの、戦後の一時代、蒼《あお》ざめてさんざめき、何かに憑《つ》かれたように生きる日本人のさまざまな表情が、たしかに私のなかには甦ってきたのである。

速度の神、じつは私どもじしんの宿命、それそのものの凝縮こそが田中希代子のピアニズムだ。あれは、たしかに夏の時代だった。それは、光の奇蹟だ。そのように二〇一四年の東京で聴く、サン＝サーンスの壮烈が、ささやいているようだった。

演奏という闇の向こうに

「良き演奏」、「真性な演奏」とは、私にとって作曲家の生身の声が、その演奏家の音の向こうに聞こえてきて、木霊《こだま》してくることであってそれ以外では絶対に有り得ない。

「ピアノを正確に弾くというのがこんなにも当たり前のことになってしまったという事実にもおどろいたが、その先にこの少女が準備している音楽の世界をはかりかねて、少し大袈裟にいえば茫然としたのである。その演奏ぶりは一見してそっけなく、とりつき難い感じだったが、反面、いい加減な音は決してゆるさないといった潔癖さが体ぜんたいにあふれていた。それは、生半可な抒情や自己満足の

著者愛聴版の田中希代子CDアルバムより
右上から時計回りに：サン=サーンス、ショパン/ハイドン、モーツァルト/ベートーヴェン/丹波明、ラフマニノフ/ラヴェル

表現を強く拒否する姿勢というべきかもしれない。」（遠山一行「二十年以上も前にすでにヨーロッパの『音』をもっていたピアニスト、田中希代子」［註2］）

私は演奏というものが何であるのかを、実体験として持たない。私は生来の職人であって、手を動かして身体を現場に運んで初めて世界の実相に触れることの出来る、そうしてだからこそ日々、ただごくささやかなことに執心し続けてきた、家の伝統を守り続けてきた。冗談のようだが、私には得意としない、あるいは決して手を染めたくもないものがこの世に三つあって、それは自動車の運転（機械の操作）、楽器の演奏、そして、料理である。そのココロは、いずれもルールを守らないことにはなし得ない、手仕事の範疇に属するからである。

また私は生来徹底してアナーキーな人間であって、あらゆる約束事、制約、規範を、身体の芯から侮蔑《ぶべつ》するヤクザな性分《しょうぶん》を備えている。だから、演奏などもっての他なのであるが、長く音楽を日々の無上の楽しみとして聴き続けてきたために、ある種の培ってきた想像の力を働かせることは、また出来る。

演奏とは、誤解を恐れずにいえば、闇を手探りで歩くようなものだろう。そこではおそらく、聴くという楽しみや、リズムや音色に酔うような身体的快楽は、皆無なはずだ。それは稚拙とか、熟練していないとかの技術の習熟のことではなくて、技術を習熟しなければならない、という、いっしゅ感性の奔放な働きとはまったく相反する作用を肉体そのものに課さないといけない苦行じたい、その正確さへの潔癖的傾きが、闇そのものであるのだろう。

広大な見えない荒野を、人はなぜ無理矢理に、目隠ししてまで歩まなければならないか。

おそらくは、私が生来好んでやってきた、絵を描くとか、手でものをつくる、という分かり易く乱暴にいえばきわめて快楽的行為とは、まったく逆の苦行的鍛錬を、演奏家は自ら選んでゆく。それは私にとって、かなり奇異にも不思議な選択にも思える。絵や造形は、けっしてその手を触れる人間の肉体を裏切らない。その宿命をむしろ忠実になぞって寄り添ってくれるものだ。技術の習練や達成とはかかわり無くそういうものだ。だから生みだされた「もの」は、けっして作者の肉体の外には出ずに、分身のままに終止する。むろん、それを乗り越えよう、自らの肉体の外に「物体」として放り出そうという試みが、いわば「彫刻」とも「絵画」とも言われる芸術の苦難苦闘の歴史であると解釈されたとしても、それはそれでまた納得出来る。

だが敢えて言うが音は、その逆だろう。それは、自らの肉体をふくんだ「音の場」の問題だろう。

そして私の持つ疑問は、ただひとつである。何故、人は人生を疾駆するのか？

というより人は、何故、このリネアで線的で、そう言うならばまたそうもいえる発展的な時間を、そのままなぞるように、何故生きるのか？　その逆であって、何故、いけないのか？　錯乱しながら敢えて言うとして、私が田中希代子のピアニズムに受けた衝撃とは、斯くのものであったのではないだろうか？もう敢えて短絡しよう、私どもは何故、元に？——元が何かは知れないし、知る術も生涯ないだろうが——、何故逆に、戻れないのか？と。

斯くして自然天然の生の時間を、それに精一杯抗《あらが》って、もうここでこれ以上止まれば、空気も酸素も無くなってしまうから止めざるを得ない、ギリギリの、それこそ、エドガー・ポーの「絶体絶命の、綱渡

り＝詩が生まれる場」の瞬間瞬間の現出を、田中希代子の音に私は聴いたのだった。［註3］
だからさらに言えば、田中希代子のピアニズムとは、絶体絶命の生の瞬間においての「現実、およびすべての現状維持」の、徹底的な拒絶である、と。
それは今でも私個人の、嘘偽《うそいつわ》らざる、素直な私心である。

岡崎京子に、ショパンの影を

岡崎京子の漫画作品の特徴を語るのは、一種難しい。

一般的に流布している形容詞、曰《いわ》く虚無的、曰く退廃的、曰く「明るいニヒリズム」、そのどれをとっても私の受けた印象から外れるものは無いが、ぴったりと重ならないのもまた言うまでもない。

だからここで結論めいて敢えて言いたいのは、それは、田中希代子のピアニズムに、ひじょうに近いものに感じられたということだ。

それは限りない潔癖な正確さへの渇望、正確ではない曖昧さへの苛立ちと拒絶、そうしたものが画面、タッチや筆感をふくんだ空気を支配している。それはそうした拒絶に傾くことが、音楽的基層低音になっている。

それはまた現実拒否、いや、現在時間的存在感への全否定とでも言うべきものだ。

だから登場人物たちは、みなひとしなみに「居ながらにして過去」の人間、あるいは、「異星からの眼差し」で今を見ている。彼らは皆「生への惜別」を既にして体得した者たちである。それが岡崎京子の作品世界が、田中希代子のピアニズムにぴったりと重なる「夏」の要素である。

岡崎京子の少女少年像を、八〇年代的虚無感と評するきらいが世間にはあるが、私はそれに与《くみ》しない。岡崎京子の少女少年たちは、「あらかじめ失われた世代」として、そして、彼ら彼女らの親たちの「夏の青春の残像」として、私たちの前に登場したのであった。

あらかじめの、虚像。堕天使ではなく、時間は疾駆する。そうして「生きる」という時間は、それがたとえ「いくら堪《た》え難いものであっても」、あるいはたとえ「この上なくかけがえのないものであっても」、みなひとしく、同じ意味において「疾駆され」たちまち「過去」となり、「居ながらにして、回顧される」こと。この夢魔なる眩暈《めまい》を、潔癖性的に要請され、強要される。それが最後の自己投企、捨て身の自己救済の手法である。それが「夏」の自己証明、レーゾン・デートルなのだから。

「ショパンの音楽は、おそらくはその正反対のところにあるようにおもわれる。それは、一層多彩な演奏家の個性を受け入れるように見えながら、実は深いところですべてのものをこばんでいる。彼の白い手袋は、サロンの男女がさし出す手をにぎりながら、彼の心は、誰とも共有することのできない一つの音の運命をみつめているのである。ショパンの音楽の『純粋さ』の裏側にはそうした深いニヒリズムが宿っている。」(遠山一行『ショパン』)[註4]
ショパンの一貫、その出発点からの「自分じしんである」個性の頑迷なる固定をもって、その類例の無い作家性をもって、むしろバッハに近いとしながら、畏敬する音楽評論家の遠山さんが、彼の世界拒否を評するくだりである。私にとってショパンは、ピアノに依りピアノにとどまったことによって、逆にかのリヒャルト・ワグナーいじょうに、ロマン派の王たる風格を擁《よう》している存在である。

そして田中希代子の、明快明晰さへの傾きによって「現在」を拒絶された、壮絶なピアノ協奏曲の明るい、抜けるような光の世界や、「舟歌」の、彼岸への、緩やかなる遡行《そこう》を想う時、それはまた、岡崎京子の代表作『リバーズ・エッジ』の、予《あらかじ》め傷だらけになった若ものたちの舞踏病のごとき、惚《ほう》けた表情に重なるのである。

主人公若草ハルナが、虐《いじ》められっ子でゲイの山田君と、彼らの「宝物」である行き倒れの死体をセイタカアワダチソウの茂る河原に、見に行くシーン。

「こうして山田君と歩いていても
実感がわかない
現実感がない」

そして死体を見た後も、何度もいっしょに見た後も、

「でも、やっぱり実感がわかない
もしかしてもうあたしは
すでに死んでいて

岡崎京子『リバーズ・エッジ』宝島社
オリジナル復刻版：2015年（初版：1994年）
［©岡崎京子／宝島社］

　でもそれを知らずに
　生きてんのかなあと思った」

冒瀆《ぼうとく》があり、汚辱《おじょく》があり、倦怠《けんたい》があり、それらがすべて惑乱《わくらん》的であり、迷蒙《めいもう》であり、そして空虚であるならば、すべてはいっきょに逆転顛倒《てんとう》されなければならない。

　そうやって痛み切った命らは、必死で懸命に、未来という過去に向かって疾駆する。

「ショパンの創作においては現実の人間や社会が他者としての重みをもつ度合いは少ない。彼の自己中心的な本能に本当につり合うようなものとして呼び出されるのは音という一見非物質的な素材である。彼は音楽家としての成熟の入り口でその素材のもつ意味を直感し、そしてそこに他者としての重みを託する道をさがし求める。ショパンが、ほかに類例のないような形で『ピアノの作家』になるのはそういう場所においてである。」（遠山一行『ショパン』）

　驕慢《きょうまん》な作家岡崎京子は、轟然《ごうぜん》たる作品『リバーズ・エッジ』の、清麗なるものだけを読後感として残して、私たちの視界から、私たち誰よりも早く立ち去る。それが、唯一残された道であるかのように。

　それはまた、まったく新しい意味を帯びた出発でもあった。時間の外へ自己投企するもの、それを実現出来たものはけっして消滅しない。だから、『リバーズ・エッジ』は、あたかも回文のように、輪廻転生を拒否するニヒリズムの輪廻転生のように、話しの輪を閉じる。

「あたし達の住んでいる街には
河が流れていて
それはもう河口にほど近く
広くゆっくりよどみ、臭い

河原にある地上げされたままの
場所にはセイタカアワダチソウが
おいしげっていて
よくネコの死骸が転がって
いたりする」

死の暗喩は明らかに、強烈に生を捻転《ねんてん》した、疾駆された「時間」の現存を表明する。それは絶対的な不死のための、死と生の、同時的絶対拒絶である。私どもは再び田中希代子にみた、疾駆する神、夏を思う。「十七歳のショパンにとっては、音は物質と想像力の間の不安定な空間になげ出された意識の影である。ロマン派芸術はそこに個性の恣意が復権される幸福な瞬間を見たが、ショパンはその音が置かれた不安定な状態をそのままうけ入れて出発した。そうしなければならなかったリアリストとしての運命に彼の天才の本当の姿があったといえばよいのだろうか。」（遠山一行『ショパン』）

最後に、蛇足のように、詩を。

「ひとつの謎。」

「こうして、いまここで、彼らは、これらの謎を愛することに、着手しはじめたのです」

——リルケ『ヴォルプスヴェーデ日記』（大山定一訳）

黒い湖が、あった。

彼女は、どこかから、遠い過去の、ほんの少しあった、苦しみのない時間、砂場、水辺の音、夏の林の夕べ、ふかふかするシーツに抱いて寝た縫いぐるみ、そんなもののなかから、探しだして、来たのだろう。

なんとか、やっと、ひとつ、この黒い湖が、残っていた。

私は、ずっと、そういう彼女の苦しみを知らず、ただ、未知の神話に憧れ、それを書き続けていた。

だがそれも、登場人物といえば、過去をさかのぼる墓守になった私と、そして、来世へ身投げした、青い花になった、彼女だった。

湖は、ごく小さいが、岸辺という岸辺に、つるつるとした、謎が張りついて、はびこっている。

深い淵には、私たちの先祖の血が、たっぷりと、息づいている。

この湖は、素晴らしい、日日の鏡であって、私たちを、占いの悪癖から救ってくれていた。

夏の終わりの日に、湖のうえに、虹が、たった。

遥かな階梯から、谺《こだま》が、雪崩のように、降りたった。

その時から、彼らは、こうした謎を生き始めることに、着手した。

[註]

1 「ノスタルジア」の解釈については、四方田犬彦さんの著作と、オリエンス宗教研究所発行『聖書と典礼』の寄稿文（著者名寄稿文名が、現在探せない）から、学んで借りた。

2 『田中希代子――東洋の奇蹟』（ショパン、ベートーヴェン、モーツァルト他）CD解説。キング・レコード、二〇〇六。

3 たぶん、澁澤龍彦からの比喩だと思うが、出典を思い出せない。

4 遠山一行「ショパン」（『ショパン』新潮社、一九七六）

1-02

宇宙の咆哮《ほうこう》に向かって
――私における、アントン・ブルックナー

強迫と脆弱《ぜいじゃく》

私は、一介の狷介《けんかい》なニヒリストである。虚無主義についての定義が多々あるのは承知しているが、端的に言って、ニヒリストであるからには、日日の生活や日常の暮らしを綺麗さっぱり放り投げ出している訳ではなくても、それでも「今、ここ」の現実が、私と世界の契約のすべてではないことも重々知っており、世間の表層的出来事全般を、脳裏に跳梁《ちょうりょう》する、かのファウストをして、せせら嗤《わら》わせてもいる。

だがここに、そのメフィストフェレスの跳梁を、ただに一分も自らに許容できず、ひたすら「今、ここ」の世界と自らの有り方、その関係にのみこだわり続けている人間がいるとする。その場合、私とその人間の関係はいったい如何なものになるのか、成り得るのだろうか、このことが、究極的には、私における、アントン・ブルックナー(Anton Bruckner, 1824–96)的問題になる。以下は、その曰く言い難い問題に対す

る、補遺、あるいは、蛇足として読んでもらった方がもしかしたら良いのかも知れない。

＊　＊　＊

数年前のクリスマス休暇中、底冷えのする季節外れの時期に、私は展覧会作品の返却にウィーンに赴いた。空港からそのまま、郊外のスパ・ホテルに友人建築家アントン・クニシュと息子のエミールをともなった。一泊してアントンが連れて行ってくれたのは、エゴン・シーレの生地でもある彼の故郷クレムス近郊のワイナリーと、そしてクロイスター・ノイブルクという、厳しい表情を湛えたカトリックの修道院だった。人気のまったく無いこの修道院で、私たちはしごくゆっくりした時を過ごして、礼拝堂に残る聖家族の飾りなどを見物したり、寒々として、けれども意外に瀟洒な小庭をスケッチしたりした。その時の記憶は、私の身体に長く残った。

晩年ブルックナーがこの修道院をしばしば訪れて、そこのオルガンを弾いていた、というのは後で本で読んで知った。因《ちな》みに言えば、ナチスが第二次大戦中隠匿《いんとく》した古今名品美術品を奪還する、実話に基づいた映画「モニュメント・メン」にも、ナチスのオーストリア支配に対抗する一派の密かな牙城としてカトリックの修道院が出てくるのだが、その舞台は想像するに、もしかしたらこのクロイスター・ノイブルグであったのかもしれない。［註1］

オーストリアにおけるゲシュタポのユダヤ人迫害の舞台になったのはその司令部が置かれていた、今は無きウィーン市街の「ホテル・メトロポール」だが、それを舞台とした奇譚小説にかのシュテファン・ツヴァイクの『チェスの話』があり、私にとっては過去の記憶や映像がない交ぜになって、この山上の修道院への偶然の訪問は、二重三重に身体の奥底に残ったのであった。

生涯独り身だったブルックナーが、譜面に向かって作曲しながら亡くなったのはウィーンのベルヴェデーレ宮殿というか、その隣のウィーン大学附属の植物園のはざまの静かな東屋《あずまや》の一角であるが、ここは私の畏友ポール・アゼンバウム兄のアパートから見下ろせる場所になるので、いつもポールの家に泊まってその窓からどのへんにあったのかなあなどとしばしば独りごちている。

大きくはないが、宮殿の傾斜に従って緩やかに傾いでいるこのウィーン大学の植物園は、変化する眺望や無類の空気感があって、私にとっての世界五大庭園のひとつに入るものだ。

私がブルックナーに親しみ始めたのは、そう古くはない。

長くロマン派のピアノ音楽のみに親しんできた私にとって、ブルックナーはどうしても遥かに遠い存在だったと言わざるを得ない。ワグナーならぬロマン派の王者と信ずるショパン、その韜晦《とうかい》と晦渋《かいじゅう》、と一言で今いうのも憚《はば》かられる何ものかを、自分なりに理解するのにおそらく二十年近くかかった音楽音痴の私である。バラードの一番は、美しいメロディーでパリの観衆を魅了する通例のショパン観とは正反対の、そのもっとも冷徹な鬼神ファウストのような、宇宙空間での魔王の跳梁を私には感じさせた。その後はシューマンの狂気に憧れ、それを自分のそれに沿わせながら熱狂的に伴走した。今も、ミケランジェリの弾く「謝肉祭」が頭のなかで鳴っている。やがてリストが来た。その土俗的激情と、理屈っぽい偏狭《へんきょう》のない混ぜに合わさった独特な味わいに次第に馴染んでいった。ロ短調ソナタの幻想は、あれほど資質の違った宿命のライヴァル、ショパンから彼が受け継いだもっとも透明度の高い成果だろうし、やはりリストの所謂文学的ロマン性は「巡礼の年」の躍動感に遺憾《いかん》無く発揮されていると思う。そしてやがて「無言歌」に、おそる恐る近づいていった。奇異に聞こえるかも知れないが、若い頃の私にとってメンデルスゾーンの育ちの良さが、もっとも忌避《きひ》すべき、胡散臭《うさんくさ》さに思えたのだ。だがやがて、そのメロディアスな音楽の流れの表面に行き来する、得も言われぬ脆弱な繊細さ、その生来の育ちの良さに潜《ひそ》む、夢想の魔をも垣間見ることが出来るようになった。

そうしてさらに長いことかけて、ここにはもう詳しくは書けないが、私はベートーヴェン、モーツァルト、そしてとうとうバッハの領域へと身体を動かして入り込み、それへと触れることが出来るようになった。ロマン派のピアノ音楽へのあの耽溺《たんでき》の歳月がもし無かったら、西欧が分厚い歴史のなかで辿り着いたこれら古典の精華を身体で理解することは、私にはとうてい叶わなかっただろうと思われる。

その過程で、私の音楽遍歴に次に現れたのは、専門とする世紀末美術や造形芸術の伴走者でもあった、かのマーラーではなく、ブルックナーだった。

同時代の音楽家で、後期ロマン主義の大成者といえばむろんかのブラームスだろうが、彼がブルックナーの音楽を毛嫌いしていたことは良く知られている。「あの、大蛇がのたうつような音楽」という揶揄《やゆ》は、ブラームスのそれに比してのブルックナーの音楽の本質の何がしかを突いているだろうし（天邪鬼《あまのじゃく》に言えば、それがブラームスの音楽の隠されたコンプレックスを言い当てている、と言えなくもないが）その実当たっていなくもない。多くの人は、そういう印象を持つだろうし、「簡単なことを言うのに、あれほどの膨大な労力とエネルギーが必要なのか?」という嘲笑にも似た評価も聞こえてくる。

だがその鈍重なる韜晦《とうかい》こそに、むしろそこにこそ潜んだブルックナーの「超人」的魅惑に、やがて私は取り憑かれていったといって過言ではなかっただろう。

「超人的」というのが正確ではないとしたら、「非人間的」と言い換えれば、私の言わんとしたい気持ちからもさほど遠くないような気がする。人間の一生をどうとらえるかは大問題だが、それを「最上で、最良」というもっとも人間的なものを追求する欲望、素直なそういう本性の「裏返し」の現象、と世間一般のように言っても良いだろうが、むしろ、私どもすべての本質に内在する「人間的で無いもの」を抉り出し、抽出し、それに磨きをかけた異常性格者こそが彼なのだ、と言いたい気持ちが今は何故だか強い。

私が動物的に、その音楽から看取したものは、人間の弱さ、その余りにも脆弱なるもの、愚かな弱さ、絶え間ない恐怖、付き纏《まと》う不安、そういう生きることのほの昏《くら》い惑乱のすべて、そしてそれ故の、病理学的とも言える強迫観念のことだった。

それはベートーヴェンの「主題労作」の延長線上にあるように一見みえながら、その実その起因するものをまったく異にする「悪魔的」なものだと、私には感じられたのである。

歴史主義の夢魔

私の「ブルックナー体験」は、またウィーン文化、オーストリア文化との出会いにも依るところがまた大きいと言わざるを得ない。マーラーを語るのなら、同時代の、黄金の装飾画家、クリムトを持ち出せば足りる。足りる、というよりそうすべきだろう。

だが十九世紀の前半に生まれて、世紀末を迎えずに死んだブルックナーにとって、同時代人としてはやはり、日本では余り知られていない、分厚く豪壮な画面で神話や歴史画を描いた、アカデミーの、皇帝お抱えの大時代的絵師たちをあげなければならないだろう。

その中にクリムトの教師で一大流派を成した、耽美派の代表選手のような私の大好きな画家ハンス・マカルト(Hans Makart, 1840–84)がいる。しかし、またその華麗なキャリアの影に隠れて、現代では忘れ去られているもう一人の歴史画家に、独特な、揺れるようなタッチとえぐ味のある色彩で鳴らした、「動物の表皮のように描く」、異色の存在であり続けるアントン・ロマコ(Anton Romako, 1832–89)がある。〔口絵2頁〕

おそらくは、この小文もこの二人の「アントン」(謂わば日本で言う、太郎、といったもっともありふれた名前の一つだが)を並べて語ることで見えて来るものを、追っていくものになろうかと予想される。

多くの観光客たちが、クリムトの最高傑作「接吻」を見にやって来る、ウィーンの一大名所、ベルヴェデーレ宮美術館(オーストリア絵画館)で、かなり大規模な「ハンス・マカルト　官能の画家」展を見て圧倒されたのは、数年前の秋だった。

マカルトというとクリムトも描いている美術史美術館の正面階段の天井画、ダ・ヴィンチやミケランジェロ、デューラー以来の巨匠群を描き込んだ「名画家シリーズ」の寓意画で知られる。しかも、四十四歳で早世したにしては、アカデミーの教授として、そして皇帝の銀婚式の祭典ディレクターや、劇場の緞帳などのデザイナー、果ては自宅の「驚異の部屋」まがいの古今東西の珍物趣味を網羅したアトリエにサロンを催して、まさしく当時の「リングシュトラーセ＝環状道路」様式の、新モダン・ウィーンの風俗にまでにいたる「文化の牽引者」のごとき存在であった。

その体質を特徴づけるのは、当時から話題になったように、火のごとく燃え盛る、激情的な「マカルトの赤」であった。「絵画の王」と称された。[註2]

マカルトが執拗に描いたのは、当時の人気女優シャルロット・ウォルターを始めとした、飽くことない、豪奢な装飾を纏って法悦的で退廃的な表情を隠さない女性肖像群であって、溶けだすような肢肉と、その熟れた表面のてかりや滑りや吐息を、あたかも狩人のように追いに追った「モノ＝女体」専門画家として記憶される。その意味では、すでにクリムトの蒼い寒天のような、蝋石の女性肌への偏執と、それによって絵画の厚み＝パースペクティヴを脱した絵画のモダニティーは、すでにマカルトにおいて始まっていると言っても過言ではない。

性への熱狂とその豪奢なる装飾性が、ブルグ劇場の天井画の下絵となった、大絵画「アリアドネの勝利」や、壮麗なる五枚の裸体画「五感」の、裸体に折り重なる裸体、その裸体の雪崩のような紛紛たる熟れた腐敗臭こそが、「マカルトの赤」の中核にあるものの深層だ。

その時もう一人のアントン、つまりアントン・ロマコはいったい、何をどう描いていたか？

年少のマカルトのように早くからウィーンで確固たる地位を確立できず、さらには「やや、分かり易過ぎる（＝新古典主義的に、と言うと、それも余りにウィーン世紀末過ぎる特殊な官能性を示しているのだが）」とも言え

ハンス・マカルト《五感》1872–79年、ベルヴェデーレ宮美術館（オーストリア絵画館）蔵
[Courtesy of Österreichische Galerie Belvedere]

ハンス・マカルト《アリアドネの勝利》1873–74年、ベルヴェデーレ宮美術館（オーストリア絵画館）蔵
[Courtesy of Österreichische Galerie Belvedere]

る圧倒的なスタイルを誇示するマカルトへの敵対心をも抱きながら、その実作においてじゅうぶんに「マカルト批判」を発揮したとも言い難いアントン・ロマコは、言うなれば「忘れ去られた作家」と言っていいだろう。

ロマコというと、ベルヴェデーレ宮美術館の顕彰運動の甲斐あってか有名になった、例の戦場画「リッサの海戦におけるテゲットホフ将軍」があげられるが、それが極限状態における迫真の人間描写かと言われれば、まあそんなもんかなとやや首を傾げたくもなる。ロマコがこれを本気で描いた、とは思えない。この時代にしては、意外に歴史画が少ないことや、少ないパトロンから依頼された肖像画や、風景画を残しただけの一歴史主義のその他大勢の作家群の一人にもみえる。

そのいっけん忘れ去られたようなアントンを、今日の美術史の場に引き摺り出したのは、他ならぬ、「反クリムト的ウィーンのモダニズム」、つまり表現主義の先駆者たちであった。

ロマコの絵画は、その表面の、ドロドロゆらゆらした、個性が個性を掴もうとして掴みきれない逡巡《しゅんじゅん》、その素材性やその色彩と線の重層的な「錯雑さ」をも含んだ、熱苦しい晦渋《かいじゅう》が、その真骨頂である。

ココシュカがロマコに傾倒していたことはよく知られているが、行き惑い、揺れながら、うねりながら、のたうちながら、心の深奥の生命の揺らぎそのものを筆致にしたココシュカや、あるいは、もっというと、発狂したかの天才画家リヒャルト・ゲルストルの、あの溶け出したような自死直前の「シェーンベルク夫妻像」の、その先駆にこのアントンがあげられるわけである。

そしてシーレの素描は、クリムトのように蝋石のような女体表面を「這い回る」のではなく、肉のなかに入り込んで、それを抉り出すもののように、私にはみえる。

それら一九一〇年代、第一次大戦後期からワイマール時代にかけて閃光のように起こったドイツ表現主義、早死にしたルードヴィッヒ・キルヒナーや、ノルデなど、舞踊と一体になって「肉体の復権」を押し出した作家群の前兆が、シーレやココシュカ、そしてゲルストルにあり、そのまた先駆者として、このアントン・ロマコがいるという筋書きだ。そこに、グロテスク的デフォルメを旨とした異色の十八世紀彫刻家、フランツ・メッサーシュミットをあげてもまた良いだろう。

ならばもう一人のアントン（この場合も、ロマコだが）は、私の印象でいって、えぐ味のある線、揺れて逡巡するその輪郭線、そして翳《かげ》りのある情動と抑制の効かない「揺らぎ」そのものを色に照り返したような、そのある種気持ちの悪い「踏ん切りの悪い」画面でもって、それら表現主義の先駆者としての栄光を死後勝ち取っただけの作家だったのだろうか。

その答えは私にはやはりその同時代人、もう一人の踏ん切りの悪いアントン（むろん、ブルックナーだが）を見ていくしか、出てこないような気がするのである。

偏執と、反復

彼は、繰り返す。彼は、徹底的に、同じフレーズ、同じ感情を繰り返す。

繰り返さなければ、生きてはゆけない。待っているのは、「死」だからだ。

すべての音楽が、視覚芸術と違っているのは、この「繰り返し」つまり「時間」のなかに定立されている

「僾《あわ》い」宿命に対する、叛乱《はんらん》と恭順《きょうじゅん》の、狂気すれすれに逡巡しながら行き惑う、その芸術的形式としての「繰り返し」から逃れられないことだが、それはブルックナーにおいてはまったく別の表情と位相を纏うもののように思われるのは私だけだろうか。

その字義通りの意味において、ブルックナーの音楽は「何故、人間は音楽を産むのか？　産まないとならないのか」という根源的疑義に、もっとも歴史上真っ向から向き合っていると思われるのである。

＊　＊　＊

彼のすべての交響楽を、ふだん、私が聴く訳ではない。とりわけと言えば、四番「ロマンティック」と八番ハ短調である。

「人は、世界を脅威とつねに感じている。その脅威から逃れるもっとも有力な手立ての一つとして、芸術がある」。

そう思う私は、かの有名な、ほとんどの交響楽の出だしにブルックナーの使う「夢幻の霧」とも「原始霧」とも称される、弦楽による圧倒的なトレモロを聴くとき、いつも白亜紀か何時かの古代の、恐竜たちに囲まれたそういう、見たことの無い時代に連れて行かれたような気分になる。

しかしこの「何時でもなく、何所でも無い」場所を暗示する、この手法自体が、じつはブルックナー自身の強迫神経症的心理の場でなくて、他何であり得るのだろうか。

八番交響楽、そして最後の、あの圧倒的な九番、その連続し、無限反転するコーダの、異常に耳障りな「大反復、鳴り響き」の絶叫の只中にいて、人は「異常なるものは、まさしく、人を打つ」という、宇宙組成の「反原理」をこそ体験して、身震いするのではないだろうか。

何故ならそこに響いているのは、「誰のものでも、絶対に無い」、宇宙そのものの吐息、その咆哮だからではないだろうか。

［註］

1 ブルックナーについては、土田英三郎『ブルックナー カラー版作曲家の生涯』（新潮文庫、一九八五）から、借りた。

2 マカルトについては、ベルヴェデーレ宮美術館（オーストリア絵画館）の「マカルト」展図録（"Hans Makart: Painter of the senses", Prestel, 2011）のアレクサンドル・クレーの論や、カタログ・レゾネ（"Hans Makart Catalogue Raisonné and Monograph", Bibliothek der Provinz, 2013）の主筆、ゲルベルト・フロードルの論から借りた。

1-03

理性でも、情念でもないもの
――凡庸な革命家シェーンベルクと、彼の妻を寝取った天才ゲルストルの場合

「ファム・ファタル」でない、ウィーン女性

いきなり下世話な話しで申し訳ないが、「エロスと死」で知られた官能都市、世紀末ウィーンでも後に二十世紀前衛音楽の開拓者になるシェーンベルク(Arnold Schönberg, 1874–1951)と、彼の妻を寝取った若き奔放画家、ゲルストル(Richard Gerstl, 1883–1908)のスキャンダルは、他にない事件だったのではないだろうか。その醜聞を詳しく調べて書く気はないが、駆け落ちの後、妻マチルデがシェーンベルクの元に帰った直後、ゲルストルが自殺を遂げたからである。

またまた下世話で恐縮だが、かの後期ロマン派最後の作曲家にしてウィーン歌劇場の音楽監督だったグスタフ・マーラーの奥さん、アルマ・マーラーは世紀の美女として鳴らし、恋多き「ファム・ファタル＝宿命の女」と後にも呼ばれ、また実際にもマーラー死後も盛んに男を漁ったようだが、写真で見ると今見

てもかなり魅力的ではある。偉丈夫というのとはちがうけれど、不思議な自信に満ちている。リルケなどを虜にしたルー・アンドレアス・ザロメ伯爵夫人も写真で見ると、偏狂なエキセントリックは感じるもののさほど現代的ではない。私見で、世紀末ウィーンでいちばんモダンで颯爽《さっそう》としていると思うのは、ユダヤ系財閥の娘御だったマルガレーテ・ストンボロー夫人であろうか。彼女の父親は、クリムトなど新興ウィーンのモダン芸術派の大パトロンだった。そして嫁いでから彼女自身もクリムトに描かれている。描かせている、というべきか。そしてこれまた大変人の弟は、二十世紀言語論理哲学を開拓した、かの哲学者ヴィトゲンシュタインであった。彼女は彼の気晴らしにか、自邸を設計もさせている。いかにもウィーン世紀末的なる、超級の贅沢な気晴らしだ。

話しを戻そう。シェーンベルクは画家としても知られていて、不思議な目玉男のような自画像?風の半抽象画が有名だが、何しろ手が無性に動く人だったらしく、何からなにまでも手作りしていた人で、それは詳しくは出来れば後に述べよう。ゲルストルの描いたマチルデ夫人だが、とんと魅惑的ではない。大柄な人だが、何やらエキセントリックな部分や繊細なものはいっこう感じられない。悪い言い方をすれば、鈍重な生き物然としていて、むしろお百姓のおっ母さんかなとは甚《はなは》だ失礼だが、そこらの安食堂のおばさんのようで、ごく普通な感じだ。だが、いつも何かわだかまりというか、すっきり自分の内面感情を表にあらわしてはいない、鬱屈《うっくつ》する性格なのだなというのは何となくわかる。だがそれだけだ。

もう下世話ついでに恥ずかし気なく言うと、何故狂気の天才ゲルストルが横恋慕して駆け落ちまでしたか、理解出来かねるのである。事実はえてしてそういったものだ、という真偽は別にしてさらに話題を変

えよう。いずれにしても女性にとっては知ったことかの戯言《ざれごと》であろう。[註1]

蒼ざめた、裸身

ウィーンのレオポルド美術館に、リヒャルト・ゲルストルの死の直前の、全身自画像がある。裸体である。いや正確にいうと二枚あって、青い空間をバックにした大画面に丸坊主の若い男が腰巻きをして修行僧然と正面を睨《にら》んでいるのは死の四年前の作である。これがゲルストルの最高傑作、ということになるだろうか。実際に自殺の直前に描いたものは、横向きのこれは性器をむき出しにした全裸で、絵筆とパレットを持っている、髪はフサフサだ。だが、さすがにクリムトなど世紀末ウィーン分離派の装飾的スタイルに絶対反発した反逆児だけあって、特徴的なのは絵筆を塗りたくって振り回したような、小さな円運動の連なる筆致が画面全体に広がっていることだ。[口絵3頁]

どうやら彼じしんは「クリムト的装飾」というのを、スーラやシスレーばりの、細かな点描スタイルの洗練化ととっていたらしい。点描というのが筆致を、画面空間からいったん離して、また再び降ろす「垂直運動」であ

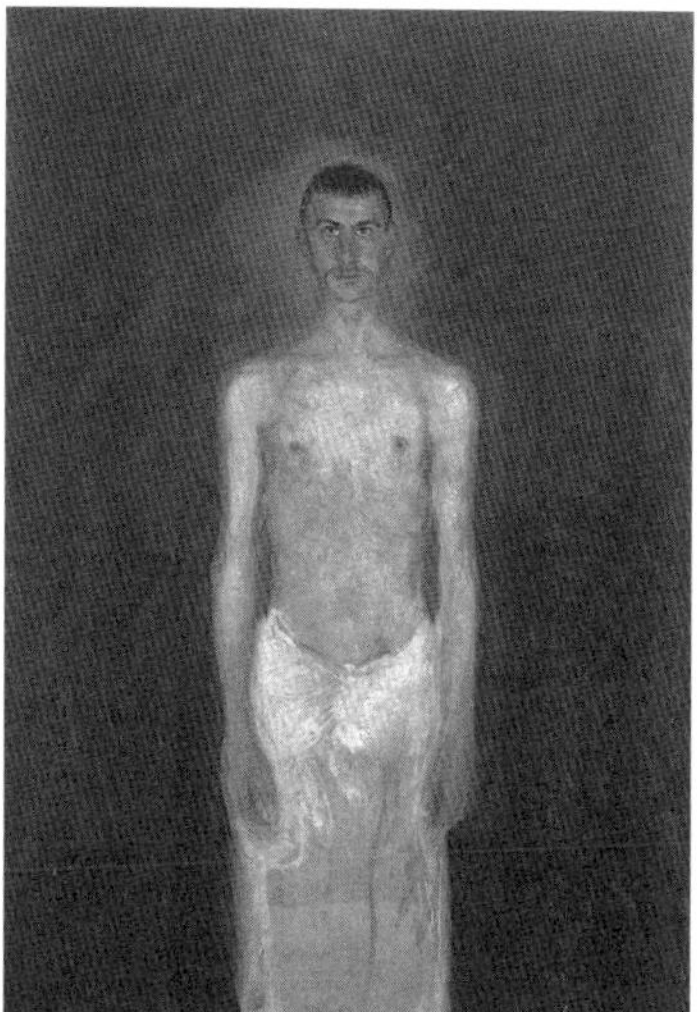

リヒャルト・ゲルストル《半裸の自画像》1902–04年、レオポルド美術館蔵
[出典:"Richard Gerstl", Neue Galerie New York, Hirmer Verlag, 2017]

るならば、筆致を画面から離さずに、そのままズルズルと画面上をひきずり回す「水平運動」をわざとやろうとしている。点描が軽やかな筆の、紙＝画面との往還運動だとすると、グニョグニョの地面這《は》いずり運動は、かなり泥臭い寝技ともいえる。

スーラの点描はよく知られているように、混色しない純粋色の点々を、見る者が離れて見ることによって生じる、脳内混色を誘発する極めて知的な絵画操作であった。それを継承して、単なる点描から流れる線へと洗練させたクリムトたちが、「このユダヤ人ブルジョワ迎合者どもめ」とこの反逆児の怒りを買ったのは理解できる。（当時、先進のモダン都市ウィーンにあっての、圧倒的な反動主義者、かの男権主義者『性と性格』のオットー・ファイニンガーの、ゲルストルが信奉者だったとどこかで読んだことがあるが、その話しはまたいつかどこかでするとしよう）

これは、後の不定形絵画の天才、ココシュカなどが盛んにやった画法であって、謂わば画布という絵画空間を絵の具がのたうち回っている具合で、後になって美術史では、表現主義と言われる。意図的なデフォルメや、線の捩れによって成されるもので、ある意味ではその先駆者は、クリムトの弟子、夭折の天才シーレということになっている。

自画像に戻ろう。手紙などは自ら焼き捨て、死の直前にすべての絵を廃棄するよう友人に頼んだ、のだが（実際は、そうならずに残った）この二枚の絵で、ゲルストル（何しろ、早死にしたわけで）が、クリムトやシーレ、あるいはココシュカを超える天才か、と言われると判断はつきにくい。

実際にほとんど、シーレの大コレクターで世紀末の偏執的蒐集家だったルドルフ・レオポルドの手に入るまでは、彼は世紀末ウィーン的一挿話の主人公であって、無名だったと言っていい。今でもファンは少ないだろう。

だが私のある親友女性は、この絵を買わなかった後悔を今も酒呑み話しにする御仁《ごじん》。レオポルドさんが手に入れる前に、この作品の購入オファーを受けて結局買わずじまいだったこのある親友のためにこの小文を書いているわけではない。親しくしてもらっている、レオポルド夫人（古里のお袋と同じ歳の職業婦人、偏執的に集めては買う夫を支え続けた元眼科医だ）に、ゲルストルのことを一度聞いてみたいなと思っている。彼女とは、シーレの話しはよくする。明晰な美術史家のような彼女は、シーレの人生の謂わば、伝説やら人柄の話しをほとんどしない。それぞれの絵の前に立って、東欧の小都市の昏《くら》い鬱屈《うっくつ》した気配や空気が如何にユニークに表出されているか、そのためにシーレの発案した技法を綿々と語り、描線、捩れ、色彩などの絵画そのものが、如何に革新的で先駆的であったかをいつも力説するのには感心する。心底、シーレを愛して生涯買い続けた人にしか出来ないことだ。

ゲルストルに戻ろう。私には、この二枚の自画像よりもはるかに、最晩年の表現主義、というより、エコール・ド・パリのアル中画家、晩年は手が震えて絵筆が持てなかったスーチンより、もっと不定形なある家族像の方が気になる。シェーンベルク一家四人を描いたものだ。

ゲルストルという作家は、ほとんど自画像の作家と言っていい。自意識に凝《こ》り固まって、その殻を突き破ろうとしてさらにそこに追い込まれていく、なんとも見ていて息苦しい空気感や、本人そのものじゃなく、画面そのものの遣《や》る瀬《せ》なさ行き場のなさが真骨頂と言えばいえる。

ただ、死の直前のまだ自意識の殻から出られない先の二枚の自画像よりは、はるかに、大きな空間やそこへの飛翔を感じさせるのが、この四人が公園のベンチに腰掛けている絵だ。それはかろうじてそれを描いていると分かる、判別できる代物で、普通の人が見たら出鱈目《でたらめ》に絵の具を塗りたくった、狂人の絵にしか見えないだろう。絵が溶け出している。そこに彼自身の心の救いがあったかどうかは、今や残された私たちの知るところではない。ただ確かに、絵そのものは、はるかに飛翔して、一つのまごう方ない有機体、として私たちの前にあると感じる。

不思議な絵である。それは果たして絵画による、絵画のための、救済だろうか。

保守的なる、革命家

シェーンベルクを二十世紀音楽の先駆者とするのは、ある意味常套だが、実はその真骨頂を言い当てた文章はごく少ない、というのが音楽が専門ではない素人の私の

アーノルド・シェーンベルク《青い自画像》1910年、アーノルド・シェーンベルク・センター、ウィーン蔵
[出典:『ウィーン・モダン:クリムト、シーレ 世紀末への道 日本・オーストリア外交樹立150周年記念』読売新聞社、2019年]

リヒャルト・ゲルストル《シェーンベルグ家》1908年、ルートヴィヒ財団近代美術館蔵
[出典: "Richard Gerstl", Neue Galerie New York, Hirmer Verlag, 2017]

私見だ。確かに、幾つかのフレーズの一区切りの中で、十二の音階の音全部を均等に使う、十二音技法というある独創的なシステムの開発者になってはいるが、そういうシステム志向は元来音楽本来の中に根づいていたもので、彼はそれを見出したというより、徹底して「再発見した」とされる。ここからがややこしいのだが、だから、彼は前衛音楽（昔のものをすべて切り捨て、捨て去って新しいものを築く）の開拓者、というより、むしろ伝統主義者だったとも評される。[註2]

その議論の晦渋《かいじゅう》に陥《おちい》らず、素直にシェーンベルクの音楽を聴くと、やはり私が好きなのは初期の傑作「浄夜」や、問題作「ゲオルゲの詩による空中庭園の音楽」などだ。まだまだロマン的な、浮遊感たっぷりだが、腹の中に染み透るような、和音の心地良さも残っている。ゲルストルに無理に絡《から》めるわけじゃないが、この時期の浮遊感に満ちた和音の残響が、絵画におけるスーラ的点描、と考えると私には面白い感興をそそることになる。ならば、シーレが開拓してゲルストルが爆発させたような、画面に筆が這いつくばるような地面運動のうねりは、むしろ、パッキリ和音と決別した、後期十二音完成からのシェーンベルク、ということになるのだろうか。

シェーンベルクの魅力は何か？と聞かれたら、私は即座に、「不安の音楽」と答えるだろう。いつも聴いているブレーズ指揮の管弦楽集全集には、「幸福な手」と、「浄夜」が一枚のCDに入っている。知られているように「幸福な手」は、マチルデの奔走事件直後の作品で、ある意味破壊的だ。絶叫という感じに近い男性合唱があり、それは「宇宙の哄笑《こうしょう》」と呼ぶに相応しい、ニヒルな高笑いを従えている。この音楽じたいが、自分自身を世界の外に追い無理やり放り投げるような、絶望の乾坤一擲《けんこんいってき》、と感じられて、とうてい心地良い気持ちでは聴いていられない。それはシェーンベルク自身の、マチルデや、ゲルストルや、そして何より自分自身に対しての呪詛《じゅそ》の曲にはちがいなかろうが、何とも昏い気持ちにさせる。だがそこにおいても、シェーンベルクは、音楽の革新性に殉じているように思われる。それがまた私をより、遣《や》る瀬《せ》なくさせる。

何故ならあれほど、内面の感情に殉じる自らの肉体に関わるもの、そういう純粋直截な音楽しか私はつくらない（嘘偽りの無いものしか）と繰り返し言っておきながら、それはまた彼の本当の本心だっただろうけれど、だからこそ、彼は事実や個人に関するすべての事象を、音楽からどういう訳か「追い出している」ように感じるからだ。

私の言葉で言うならば、そこには、「自然」という他者が予め排除されているように思える。

「一人の作曲家が音楽の歴史に責任をもたなければならないということはない。しかしシェーンベルクはそうしないではいられなかった。音楽の歴史が危機に瀕している時に、彼は自分は音楽をかかなければならないのだと信じて、その道をさがしたのである。だから、十二音主義は『音楽』と『歴史』という二重の意識から生まれている」。[註3]

情事事件よりかなり前の名作、「浄夜」は文句なく、好きな音楽だ。そのまさに、瑣末《さまつ》な日常の雑念に取り巻かれている私ども自身の感情が、如何にしてそれらを飛翔して軽やかな雄飛に変容するか、その浄化の作用の謎が手にとるように分かる。その意味で傑作だと思う。だが、この音楽もリヒャルト・デーメルの詩に基づいている、ある筋書きが存在することを思うと、またしてもゾッとするものを含んでいる。

妻は夫と歩いている夜に、そのお腹に夫以外の男性の子供を宿していると告白する。その悔悟《かいご》やら、自嘲。そしてやがて夫は、それを宥《みと》めてその子を二人の真の子供として育てて行こうと彼女を諭《さと》す。これは、ゲルストル事件の予感か？事件との時系列の入れ替わりか？などという勘ぐりは置いておいて、しかも、こういう事件は世界中歴史上男女がある限りどこででも起こった、そして起きつつあることだ、という戯言も別にして、何とも気味悪い符号ではある。

先に引用した遠山先生の文言にあるように、シェーンベルクは、その音楽が決して、私どもの音楽の深い感情からは理解されない作家だろう。その音楽が如何に美しくても、また革命的であってもなおそうなのは、彼が自分の感情のほとんどを、数理的に「切り刻んで」ただの素材にしてしまったからではないだろうか、と私には思える。

歌曲の言葉は、その意味も含めて、無意味だ、というような不思議なことも彼は言っている。その言葉を、ここで人生、と置き換えても良いだろう。徹底して、ニヒルで虚無的な創作家としてのシェーンベルク像が浮かんでくるのは、この時だ。

彼はまた実に器用に、トランプのカードのなかなか面白い、ブラック・ユーモア的似顔絵を描いたり、新しいチェスを考案して、その駒の珍妙なるデザインもやったりした。画家としても、ある種の特異な腕があった。稀有な造形家であった。

彼は、だが音楽家だった。そう、「自らを限定した」音楽家だった。人生、手業、そして他の創作、感情、他者、それらすべてを徹底して「切り刻んで」自らの玩具にして、音楽というたった一個の「架空の他者」

のための純粋感情を求めた。そういう、不幸な創作家であった。さすが、十二音の開拓者と嘆息するしかない。

私流に短絡すればシェーンベルクは、今後も理解されない謎として残るだろう。そこには「他者」が、世界が、予め追い出されていたからだ。

ちなみに余談だが、駆け出しの詩人で彫刻家でもある我が娘は、彼と偶然にか誕生日を同じうする。私のそれが、世間にまったくもって理解され易いピカソの誕生日と同じなように。

［註］

1　ゲルストルについては、ニューヨークのノイエ・ギャラリーの「ゲルストル展」図録（"Richard Gerstl", Neue Galerie New York, 2017）の主筆、レイモンド・コファーの論考、さらにはディーター・レオポルドの論考から借りた。

2　シェーンベルクについては、『シェーンベルク音楽論選——様式と思想』（上田昭訳、ちくま学芸文庫、二〇一九）の岡田暁生の解説から、借りた。あるいはウィーンのシェーンベルク研究所から出たカタログ・レゾネ（"Arnold Schönberg Catalogue raisonné", Belmont Music Publishers, Los Angels/VBK, Wien, 2005）の主筆、クリスチャン・マイヤーの論考から借りた。

3　遠山一行「シェーンベルクと歴史」『古典と幻想　音楽におけるマニエリスム』（『遠山一行著作集 三』新潮社、一九八七）

1-04

「変容」と「窓の絵」
──そこに世界のディテールはあったか、リヒャルト・シュトラウス先生よとオスカー教授宣う

「彼の生涯に、決定的な打撃を与えた与件を、断乎として、たわむことのない怒りと戦闘的な悲しみをもって追体験しようとする意志が、かかる作品を生ましめたのである。これを逆に言えば、運命への妥協、屈従を許さなかったものが、すなわち彼の身につけた、生きるための技術＝芸術そのものであったと言えるであろう。」（堀田善衞『ゴヤ』[註1]）

「窓の絵」を描いた男

最初から、リヒャルト・シュトラウス（Richard Strauss, 1864–1949）の話しではない。

この男、十九世紀後半から二十世紀もたっぷり生きて後期ロマン派を代表するとされる作曲家は、かなり複雑な人間である。それは後でゆっくり話そう。

ともにドイツ人、そしてそうであるからにはどのような境遇にあったといえども、あの世界大戦の悲惨を共に体験した中年男だが、一方のそれはもっともっと個人的には不遇で、悲惨な話しであった。[註2]

退廃芸術家としてナチスに睨まれ、故なくして仕事や教授職を奪われ、なかんずく軟禁状態におかれ、画材を買う金も無い自由に外出は出来ないの無い無い尽くしだ。それでも彼は、窓越しに、向こう側の建物の窓に映っては消える女性の姿、そのシルエットを半抽象で描き続けた。元々空間における人間の身体、その見え方や動きの関係じたいを絵画や彫刻にしようとした、ひじょうにユニークな作家だったから。

彼の名を、オスカー・シュレンマー(Oskar Schlemmer, 1888–1943)という。

巷《ちまた》の美術史の教科書どもには、第一次大戦後に敗戦国負債満載、極端なデフレ、貧しいながらそれでも民主的な復興意気あがるワイマール政権によって樹立された、二十世紀の総合美術大学の元祖「バウハウス」の代表教員として出てくる。画家で彫刻家だが、さらにユニークなのはそこで演劇というかダンスの授業を受け持っていて、振りつけから作曲、それこそ未来ロボットのごとき衣装デザインまで一人で行っていることだ。「人間」という授業では、文字通り解剖学的な分析か

オスカー・シュレンマー《窓の絵 IV》1942年
C. ラマン・シュレンマー所有、バーゼル市立美術館寄託

ら宇宙哲学にいたる、広範なる身体論を開陳した。私見では、前世紀の芸術家で二十一世紀に最も重要な美術作家のうちの一人じゃなく、ダントツ唯一のトップだろうと思われるのである。

彼のおそらくは世に知られた最も有名な絵画「バウハウスの階段」(一九三二)は、現在ニューヨークのニューヨーク近代美術館、通称MoMAにある。ナチス・ドイツの野蛮な野望を叩きつぶした、自由の大国アメリカにこれがあるのも皮肉なことか。この作品は先の最晩年の「窓の絵」とはちがって、新生バウハウス(デッサウに移った後の、グロピウス設計)の、すっぱりモダンでシャープなコンクリート校舎の斜め階段を、学生たちが舞台よろしく颯爽と行き来、登り降りする。ダンスに格好の舞台には、グリッドの窓ガラスが浮かんでいる。先の「窓の絵」における古い建物の窓枠や、この、モダン建築の窓ガラスでも、浮かんでは消えるガラスのグリッド構成を背景にして、人間のさらなる変幻自在の肉体がどう作用するか、こういう観察がシュレンマーの真骨頂だ。幾何学空間と、有機的生命体=空間の融合や衝突というか接合が、生涯のテーマだった御仁。ユニークこの上ない。

ちなみに本作品を、ナチス軟禁状態の本人から無理矢理、不当な安値で買い叩いたMoMAの初代建築部長フィリップ・ジョンソンとMoMAを不当所持のカドで返還せよと訴えたのが、我が畏友ラマン・シュレンマー氏であった。オスカー大先生の孫である。

「変容」という嘆き

この淡い夢のような、そしてそれでも、シュレンマーにとっては最後の、宇宙=建築=身体の集大成のような、儚《はかな》い揺らぎをリリシズムいっぱいに描いた「窓の絵」に対比されるのは、何になるだろうか。そうこう思案して、私の脳裏に浮かんだのは、同じドイツの作曲家、後期ロマン派の大家リヒャルト・シュトラウスが大戦終結前に作曲した「変容」であった。

実は個人的に敢えていうならば、この名曲(他にも、いっぱいあるからね)、実は私は好きでない。

何故というにR・シュトラウス先生、私見ではどうみても、ドイツ実直的・武骨的真面目さの、正反対の個性、極めてその気質風土には稀なるエピキュリアン、つまり快楽至上主義者に映るからだ。私が共感共鳴するのも、そういう部分である。私の大好きな第二の故郷にウィーンがあるが、ごつごつした融通の利かないドイツ性じゃなく、瀟洒《しょうしゃ》華麗で快楽的なるイタリア寄りの、これは説明が難しいが、せめて南部ドイツ、ミュンヘン辺りのバヴァリア人(野蛮人?と同じスペルだが、関係はない)気質を感じるのである。

ところがこの嘆きの曲にはそういう彼らしさが、微塵《みじん》もない。当然と言えば当然だ。嘆き、絶望し、空爆によって壊滅したドイツ全土、ナチスによるユダヤ人虐殺、累々たる死傷者の群れ、大ドイツの伝統を粉々にされた、その悔悟《かいご》とも、嘆息とも、なんとも言えない絶唱だから。つまりテーマは全編、喪失である。沈んでは浮かぶを難渋に繰り返す、弦楽だけによる特異なる交響詩。

他にもかの哀切に満ちたエルガーのチェロ協奏曲(第一次大戦に対して)や、ショスタコーヴィッチ、近くはアメリカのバーバーによるヴァイオリン協奏曲(ベトナム戦争やケネディー暗殺)など、戦争に対する悔悟や悲嘆を謳った名曲は多い。

私の印象は、嘆きというより世界や宇宙そのものの後退、である。完全消滅ではない。もしそうなら、もう曲をつくる必要などないだろう。存在することの希望は微《かす》かにあることはあるが、どうにもこうにも、もう絶望に包まれていていかに建て直し得るか、出来ないかそれすら分からない。だが何か、微《かす》かに、ほんの微かに、過去を思うだけではない今ここに対する、淡い希望が見えがくれする。ただそれを大きな声ではもう、とうてい言えない。そういう悲嘆と淡い夢、それも消え入りそうな、さらにそのあわい。言うまでもなく、その系列からいっても妥当なように、十九世紀を席巻した感のある、くだんのワグナー旋律、無限円環的空中浮揚の不安感満載、自分ではその完成形を自負したのじゃなかろうか。

そう考えて、私は、やはりシュレンマーの「窓の絵」を思い出す。いや思い出さないとならないと、内心で自分に言い聞かせるのである。

「英雄の生涯」あるいは、「ツァラトゥストラ」

シュトラウスの何が好きか、と言われるとむろん、さまざまのオペラの名曲をあげないわけにはいかない。「薔薇の騎士」、「エレクトラ」、「サロメ」、「影のない女」、それぞれに趣《おもむき》はちがうけれど、ホフマンスタール他名だたる名作家の名リブレットを得た大先生、後期ロマン派から擬古典まで、その筆勇躍して自由自在にお楽しみになっている。多言は要らないだろう。その最盛期は、やはり一九〇〇年前後から一次大戦までに集中する。

だからやはり年齢世代から言って、彼は世紀末のアール・ヌーヴォー世代（ドイツではユーゲント・シュティール［青春様式］）と言えばいえる。それもアール・ヌーヴォー造形を専門領域とする私の肯綮《こうけい》に当たる。

傲慢《ごうまん》にも自らを英雄に例えた「英雄の生涯」や、「ツァラトゥストラ」なぞ、言い方は難しいが、まあ難しいことは言わずこんなサビ・オチ満載の大衆迎合作品もあったって良いじゃないの?と言わんばかりの、直球名旋律の大傑作だ。好きも好き、毎朝聴いていたいぐらいだ。だがオペラは別にして、たまに演奏はされるが、日本でのクラシック生演奏にはこのあたりの器楽曲があまり人気が無いようで、滅多に演奏されない。ナチスの広告塔に一時期なっていて、戦後裁判にもかけられたのが原因というわけでも無いだろう。音楽家だから、政治やユダヤ人問題とも本来関係はない。理由はむしろ深刻ドイツ音楽好みの日本人の旧態依然のクラシック趣味にあって、どうも、ドイツ的ばかりとも言えない逸楽性、退廃性が、演奏を遠ざけているというのが私見。二〇〇〇年以来、とみに盛んになったシベリウスやニールセンなどの、ドイツ的ともちょっとちがう、北欧的?晦渋《かいじゅう》音楽の、演奏回数が増えているのと対比的であろうか。

その中でも演奏回数が多いのが「家庭交響曲」だ。オペラ的表題の交響版であって、親しみやすい。シュトラウス先生、美人で超級の我儘なオペラ歌手を嫁さんにして恐妻家然、とうとう自家の一日のおおわらわ、どこの家にもある日々の雑たる俗たるてんてこ舞いを見事な曲にした。大したもんではあるが、私はやや細部がクドくて、やはり好きでない。一度、N響パーヴォ・ヤルヴィ指揮で、始まってすぐ眠たくなって退出した。

勝手なもの言いだが、そういう細かい日々のあり方、ディテールを音にすればするほど、音楽の実体的ディテールとは遠ざかるんではないか、というのが無手勝流のニイミ音楽観である。シュトラウス風、威勢の良いサビ・オチもごく少ない。

火の山のダンス

二〇一九年がたしか、バウハウス創立の百周年祭だったので、日本でも関連の顕彰展は相次いだ。だが、やはり（バウハウスとその意味を知り尽くしている私には）紹介展の域を出ず、相も変わらず、やれ誰それの授業ではこうこう、という多くはアーカイヴに残された生徒作品（授業の課題ですよ）を並べて、クレーやカンディンスキーの色彩学や、構成授業の分析をする。そんなもの、実際に造形を学んだ者でないと実感は皆無であろう、主催者の自己満足に過ぎぬ。まあ、根っからの学芸員、ザ・キュレーターの憤慨はそれぐらいにしておこう。

自慢たらしく言うならば、二〇一九年にドイツを中心にあったバウハウス回顧展を総ざらえ的に見て「九五年に東京で君が企画した、あの空前絶後の展観[註3]を超えるものは無かったよ」と、畏友ラマン師は宣うた。私もその巡回の一つを、パリの装飾美術館で見たが、まあ同意見だった。

何故に？ 答えは簡単である。バウハウスを二十一世紀の見直し視点でみるにいちばん重要なのは、「見えないモノへの眼差し」だ。説明が難しいが、バウハウスは生産工房も持った画期的な美術大学だったのだが、だから今日残されている「ブツ＝見えるもの」は多い。決して、少なくは無い。けれど、それらだけを集めて並べても駄目なのだ。何故なら「見えないもの」、「残っていないもの」には、一に、初期バウハウスに根強くあった、地域や風土へのドイツ的粘着の魅力、そして二に、同時期の表現主義への傾倒であった。人によったら、そこに神秘主義を見出す人もある。ところがデッサウに移ってから、そういうドロドロしたドイツの土着性や土臭さ（ダジャレじゃないが、実際土の焼きもの、陶芸工房は閉鎖される）は一掃されて、世界統一的モダン造形の広告塔を目指したので、パッキリスッキリした、生産に邁進するわかり易いドイツ性律儀さが前面に出てくる。

その三は、祝祭的なお祭り騒ぎ（凧祭りや、ランタン祭りや、ドイツ版田舎の縁日よろしく＝ヨーロッパでも図抜けてお祭り好き、つまり田舎なんであるな）がいつも開かれて、先生や生徒も合わせて準備して、趣向やお飾りを楽しみ、飲かつ食べ、ダンスに興じた。こういう祝祭的バウハウスの中心にあったのが、シュレンマーの主宰した演劇工房であった。むろん、上演芸術ゆえ映像にすら残されていない。

有名なのは「トリアディック・バレエ」と称する、赤、青、黄色の三原色を用いて、三

「トリアディック・バレエ」、メトロポールシアター（ドイツ）でのレビュー「ヴィーダー・メトロポール」でのフィギュア、1926年、オスカー・シュレンマー・シアター・アーカイヴ、C.ラマン・シュレンマー蔵

様三態の宇宙服のような、球・円錐・円筒（セザンヌの宇宙空間理解ですね）を大胆に駆使した衣装デザイン（針金状の金属で身体をグルリと巻いたものまである）を着ぐるみよろしく着た人間が、四角四面の櫓《やぐら》ならぬ土俵を、操り人形のようなギクシャクした動きで跳んだり跳ねたりする。［口絵4頁］

大胆奇抜、もう、面白・可笑しさ満載の、未来ダンスだ。百年後の今でも、さらに現代的にみえる。難しくいうと、人間の有機的肉体を、幾何学的建築みたいな衣装に閉じ込めて、さらに直線的な動き（しか出来ないので）を要求すると、そこにどんな「揺らぐ」見えない二重空間が動き出すのか、というかなり生真面目で、重要な実験でもあった。

「窓と身体」のメタモルフォーゼン

最後にまた、再び堀田の『ゴヤ』をひこう。

先の二人に先んずること百年、最晩年の聾唖《ろうあ》者、大病病みのゴヤ老人は、あの、人類最後の絵？——あの最初の絵のような壮絶なる「黒い絵」群を、誰に見せる目的でもなく、マドリッド郊外の自宅の壁に、直接油絵で描きつづけた。

「芸術家は冥想とか内的生活とかと呼ばれるものとは本来無関係なのではないだろうか。」

「この画家の生涯は、いわば試行にみちているのであり、しかも古い、あるいは若い頃の手法技術をも捨て去ったりすることがないため、その生涯はあたかも古いタテ糸と新しいヨコ糸で織られた部厚い布のような観を呈して来る。」

「七十四歳から七十七歳にいたる年齢というものは、おそらく狂気と正気との境界などを取り払って人間そのものの実在を正視するに充分なものなのであろう。」

これはかのゴヤを語る言葉だが、普遍的な真実は天才すべてに適応する、ということか。むしろ「窓の絵」の画家と、「喪失」の大家に二つながらに相通じると思うのは、私だけだろうか。

オスカー・シュレンマー、大戦中、いまだ壮年にして極貧、病によって齢五十五で死没、大家と崇《あが》められたリヒャルト・シュトラウス、大戦後四年して、八十五で没。

［註］

1　堀田善衛『ゴヤⅣ 運命・黒い絵』（集英社文庫、二〇一二）は（それ以外の、ⅠからⅢもだが）、瞠目すべき書で、座右というのも烏滸《おこ》がましい。

2　リヒャルト・シュトラウスについては、それぞれ聴いているCDの解説などから借りた。愛聴版としては、"Strauss, Ein Heldenleben, Die Frau ohne Schatten–Fantasie, Wiener Philharmoniker, Thielemann" (Deutsche Grammophon, 2002) の歌崎和彦の解説など。

3　「バウハウス：一九一九―一九三三」（セゾン美術館、一九九五年四月十五日―六月十一日）

＊文中の挿図はC・ラマン・シュレンマー氏より提供いただいた。© 2024 Bühnen Archiv Oskar Schlemmer | The Oskar Schlemmer Theater Archives | Photo Archive C. Raman Schlemmer, www.schlemmer.org

1-05

狂気の中の慰藉
――ヴィヴァルディ、そしてピラネージ

ある建築家の思い出

私は、ヴェニスには一度しか行ったことがない。それももう三十数年前のことで、だがその時のことは若かったのもあって、鮮やかな印象として残っている。建築家ジオ・ポンティの展覧会の準備でミラノに長いこと詰めて、閑静なランダッチョ街の娘さんで編集者、リサさんの事務所に通って図面を選んだ。ご褒美という感じで、列車で準備チームでヴェニスに行って数日過ごした。泊まったのは、映画「ヴェニスに死す」で有名なリドのダニエリなぞの超高級ホテルではなく、知り合った若い建築家、豊田博之さんの瀟洒なアパルトマンだった。夫人の侑子さんは、ウィーンの大家美術家、フンデルトワッサーの元夫人。

豊田氏とは初めての出会いだったが、不思議に意気投合した。建築のことなど皆目わかっていない若造に、数日彼は手取り足取り教えてくれた。白井晟一に飛び込み入門して、門前の小僧ならぬ住み込み弟子

であったらしい。その後イタリアに渡って巨匠スカルパに弟子入り、スカルパが仙台で亡くなった時にも同行した。

「石は重いものなんだが、それを重く感じさせないようにするのが、建築なんだ。」

「重い石の建築が、浮いているように軽やかじゃないと、お洒落じゃないから。」

「スカルパは装飾的と言われるけど、それは表面にひっ付けた化粧じゃない。石という素材の表情を変える作業、その重さも表情も根っから変える魔法さ。」

オリベッティのショールームや、ヴェネチア大学、そして息を呑んだ「クエリーニ・スタンパーリア図書館」など、見て歩いた建築はほんのわずかだ。彼にスカルパの本質を教わった。自前のヨットで運河散歩もしたし、料理上手の彼はムール貝の極上スパゲッティなど食わせてくれ、夜は酒を飲みながら、竹の横笛を吹いてくれた。金太郎さんのような童顔だが髪をバッサリなびかせて、白いパンタロンを履いて颯爽と歩く、今だに最高にカッコいい「イタリア的日本人」として忘れ難い。

嘱望された彼も癌で早世して、今はもういない。

フォルチュニイの生地を再製作している店に連れて行ってもらい、そこで買った臙脂《えんじ》に金のライオンがステンシルされた生地、お袋が女房のジャケットに仕立ててやがて着古して、今は私のヴェストになっている。

ヴェニスというと、ヴィスコンティの名画「ヴェニスに死す」や「山猫」以上に、私には彼のイメージが強い。

「シューベルトのピアノ曲なんてさあ、プラーターあたりの森の冬の小道なんだよなあ、吹雪で小石が飛んで来て、外套にパッツン、パッツン、と当たるあの感じなんだよ。」

古楽の復興

ヴィヴァルディ(Antonio Vivaldi, 1678–1741)というと、日本でも有名で人気の高いかの「四季」の作曲家として、バッハと同時代のイタリアはヴェネチアのバロック時代の人として知られる。十七世紀の後半から十八世紀の始めまでを生きたから、絶対王制期の後半ロココに突入する時代だ。どうもイタリアはこの時代、ルネッサンスの文化勃興期をへて百年、偉大な時代を懐かしむというか反復するマンネリなどもあって(それこそ、この言葉の語源であるマニエリズム時代)、その隆盛もさらに経て画家でも少しく力ある人が出ずに、これは政治的権力地勢が、フランスやドイツなど北方に傾いて来たという情勢の影響もあるだろうか。日本でいうと江戸中期、それこそ泰平の元禄あたり、ちょうど芭蕉と蕪村の中間らへんで、赤穂浪士の討ち入りと吉宗の改革以外はさほど話題にのぼらない。

古楽を見直そうとして、新しい目でヴィヴァルディを見出した偉大な合奏グループ、イ・ムジチによって再発見された「四季」が六〇年代後半、世界的大ヒットになったのは、世に知られるところだろう。今日隆盛のピリオド楽器(その時代に使われていた楽器)でなく、モダン楽器による演奏だったが、偉大なる大バッハの影に隠れて忘れ去られようとしていた、このヴェニスの作家を見出した功績は大きい。

それよりも私には、何故六〇年代後半、この晴明で晴れやかな、バロックの均衡?を絵に描いたようなヴィヴァルディが再発見されたかが、若干気になる。戦後世界の大激動期、異議申し立てが氾濫、パリ革命、ベトナム反戦運動、ヒッピーカルチャー、そういう、大時代のマッチョな権力構造に若者たちから大規模なカウンター・カルチャーの波が巻き起こった時にヴィヴァルディが再発見されたのが、不思議に思える。いつの時代にも、それぞれの専門ジャンルでは、そういうことが起きると言ってしまえばそれまでである。偉大な才能を再発見する努力だ、と。ここで軽々には短絡できないものの、歴史が揺らぐ時に、時代の一部ではその歴史のもっともっと深い深層に帰ろうとする情動が働くのではないか、とだけ今は言っておこう。「四季」の大ヒットから三十年もして、さらなる大変動の二十一世紀になって(パンデミックやら、戦争やら)、ピリオド楽器の大隆盛があり、当初はややもの好きな学究的狷介《けんかい》な集団、現象と見られていたのに、今や亡きアーノンクールや、ホグウッド、ノリントンなどが率いる楽団は、大人気である。それは理由は簡単で、彼らの演奏=解釈が、清新で新しいからだ。つまり古楽と思っていたものが、実は強烈に未来を志向している驚きだった。歴史とは、そういうものだろう。

赤い祭司

なぜこう言われたのか不勉強で良く知らないが、赤ら顔だったという話しのカトリック修道僧であったヴィヴァルディだが、救貧院のようなところでそこの子供たちに音楽を教えていたらしい。

今でもヴェニスのフェニーチェ劇場でヴィヴァルディのオペラがさかんに上演されているので、この春先からずいぶん、観たことのない演目を録画でみて楽しんだ。やはり、それだけではバロック期の雰囲気の実感をつかむことは出来なかったが、衣装や仮面なども合わせて「ヴィラのオットーネ」や、「狂うオルランド」などを楽しんだ。下世話にいうと、普段はワグナー一本槍なので（ほんの少し、リヒャルト・シュトラウス）ドイツ人の偉丈夫？の巨漢歌手にやや辟易《へきえき》していた部分があるが、イタリア人の華奢な美女たちの美声を楽しんだというわけだ。

昔、友人のチェンバロ奏者が、バロックという時代は個人の感情の起伏の大きな時代であって、その音楽も、激情や喜びは最大に、悲しみも絶大に表現するのをよしとする傾向があったようだ、と話していたことがあってその言葉を反芻《はんすう》したりした。私がヴィヴァルディに魅かれる最も大きな魅力は、合奏協奏曲「調和の霊感」六番にあるのは、言うまでもない。あの独特な切迫する、それこそモーツァルトを語るアンリ・ゲオンじゃないが、「疾走する悲しみ」という名文句がピッタリ来るあれらのパッセージに、バロックの真髄みたいなものがあるような気がして私はならない。

それは宮廷で美女を小脇に抱えて、かっさらい、かっさらいするカサノヴァの、欲望に疾駆するような怪獣の吐息のような、悲しい匂いに満ちている。カサノヴァにとっては、純愛だのもしかしたら性のエクスタシーすら、どうでも良いものなのだろう。それは狩人であっても、飽くまで愛の狩人ではなく戦いで騎士をなぎ倒す戦士のように、打ち捨て屈服させれば、もう後はその女体はただの記号としての「数」であって、その彼の疾駆の後に累々《るいるい》と残る死骸にしか過ぎないのだ。

カサノヴァも、思うとバロックの同時代人、しかも、ヴェニスの人であった。

この実に非人間的な欲望の数値化こそが、バロックの欲望であったのではないかと今の私には思える。

そう思えて仕方ないのである。

そう考えて私が思い出したのは、若い頃から憧れて見続けた、あの「カリチェレ＝地獄」の版画家、ジョバンニ・バッティスタ・ピラネージ（Giovanni Battista Piranesi, 1720–78）のことであった。

若い頃熱中するあまり、「カリチェレ」が夢に出てきたことがあって、行ったこともないこの機械仕掛けの人間拷問装置の中にたたずんだ私は、たしかに、そういう責め具のものする音が「ドーン、ドーン」と鳴り響いていた夢の音響を今も、思い出すことがある。

かの古代を甦らせようと苦闘したユルスナール女史は、この幻想の牢獄「カリチェレ」に、むろんその壮大無辺な夢想性を指摘しながらも、巨人タイタンや小人たちが責められはするものの、テーマは「拷問」

ジョバンニ・バッティスタ・ピラネージ《牢獄》第2版よりIII　1761年、町田市立国際版画美術館蔵
［出典：『空想の建築 ―ピラネージから野又穫へ―』エクスナレッジ、2013年］

ジョバンニ・バッティスタ・ピラネージ《牢獄》第2版よりVIII　1761年、町田市立国際版画美術館蔵
［出典：『空想の建築 ―ピラネージから野又穫へ―』エクスナレッジ、2013年］

ではないと喝破している。

「《古代遺跡》の偉大な立役者は時である。《牢獄》のドラマの主役は空間である。位置のずれ、わざとゆがめた透視図法は、ピラネージのローマ・アルバムのなかにもふんだんに見られる。そこには、肉眼で同時に見ることはできないが、しかし追想や反省が後から無意識によせあつめる建物あるいは景観の全景を、そのさまざまな相を、再現しようと心がける版画家の一つの手法がみとめられる。[…]この手法は、結果として、人間の背丈と人間の築いた建物とのあいだに初めから存在していた不均衡を途方もなく増大させることになる。[註1]」

彼女は、あの畏怖すら引き起こさせるような「階段」に象徴されるものを「構造遊戯」という。

だからまた「カリチェレ」のテーマは、石である。建設現場の古代的道具をあらゆるかたちで、変形、敷衍《ふえん》させた空想の「責め具小屋」が、こうして現れたわけであろう。

また驚くべきことに、ピラネージは「古代の廃墟」以外に実際にローマの遺跡であった「カンプス・マルティウス」(軍神マルスの、練兵場跡)の考古学的調査を行い、その包括的な図集、測量図集を出版した考古学者として、まず私どもの前に現れる。さらにそこで驚くのは、ほとんどの欠測部分を、彼はその想像の上の空想図で見事に補っていることである。[註2]

ここに「カリチェレ」の前史があるのは言うまでもないだろうが、ピラネージが執拗に描きだし、呼び出そうとしたもの、それは古代の廃墟そのものではなく、人間の脳内に根強く生き続けた「不安=増大する空間」というイデア、であった。

それこそが、私にはバロック精神の片鱗であったのではないか、と思われて仕方ないのである。

別段落ちのつもりでも無いが、さらに要らぬ蛇足?を最後に付け加えようと思う。

私どもは夫婦してある時期、彩の国さいたま芸術劇場での「蜷川(幸雄)シェイクスピア」の大ファンであった。「冬物語」、「リア王」、「タイタス・アンドロニカス」など、その画期的で秀逸な演出で、浄福と悲劇の浄化作用をいつも満喫して、楽しんだ。とりわけ、不可思議な目眩《めまい》のする「オール・メール」シリーズに魅了された。演出の良し悪しとは演奏と同じで、その作家の真実の声が聞こえてくるか否かでしか、私には無い。

「ベニスの商人」(二〇一七年上演)もそうで、その圧巻たる終局、ユダヤ商人シャイロックの迫真の独白が、今でも忘れられない。それは世俗的呪いとか、世間への嫉妬や義憤とか、通常私どもが持つだろう人間感情をはるかに超えた、宇宙や自然そのものの憤怒と落胆の叫びとして、いまだに脳裏にこびり付いている。だがそれもまた、ある種、ある時代の一個の人間の感情の振幅として、劇の中では十分な説得力をもっていたものだ。

いつも、そしていつの時代にも、人間は人間そのものを逸脱するものだから。

それを演じたのは、客席後方から私ども観客を含めたこの舞台全体、つまり世界そのものを後ろから睥《へい》睨《げい》して呪うた、市川猿之助であった。

［註］

1　マルグリット・ユルスナール『ピラネージの黒い脳髄』（多田智満子訳、白水社アートコレクション、一九八五）

2　桐敷真次郎／岡田哲史『ピラネージと「カンプス・マルティウス」』（本の友社、一九九三）から借りた。

＊本章も、またこの本のモーツァルトについては、すべて遠山一行『モーツァルトをめぐる十二章』（春秋社、二〇〇六）から借りている。

1-06

世の果てにあるエロス

――ルオーとメシアンの場合

若いルオーと、年老いたメシアン

語呂合わせのようで気がひけるが、これは実はルオー（Georges Rouault, 1871–1958）のことでもなく、またメシアン（Olivier Messiaen, 1908–92）ではむろんない私見だ。作家としての印象では、ルオーは何だかアトリエに一人閉じ籠《こも》って描いた偏屈な老画家（事実そうであった）という感じで、メシアンはむしろ、かの三位一体トリニテ教会で、ミサの度に狂ったような突拍子もない即興を弾いた反逆児の様子がうかがえる。どちらも、フランス的（それが何を一体、意味するのかも判然しないが）なる文化知性を代表する個性にはちがいなかろう。

フランス的文化知性というと、セザンヌ最晩年の「サント・ヴィクトワール山」と、パリのノートルダム寺院を思い出すのが私の通例だ。一方は、片田舎で誰にも知られず恬淡《てんたん》と絵を描き続けた、誰にも理解されなかった狷介《けんかい》孤高の老人。それももしかしたら表面上はどこにも転がっているような、一個人だ。この絵が後に歴史にも埋れずに、フランス的知性＝「ごく当たり前の人間の生活、その生の最も美しい上澄みを昇華した」、「結晶のような、非人間的なもの」として、残った。これも考えようによっては驚くべきことだ。

もう一方は、それこそ誰がつくったとも知れない何世紀にもわたって、何百、何千という民衆石工が営々と築いて成った、大伽藍だ。この一見両極にあるようにみえるものの二つが、フランスの文化精華を代表するということ、それも私の若い頃からの刷り込みであったようだ。

初めて憧れのパリに行った八〇年代後半二十代、私が初めて行ったのは、このシテ島のノートルダム寺院と、竣工して十年がたった、すぐ近くマレ地区のポンピドー国立芸術文化センターだった。まだまだ、その工事現場のような剥き出しの威容は、パリの街には溶け込んでいないように見えた。だが、それが一九六八年のパリ革命、あの空前絶後の「旧体制＝社会的支配体制」への学生や労働者の大叛乱、未曾有の「第二フランス革命」を受けた政治の大英断の結果であって、「もっともっと、大衆に開かれた文化の場をつくろう」という不動の決意だったことを思って、私は涙が出そうになったことであった。流石フランスだな、と嘆息もしたが、振り返って日本はなどとはもはや考えもしなかった。

話しはさらに私事になって、個人的なルオーとの出会いが早く、ごく若い頃、それも小学校の当時でその頃の自分の、ある種颯爽とした頑《かたく》なさ、人を寄せつけない傲慢な表情がルオーの絵の向こう側に見える。懐かしいより、気恥ずかしい。

またメシアンと出会ったのはごく最近で、あの弾け散るような「トゥーランガリラ交響楽」に魅かれ、やがて「世の終わりへの四重奏」を聴いた。オルガン曲はどうも、やはりさっぱり何だか分からずじまいで、鳥のピアノ曲は、時に聴くがトンと、フレーズを覚えられないから嫌い、お経か呪文歌のような傑作オペラ「アッシジのフランチェスコ」はまあまあ好きだ。

これはたぶんに自分個人の嗜好というより、戦後（あるいは、日本近代の）の文化受容の典型を映しているのかも知れない。泰西名画とドイツ音楽、というこの日本近代の二大教養主義から、いささかも私は逃れられていない。まあ大正生まれの、地方小都市の職業夫人であった母がそういう影響下にあったのは仕方ないだろう。ルオーに親近があるのは、彼がステンドグラス職人の息子であったからでもある。職人階級の生活感覚、気質はこの私にも生涯染み込んでいる。

小学校の時に、初めて連れられて行った倉敷の大原美術館で、「呪われた王」を見てビックリ仰天。「本当に呪われているな！こりゃ」と背筋に電流が走って、それ以来ルオー行脚が始まった。途中、やはり大原経由のロダン信仰もあったが、大学の頃もよく銀座の画廊に見に行って、その度に感動した。いまだ背筋に電流の走る感受性を持ち合わ

ジョルジュ・ルオー《呪われた王》1948–52年、
大原美術館蔵
［出典：『特別展観大原美術館の名品』豊橋市美術博物館、2000年］

せていた自分が、懐かしい。仏文の卒論はどういうわけか二十世紀概念芸術の祖マルセル・デュシャンなのだが、ルオーからどうやってデュシャンに飛躍したのかは、ここで詳述しない。

若い頃から絵も好きで描いていて、初めはむろんルオーばり、エピゴーネンであった。

ピカソ、マチスには馴染めなかったのに、ルオーに魅かれたのは、その厚塗りマチエールのフォーヴ調であることに間違いないが、今から思うに、意外にルオーにつきまとっている日本的なる「文学性」の匂いに吸い寄せられたのだろうと思う。当時仏文専攻、その理由たるややはり、高校時代の小林秀雄「ランボー」由来の芸術感動であって、やがて森有正に熱狂し、高田博厚の本もしきりに読んだ。生涯の指針になったリルケに出会ったのもこの頃。頭の中に「フランス文化の精華が、ルオーである」と刷り込まれたかも知れない。高校三年の春、復活祭にカトリックに受洗したこともある。ルナン、ペギーやベルナノス、モーリヤックなどカトリック作家をも読み漁った。

そしてまた、余計な話しにはなるが後に学芸員になって、私は多くその大原美術館に展示の作業や仕事で行くようになった。亡き藤田慎一郎館長には倉敷国際ホテル（お袋と大原に行く毎に、美味いハンバーグを食べた思い出の場所だ）で夕飯をご馳走になって話し込んだ。その時に、かつて盗難に遭ったこの「王」を、新宿歌舞伎町の奥の奥の路地で、その犯人から返却された時のスリリングな秘話逸話も聞いて、驚いたことであった。

還暦前後、そろそろ美術には飽きたなあ（飽きるわけはないが、知見としてもう新しいものは無くなった感じか）、音楽は二十世紀をほとんど知らないから勉強してみるか、と老年趣味で始めたから、そこに若い頃の感動優先みたいな焦燥もなく、のんびり、いやはや変わった曲だなあ、とか、訳わからない意味不明のものほど気がひかれる質《たち》のつむり曲がりは生来だから、ながら勉強よろしく何度もなんとなく、付き合っている次第。ベンヤミンの、それこそ「ゆったり、繰り返し、寛いで楽しむべし」という触覚的体験を現代音楽で楽しんでいるわけだ。

メシアンはそうやって、徐々に少しづつ私に近づいて来た。

「クマエの巫女」

先日、面白いことがあった。パナソニック汐留美術館の改装記念のルオー展に行ったら、新収蔵作品で「クマエの巫女」（一九四七）に出会った。［註1］出会った、というのは、この可憐な少女の横顔が、久しぶりに、遠ざかっていたルオー感動を甦らせたことがまず、あった。元々、ルオー作品集中いちばん好きなのはかの、聖骸布の聖女「ヴェロニカ」であって、厚塗りがむろん好きなんだが、この「クマエの少女」は厚塗りではないが、ルオー晩年の境地、あるいはもしかしたら謹厳実直なるカトリックではあるが、ゲーテ的なるエロ爺さんの少女趣味？（憧れだろうけど）をも多少思わせて、微笑ましい。［口絵4頁］

それより実は、この初期ローマ時代の異教の巫女は、ベンヤミンが最後まで持ち歩いていた絵葉書に登場する、ちょっと私にとっては曰くつきの図像なのであった。［註2］

ベンヤミンが何故、ローマ初期の異教の巫女であるこのシビュラ、クマエ像の絵葉書を持ち歩いていたかは、勉強不足で判然しない。ふつう、クマエというと南部ナポリ郊外のギリシャの植民都市だが、ベンヤミンはシエナの教会堂の像の写真絵葉書をもっていた。

これはルオーの清廉少女とはとうてい似ても似つかない、かなりおどろおどろしい、奇怪魔女を連想させるものだ。ベンヤミンなら、そういう怪異にもある種の美を見出したのだろうか、というたちの悪い連想はたぶん当らないだろうけど。

実はこのベンヤミン旧蔵の絵葉書を見つけた、ベルリンで行われた画期的な「ベンヤミン・アーカイヴ」展の図録を手に入れて眺めていた春先、東日本大震災があった。日本と世界を揺るがした大天災（半分は人災だが）だったわけで、その時、私は家に籠《こも》ってひたすら、このクマエの巫女の人形を日がな一日縫い続けていた。あとは当時受け持っていた学科の学生たちに、冷静に生活し、艱難辛苦《かんなんしんく》にある人のこと思い、めいめいの仕事に打ち込むように日々メールで呼びかけるぐらいのことだっただろうか。

他のことが手につかなかった。かといって、私は以降東北に足を踏み入れてはない。ボランティアにも、むろん行っていない。

ある友人カトリック司祭は、直後、驚いて我も忘れ、居ても立ってもいられず、検問がしかれる前に車で宮城県に弾丸のように駆けつけた。そこで自衛隊?・警察隊に出会って、どうやって検問を抜けて来たか

絵葉書「クマエの巫女シビュラ」
［出典："Walter Benjamin's Archive: Images, Texts, Signs", Verso, 2007］

驚かれ事情を話した挙句、一週間の特別な補助任務につくことが出来た。それは海岸を毎日ひたすら歩いて、遺骸を見つけたら絶対に手を触れずに、その場に目印の旗を立てる作業であったという。彼からは、そこまでしかきいていない。

だから極私的事情だが、私にとって遠い地中海の湾岸の古代都市、クマエの巫女は、東北大震災を象徴するものだったのである。

『ベンヤミン・アーカイヴ』の主編者エルドムット・ウィジスラは、これらの古代の巫女シヴィラの八枚の絵葉書を書の最終章においたうえで、おおむね以下のようなことを言っている。「八枚の絵葉書は、ベンヤミンの遺品にあったもの。シエナのカテドラルの身廊通路のモザイク画であって、黒白の大理石に縁取られた巨大な木彫画。一九二九年六月(手紙にもあるが)にシエナを訪れたベンヤミンが、実際にそれらを実見したかも定かでない。ヴェルギリウスが伝えるように、火山火口で地下世界への通路を守る、あるいはその地獄への導き手がシヴィラ。それは死と生をつなぐもの。あるいはベンヤミンにとっては、ボードレールの『パリの憂鬱』に絡めて自らが語ったように、過去と現在を結ぶ、ヴィーナス都市パリの象徴でもあったのだろう」。

ルオーに戻ろう。私は最近書庫で埃をかぶっていた、高田博厚『ルオー』を再び手にとってみた。それだけでなく若い頃、圧倒的に感動したその細部をほとんど忘れていたので、全体を一読した。[註3]

一九五八(昭和三十三)年私の生まれた年に出たこの本には、ルオーを理解するのは不可能である、と一貫して書かれてあった。あらゆる予想、世俗的・高踏的予知をも裏切る、一人の人間の、愚かで、不可解で、怪物のような、幼児のような、異形の人間の姿、それが人間の普遍として「在る」からだ、と説かれている。私の今日の納得は、若い頃の感動とはそういう意味でまた違う。それは、ルオーを当時は憧れていたが、今はただ、私もあるいは誰もが、ルオーそのものである、と納得出来るからだ。

余談だが、私はルオーの没年に生まれた。だからというわけではないが、生まれ変わりとも思ってはいないが、気質（世間に交わらない、狷介怪物、という意味では）は似ているかも知れない。

だから言い方は難しいが、ルオーの絵を絵だと思うと、それは誰もが陥る誤りに入り込むことになる。それは造形では無い、という意味で、絵馬、あるいはイコン（宗教画という意味ではない）であって、一人の白亜紀の怪物の、雄叫び、念仏、と考えたらいいだろうか。

乱暴にいうと、何がどう描かれているか、ルオー本人にも、私どもにも関係がないのではないか。そう思って、私は再び別の道からルオーに近づけるような予感が、今はしている。絵馬やイコンが、そこに何がどう描かれているかより、「それを描くという行為」自体が、はるかに重要な意味を持つようにである。[註4]

田舎の私の部屋に、子供の頃母にねだって買ってもらった岩波書店『ミゼレーレ』が置いてある。それを取り寄せてめくってみたい、と思った。マタイ受難曲を私は日常、晩飯の前にとか、なんの気なしに気楽に聴いているが、そうした軽いつき合いでだ。

「アーメンのヴィジョン」

ヴィジョンを、幻影というように訳すのはたぶん間違いだろう。

だが語呂合わせみたいだが、偶然にか、メシアンが追い求めたものは、そういう聴こえる世界の果てにあったもののような気がするのは私だけだろうか。それは本当には、聴こえるか聴こえないかは、分からない、向こう側の世界のことだ。ルオーにとってのそれが、見える世界の果て、そのさらに先のものであったように。単純なことだが、あらゆる芸術はすべからくそういうものだ、と言ってしまうとそこで話しは終わりになる。

知られているように、「世の終わりへの四重奏」は戦時のドイツの捕虜収容所で作曲され、そこで演じられたものだ。ピアノ二重奏「アーメンのヴィジョン」は、これも戦時大戦中に作曲された。

ここには、音楽の限界と人間の限界、その線的空間的交錯、その果てが暗示されている。そういう意味で尊い。[註5]

何度も聴いていて、私はそうも感じる。ただ、幻影とは、それだけではないだろう。

意外なようだが、そしてメシアンも示唆してもいるように、それは法悦、に近い感じをふくんでいる。私には、後の大好きな「トゥーランガリラ」が叩き出すような、異教的法悦、その錯乱するようなポリフォニーに通じる、何かをそこに聴くこともある。

ある作家、それも畏敬する画家が、最近、「脳内麻薬」なるタイトルで、新しく始めた油絵（それまで彼女は、長く鉛筆画と、オブジェにこだわっていた）の仕事をやっている。人間や生命が死滅する時に、脳内で発生する快楽的ドーパミン、のことであるという。[註6]

そう思って、私はルオーとメシアンをもう一度、自らの肉体に取り込む芸術修行をやらねばならんなあ、と最近思い始めている。それは生の果てにある、エロス、についてであろうか。
それが果たして、異教的なものか、旧教カトリックの許容範疇に収まるものであるか、別の友人神父に聞いてみたい気もするが、たぶんそれはやらないだろう。

[註]

1 開館二十周年記念展「ジョルジュ・ルオー――かたち、色、ハーモニー」(パナソニック汐留美術館、二〇二三年四月八日―六月二十五日)

2 "Walter Benjamin's Archiv: Images, Texts, Signs", Translated by Esther Leslie, Verso Books, London–New York, 2015 (二〇〇六年にズールカンプ社から出たものの英語版。元はベルリンの美術アカデミーでの展覧会に際して、ハンブルグ文化研究所が出したものだ)。「クマエの巫女」やルオーについては、パナソニック汐留美術館での前掲展図録の、萩原敦子による解説から借りたものもある。

3 高田博厚(森有正)『ルオー(レグルス文庫)』(第三文明社、一九九〇)などもあるようだが、筑摩書房版の初版を持っていた。

4 「それは、神社仏閣にそなえられた絵馬が、そこに描かれている絵の内容によってではなく、それを神仏にささげるという行為そのものによって意味をもつというのに似ている。」(遠山一行「カンディンスキー――ロシアの象徴としてのロシア」『世界美術全集 ミロ/カンディンスキー』(小学館、一九七七)

5 いろいろ愛聴版はあるが、メシアンについては「メシアン:世の終わりのための四重奏曲/タッシ」(Sony Music Labels, 2006, 2015)の、小杉圭子による解説から借りている。

6 畏敬する美術家、真島直子さんのこと。

1-07

黄金のシューベルト、あるいは宇宙への階梯

——田部京子に。

「ヨーロッパにおいては、感覚を透過して意志がその姿を映している。あるいは感覚は意志の『肉体』となっている。だから本当はそれは血腥い凄惨なものなのである。意志が自己に対立する実在に食い入り、それを消化することになって、そこに自己の姿を映し出す。だから感覚には自己の深さと少なくとも同じ深さの次元が露わになる。」(森有正「リルケのレゾナンス」[註1])

リルケから、ウィーンへ

エピグラフにあげた森有正の省察の、「血腥《ちなまぐさ》い凄惨《せいさん》なもの」という言葉を、私は実感でもなんとなく分かるようなものの、おそらくはこれはパリやフランス文化の苛烈《かれつ》な側面を意味するのか、特にかの異端者サドの文学や二十世紀では天性の無頼漢にして破天荒な同性愛者だったジャン・ジュネなどを想像すると、

分かりやすいかも知れない。

　私は若い頃から、このパリに留学して戻って来なかった哲学者のエッセイに魅了され、それからリルケの長く影の元にあった。未だにそこを抜け出してはいないかも知れない。東欧から出てきたリルケも、パリの重たい時間の圧迫やら死の匂いを『マルテの手記』に書き連ねた。パリにふさわしいリルケの省察もウィーンということになると、どうだろう。畏敬する辻邦夫先生の遺作のような傑作リルケ論に『薔薇の沈黙』がある。そこでは、リルケのフランス詩のテーマであった「薔薇」を、対象のない象徴の、理想のイデアのようにとらえたものと言っている。薔薇はすべてを語りながらも、沈黙する。それが最後には、やがて詩人自身の存在と一体化する。世界という他者はやがて自らと同一化された、宇宙内存在となって戻ってくる。そして詩人は神なる世界外存在とただ一人対峙して「私は在る」、「私が在れ、と言えば世界は生まれる」というような、最晩年の『オルフォイスのソネット』への到達の高みを書いておられた。

　だがその始めに、森の皮肉な述懐「セックスの時の女の声を知らないなら詩など書けないと、リルケも言っていますね」をひいている。[註2]

　ここまで書いて、それなら如何にもウィーン世紀末の「死とエロス」的だと思うのは俗に過ぎるだろう。それは大袈裟にいえば、如何なる官能的な肉体の悦びも、長い省察や内省を経れば、強固な文明の意志に昇華出来得る、というような一種の文化への信仰告白でもあった。

　この小文で、私はともに耽溺した二人の芸術家を結ぼうとしているらしい。十九世紀の初め、ビーダーマイヤーという如何にもウィーン的小市民社会を舞台に活躍した、孤独の旅人シューベルト(Franz

Schubert 1797–1828)。自然の声に生涯耳傾けたこの内省の音楽家と、それから半世紀後の、時代の寵児グスタフ・クリムト（Gustav Klimt, 1862–1918）である。

ウィーン世紀末の黄金の装飾画家クリムトというと、やはり晩年の最高傑作「接吻」や、死とエロスの群像「花嫁」などの大作が有名で人気が高い。初期にも良い作品があるが、私はスーラの点描ともやや違う、揺れるようでユニークな、画面全体にしっとりした筆触が踊る、点描の美しい風景画が好きだ。初期にはやや硬い表現が多く、ブルグ劇場の天井画のような古典的な歴史画もある。

ウィーンの美術館でクリムトの殿堂というと、大作「接吻」のあるベルヴェデーレ宮美術館（オーストリア絵画館）ということになる。元の王宮離宮で傾斜地の気持ちのいい庭園の上の宮殿の二階、その奥まった部屋にその傑作群が並ぶ。余談だが、ウィーンにおける私の定宿は、装飾美術の大家で兄貴ポール師のアパルトマンだが、ウィーン大学植物園の側にあって、三階の窓の向こうに上宮殿のクーポラが見える。夕方には、散歩に行く場所だ。ここでは、まさに中期から晩年までのクリムトの成熟と変遷を見ることが出来る。しかも、同時代のユーゲント・シュティールの巨人たちの、大好きな逸品と並べて。クリンガー、ベックリン、セガンティーニなどだ。

歴史の最も古い美術の殿堂というと、やはり王宮のすぐそばにある美術史美術館であろうか。ここはエジプト美術からルネサンスの巨匠たち、デューラーにティツィアーノのヴィーナス、かのブリューゲルの部屋、アルチンボルトにフェルメールと名品がずらり居並ぶ。ところが、世紀末のクリムトとなると、有名な階段壁画を三枚描いているものの、絵画は少ない。階段壁画は、初期とは一皮剥けて、深みの無いフラットな装飾面に官能的でグラフィックな女性像の線が出合う逸品群。

初期の女性肖像画がここに一点あって、これは小品というかふだんは絵画館の館長室にかけてある。しょっちゅうそこのドイツ人館長ヴェッペルマン氏に会いに行くのでそこでよくお目にかかる。あまり注視しない、その程度の小品だ。

ところがもう一点、クリムト初期にシューベルトを描いた佳品があって、これがどういうわけか黄金に光り輝いているシューベルトが美女たちに囲まれてピアノを弾いている図だ。現存しない、写真画像でしか見ることが叶わない。揺らぐような装飾的筆触も部分的には生まれ始めている、不思議な絵である。舞踊的筆触というクリムト絵画の特徴と、レントラーとかのオーストリアの舞曲を対比して発想し、楽しむことも出来るだろう。

知られているように、短命だったシューベルトはそのほとんどの作品を、限られた愛好家のための小集会的演奏会、シューベルティアーデで発表した。その場面である。クリムトはマーラーの盟友だったが、一時代前のシューベルトにはむろん会ってはいない。私の勝手な印象だが、静かでしんとした小部屋かホールで彼の音に聴き入る、神秘的な聴衆、という定型的シューベルト・イメージとはずいぶん違って、本人は静かに澄ましているものの、華やかな女性たちに取り巻かれて輝いている王者然。内向的なイメージとは遠く、だからあまり好きではなかった絵だ。

このシューベルト像、現在は残っていないが、黄金に輝いている。黄金に輝くシューベルト？　どうも、この与える意外なインパクトが、それまでの「死に寄り添って、若い頃から病と死とともにあった」シューベルトのイメージから遠く、画像しか残っていないためもあって、長く好きになれなかったわけだ。クリムトがどういう想像でこれを描いたか判然し難い。クリムトの黄金好きは終始一貫していて、階段壁画のエジプトのクレオパトラも、アテナ神も、古代イタリアの天女も、すべて金をまとっている。だからシューベルトにも、金をまとわせたかったクリムト側の趣味だなと打ち捨てていたのが意外なことに、ある時思い直すことになった。

それは春先に、浜離宮ホールの田部京子さんの演奏会で、シューベルト「幻想」を聴いたからだった。

シューベルのピアノ・ソナタ

私は若い頃から長く、シューベルトのピアノ曲に魅せられ、ほんとうに長く聴き続けた。はじめはケンプやブレンデル、やがて内田光子を聴い

グスタフ・クリムト《ピアノを弾くシューベルトⅡ》1899年(1945年に焼失)
［Courtesy of Galerie Welz, Salzburg　出典:『グスタフ・クリムト 1862-1918:女性の姿をした世界』ゴットフリート・フリードゥル、Michiko Higuchi訳、タッシェン・ジャパン、2002年］

た。それぞれに説得力があったが、グルダを聴きたいと思ったこともあった。田部京子の良き聴衆ではなかった私だが、ブラームスやメンデルスゾーンの無言歌などは、好きだった。だが何より、私の崇拝する田中希代子の数少ない教え子であることに注目していた。膠原病《こうげん》で弾けなくなった「伝説のピアノ教師」は、譜面に的確に鉛筆で奏法を指示するので、「弾けない」ことが何ら齟齬《そご》をきたさない、見事で稀有な教師であったことも、たしか田部が述懐していたものだと記憶する。

学友協会の副総裁であって、自ら歌手でもあったニコラウス・ドゥンバ男爵がクリムトに依頼したので、通称「ドゥンバ」ペインティングと称されるこのシューベルト像だが、本作は一八九九年に完成されたが、一九四五年のインメンドルフ宮の火事によって、くだんのウィーン大学学部壁画とともに焼失したものであった。[註3]

だが、さらに小さいヴァージョンの油絵(下絵と称されているが)が、構図はやや異なるものの、これもウィーンのレオポルド美術館にある。本作のようなドラマティックな、蝋燭の炎や鏡に反射する黄金の煌《きら》めきは無いし、全体がやや赤っぽい作品だ。周りの女性たちも衣装のリアルで華麗な、空気が浮き立つようなクリムト独特の本作の筆触は芽生えているものの、立体感はさほど無いし、シューベルト本人の宙を睨《にら》んだような凄《すご》みにも乏しい。やはり下絵は下絵だという感じが強いが、私は実見してみて、いつも、何かゾッとするような妖気というか、絵に漲《みなぎ》る一種の張り詰めた覇気のようなものを感じる。[口絵3頁]

長く、それが何かよく分からなかったが、この夏の浜離宮でのコンサートの最後の大曲、「幻想」でその謎が解けたような気がしたので、少しく書いてみたい。

「幻想」の意味するもの

音楽音痴で上手い表現は出来ないが、田部の音は、最初はごく囁《つぶや》くような、しかもしっかりと響く音、その澄んだ透明感そのままで、それは大きな空間、宇宙を包むような大きな豊かさにだんだんと膨らんで行った。わざとらしさは微塵も無かった。

田部京子のピアニズムは、表現が難しいが、今までよりいっそう、大胆で不敵な、大きな振幅のダイナミズムに溢れていた。それがシューベルトの要請するものだった、と私は感じた。

ゆっくりとしたタッチながら、しっかり抑えて誰かに呟き言い聞かせるような音で始まり、やがてそれが大きい宇宙的な振幅と共鳴に続いて膨《ふく》らんでゆく。大きな山が立ち現れるのを想像した。

「きわめて中庸に（モルト・モデラート）」で、始まるゆったりしたその歩みが、何か巨人のような存在が、ゆっくり、しかも大きく、しっかりと、遠い山脈に向かって一歩一歩、登ってゆくような気配がしたのだ。それは、私ども人間の肉体の中の静かな音でもあるが、またそれは、大きな肉体のさらに向こうにあるような、自然の音でもあった。

そしてその巨人が、やがてその山脈を超えて、ずっとずっと宙へ向かって登ってゆく。そのイメージが私には、はっ

田部京子「シューベルト：ピアノ作品集成」日本コロムビア、2007年
［©日本コロムビア］

きりと見えた。聴こえた、と言うべきか。ああ、あの「黄金のシューベルト」は、これだったんだな、と独りごちた。

その巨人は、私にとって、ウィーン郊外の野の自然、その小さな微細な情動や質感に聴き入る、小動物のようなものそのものでもあった。だが彼は、そのままで、そうやって歩き続けることによって、やがては宇宙への階梯をゆっくり登ってゆく巨人に変貌してゆく。

それは私が長く、知らなかったシューベルトであった。

「幻想」もとりわけ好きな曲だが、それらそれぞれを私は常に、身辺都下東村山サナトリウム村にあった小さな自然の囲い地、小庭の風景に擬《たと》えて聴いていたし、その感懐を書いたこともあった。交響曲第八番とかの、雄大さに似ているといえば言えるが、それともちょっと違う。私は、多くの人がいうように、シューベルトがウィーンの周りのオーストリアの里山の自然、その植物のざわめきや風のいろそのままを音楽にしている、とりわけピアノ・ソナタではそうだ、という意見にほとんど同意する者だ。

そして普段聴いている、田部のCDに永岡都がライナー・ノートを書いているように、「音楽学者のアドルノは、このようなシューベルトの音楽形式の本質を、十九世紀に流行した『ポプリ(接続曲)』の世界と評した」のに賛成する。また誰もが言うように、シューベルトがその長く畏敬したベートーヴェンのピアノ・ソナタの峻厳な山脈に肉迫しようとして果たせず、時に繰り返しが多く、冗長で、終わるに終われない、その苦渋の中にあったとすること、つまり「構築性に欠ける」ことにも、何ら異論を唱えるものではない。[註4]

だが、その、私の言葉でいうところの「コラージュ」的世界観のどこが魅力に欠けるものか、終わりのオチが無いことのどこが欠点なのかと、そう長くソナタを聴き続けて、反発して思い続けたのも事実であった。

だが死の二年前の、一八二六年、後期の三つの大作に先駆けるこの「幻想」、つまり、「四つの独立した小品として出版された」(前述)、その実全体で壮大なソナタとして構想されたこの十八番によって、それが超克されたとも、私は考えない。[註5]

それは私は一つには、田部京子の深い省察と練磨があったのだろうと、感銘する。CD録音は一九九九年の収録、それからすでに四半世紀近く経っている。この演奏と、浜離宮のものとは、言い方が難しいがまったく別ものだった。その前の春に、私は上野の文化会館で、モーツァルトの二十七番をN響、秋山和慶指揮で聴いている。その時に田部はずいぶん化けたな、と思った印象が私を、「幻想」に導いた。勝手ながら二十七番は、あの独特な「天国の門の鐘」(遠山一行)が鳴らないなら、私は演奏とは認めない。傑出した演奏、例えば亡き遠山慶子先生とかでは、ある部分の打鍵が必ず鐘の音のように、涼やかに響くのである。また、浜離宮では私が尊敬する吉松隆さんの曲があった(田部は、それら多くを初演し録音してもいる)のが聴きに行った大きな要因で、それらにも深い感銘を受けたが、ここには詳述しない。

黄金は黄金であって、その背後に何ら意味を隠し持っているわけではない。それが、一部のことさらな、「イコノロジー(図像学)」マニア以外の、造形表現を受け取る私どものごく当たり前の常識だ。

だがこうやって田部が「幻想」に加えた微積分的解釈によって、ということは、自然の細部に聴き入るシューベルトのミクロな音は、そのままで、宇宙の階梯へのマクロな音階と、相似形をしているという演奏家の信念だろうが、それによって、私はクリムトがシューベルトを「着飾らせた」黄金の意味を、理解したということであった。

感覚はそのままで、いや血腥い肉体の体験を濾過しながら、宇宙的な広がりに育ってゆくのであった。その僥倖《ぎょうこう》は、また再び私をシューベルトのピアノ曲に向かわせることになるだろう。

だからこそ、こうして私が書いてきたことどもは、実は、私が若い頃から私淑して、耽読した森有正の、先にあげたエピグラフを、自分なりに自分に言いきせながら書いたものであろうか、とも思えるのである。

後日譚、氷のつぶて、惑星から

あの夏の浜離宮朝日ホールでの体験のあと、私は早速予約して、十二月頭のオール・シューベルトの田部京子の演奏会にいくことにした。「裏を返した」わけである。

その前日の土曜、ある私事から都心から慌てて帰ってきて、帰路の錯乱する頭で自転車から見た空を、私は生涯忘れないだろう。西の空に鋭いまだらの薄緑いろの雲が低く散らばっていた。その下には濃いオレンジの空が低く沈んでいく、そら恐ろしい夕刻だった。それは、空の、天の怒りにみえた。いや、私たち人間どもを滅ぼすあの空、あの自然の怒りを、非人間的な抽象化した怒りの景色を、私は生涯忘れることはないだろう。その翌日曜日は復活節第一主日、まさにあのフランシスコ・ザビエルの命日だった。

予定の三曲を、田部はいずれも強烈なフォルテの打鍵ではじめた。過去の彼女の録音の記憶には、無いものだ。

氷のつぶて、だ。あの異界から飛んできて、私どもを吹きとばす拒絶、存在の全否定。そして演奏中の田部は、普段（といっても知らないのだが）とは、まったくちがう精悍で獰猛な、獲物を追う狩人のような目をみせて、大きく見開きながら低く構えて獣のように肩から雪崩れるように弾いた。それが蒼白い蝋石のように腕と、好対照だった。

余計な話しだが、私は彼女の表情、演奏前の挨拶や演奏後のアンコールにこたえる表情に、個人的なある人物の思い出に重なるものをいつも感じる。遠くに見える眼差しははっきりしないものの、やや潤んだようにみえる瞳と、なにより、まろやかに包みこむような口元の、はにかんだ、憂いた面ざしが私の記憶の中の、幼い頃のある年長の婦人のものにいつも重なった。それはいつでも、そう感じる。その婦人と私が特殊に近しい関係だったわけではないが、その表情は、内面にはちきれんばかりの昏《くら》い情熱を秘めながらそれをうまく表に出すことの出来ない人間に共通の、ある逡巡、禁忌《きんき》の兆《しるし》のように私には思える。含《がん》羞《しゅう》ともいえるが、それはある悲痛な悲しさをともなっている。

田部の選んだ三曲はいずれも私の親炙《しんしゃ》しているシューベルトだが、いずれも、それを固い氷のつぶてのように弾く田部の研鑽にも瞠目した。

「今を生きよ、今だけに目を向けよ、それから逃げずに、今だけに向き合え」、そう、シューベルトの音の一つひとつが呟いている。呟くというような簡単なものでも無い。それはいっけん、私どもが熟知している自然の足音のようであるが、その実、自然のそれとはまったくちがう。シューベルトが生涯死とともにあったとか、ことに後半の大曲三曲が、最晩年の死の年に作曲された、そういう死の気配がするというのともまたちがう。それらはあらかじめ、田部の解釈によって、「今、ここだけ」を叫びながらも、もはや、シューベルトのものではない、彼方の惑星からこの世に投げつけられた氷のように冷たい、あらゆるものを拒絶する石つぶてのように、私には聴こえたのである。

その演奏会から私が聴いたのは、そういう嘆きと嘆きの裏返った絶望の頂点としての怒り、のようなものだったかも知れない。それは、何度も言うがもはやシューベルトのものでも無い、シューベルトがその肉体で感じた自然でも無い、「今ここしかない、それから逃げるな、今に向き合え」と叫ぶ、当のシューベルトがもはや退場した、誰もいない舞台から聴こえて来るものだった。

惑星からの氷のつぶて。あるいは、嘆きの怒り。

あの、第二十番イ長調の第二楽章、アンダンティーノの、幽《かそ》けき寂寞《じゃくまく》とした、渺渺《びょうびょう》たる歩みすら、私にはトボトボと、訥々《とつとつ》と続く絶望の足どり、この世から退場する足どりではなく、「今、ここだけしか無いのだ」と叫びながら、もはやここにはいない惑星の、氷の怒り、そのたしかで悠揚《ゆうよう》たる、非人間的な怒りと絶望の昇華に聴こえた。

「死を前にした苦悩と焦燥の狭間で最期の希望の光とあまりにも美しい歌が混在する」と、パンフレットのメッセージに田部自身は、書いている。だが私はそういう簡単な言葉で表現できるものではとうていない、そういう地点まで、田部はシューベルトを駄洒落のようにいうと、大気圏の外にまで追いやってしまったな、と思って嘆息した。

だから、アンコールの二曲の即興曲の甘美さが、如何に私を「この世」に再び呼び戻してくれたとしても、私はもはやこの世、つまり、誰もが「今、ここであること」から逃げて、目を逸《そ》らして、真に生きてはいないこの世をただ唾棄して生涯何も信じない、という意味で、シューベルトに心から賛同し共感する者として会場を立ち去ったものであった。

[註]

1　ライナー・マリア・リルケ『フィレンツェだより』(森有正訳、ちくま文庫、二〇〇三)。元は、栃折久美子装丁の、筑摩書房版。

2　辻邦夫『薔薇の沈黙――リルケ論の試み』(筑摩書房、二〇〇〇)

3　レオポルド美術館の公式HPで所蔵品解説を書いている館長ハンス・ペーター・ヴィプリンガーの解説から借りた。

4　シューベルト後期ソナタとベートーヴェンとの関係については、ドイツ・グラモフォン版CD「フランツ・シューベルト　ソナタ第十九番 ハ短調 D958／ソナタ第二十番 イ長調 D959 ヴィルヘルム・ケンプ」の石井宏や、PHILIPS版CD「内田光子／シューベルト・チクルス　ピアノ・ソナタ第十九番 D958／ソナタ第二十番 D959」の寺西基之の解説から借りた。

5　永岡都「シューベルトのピアノ曲」、CD「シューベルト：ピアノ作品集成　田部京子」(DENON Columbia Music Entertainment, 2007)の解説。

1-08

神秘主義は正方形がお好き?

——アルバースとスクリャービンの場合

正方形の作家は、多いようで少ない

バウハウスの教師として鳴らしたヨーゼフ・アルバース(Josef Albers, 1888-1976)に興味を持ったのは、つい最近のこと。その昔大規模なバウハウス展を企画したことがあって、その時は綺羅星《きらぼし》のごときマイスター教員や学生あがりの有望精鋭教師の中で、格別注目してもいなかった。通説で初期バウハウスは、基礎課程を牛耳っていた副校長のヨハネス・イッテン中心の表現主義が全盛、東洋主義の医療だか統合健康法だかのマスダスナンに凝ったイッテンのグル的独壇道場になっていて、菜食主義に瞑想を広める彼の影響で教室中がニンニク臭かったと伝えられる。ゴミ廃棄場から素材を拾ってこさせ、木の板にノコギリの歯や割れたガラス瓶を貼りつけてレリーフにつくる、それを見ながら触覚的区別を素描させるのが有名。そうした原肉体的触覚体験を重視するのが表現主義だ。ドイツならではの、地方色や素材感を大事にする

手仕事の工芸的風土も根強かった。デッサウに学校が移ってからは、校長グロピウス設計による、鉄とコンクリートにガラスのカーテンウォールを巻いたパッキリした新校舎が落成。そういう「シャープでモダンな」、「新バウハウス」的イメージ通りの基礎教育をになったのが、アルバース大先生だ。教材（生徒作品か）としてよく出てくるのが、四角な紙を折り紙細工よろしく、四分の一円に切り揃えてさらに同心円を描いて切り込みを入れ、左右に折り広げるもの。これをしも「最低限素材で、最大の空間展開効果」を狙った、空間経済学？的デザイン基礎演習と解釈される。面白みはさほどない。シュタイナー風の、捩《ねじ》れ空間のエントロピー提案ともちがう。はなから教育者として出発した作家を私はあまり信用しない質《たち》なのかも知れない。

面白いな、とその絵が妙に印象に残ったのは、ウィーン経由の長いトランジットでロンドン市中に出て、久しぶりにテート・モダンに行った時。早朝の便で寝不足、フワフワした気分で通り過ぎただけだが、ロスコとアルバースに妙に魅かれた。ロスコのある種の獰猛《どうもう》絵画に、少しく打たれた。ロスコの深淵の意味が「宇宙の咆吼、哄笑」だな、とも納得した。それと並べて考えたわけではないが、アルバースの正方形絵画が、対比的に妙に印象に残った。何故だかあとで考えてみようか、とその時は何となく思い忘れていた。ロスコが絵を捨てられなかった画家だとすると、アルバースは初めから絵など描くつもりが無かったのか、というぐらいの短絡的な対比程度ではあった。

「オマージュ・トゥー・スクエア」、普通は「正方形讃歌」と訳される。これがアルバースの常套手段というか、終生追及した偏執だ。しかも中心を軸にして方形を重ねるのじゃなく、やや、いやかなり画面下方中央にだいたいは三つ、たまに二つ重ねるやり方だ。方形が重なると遠近法的錯覚で、見る者は空間が向こうに引っ込んでいるように感じるわけで、一種の洞窟絵画ではある。この洞窟空間のあり方が、ロスコとの対比でひじょうに面白かった。［口絵6頁］

佐倉のＤＩＣ川村記念美術館でアルバース展があって行くチャンスがあり、行ってみたがさほどその印象は変わらなかった。だが、こりゃある種の神秘主義だなとも思い、ジャポニズムだな、とも思った。的外れを承知で、それについて考えてみたい。[註1]

やはり思うのは、正方形、方形にこだわるのは、空間や建築でいうと、日本的だ。それは日本人には当たり前で、四畳半の畳を考えると分かるように、基本の空間区分が正方形なのが日本だ。東洋起源のあの曼荼羅を思うとさらに明快になる。方形に並んだ菩薩群が前後左右に蛇腹のように揃って出入りして、凹凸空間を生む仕掛け。胎蔵界と金剛界という両義的（両界）空間をつくっている。これはつまり「どうにでもなる」＝一定の位置が天空界では、決まっていなく固定されてもいない、そういう動く空間を意味するのだろう。短絡すると、方形はごくごく不安的で、クルクル動くものに西洋文明からは見えるし、思える。ギリシャ以来の古典的なる黄金比に相反するからだ。ヨーロッパに正方形の絵画が現れるのは、ウィーン世紀末をもって嚆矢《こうし》とする。クリムトやシーレも耽溺した。それはつまり日本的＝正方形で、クルクル動く。それは同時に不安的な「流れる水」の美学的単位になっている、そんな感受性の驚異に彼らが打たれたからだ。「水≒正方形」というのが、日本美術や建築空間に影響を受けたウィーンの日本趣味（ジャポニスム）の本質だというが私見。そのへんから「神経の芸術（ネルヴェン・クンスト）」＝西欧文化を形づくる二元論、

脳＝古典主義でもなく肉体＝表現主義でもない、第三の芸術という画期的な評価も出てくる訳だ。[註2]
アルバースはたぶん、日本には興味をもってはいなかっただろう。繊細なウィーン人ではない、無骨なるドイツ人。だが、その後のバウハウスの巨匠校長、ミースなどもむろん日本を意識したかどうかは別にして「流れる空間の魔術」を心得てつくっていたのを考えると、先端的な情報に敏感なら意識の片隅にはあったかも知れない。教員とは、そういう人種だ。表面だけ真似る、常にお手本を意識する人たち。聖書でいうと、イエスに「上座に座り、街道で人に先生と挨拶されるのを好む。彼らは人に見せるためだけに行動するから、見倣《みなら》ってはならない。」と、徹底して批判されたファリサイ派、似非宗教人だ。自戒をふくめて、それはおこう。
西欧人にとっても方形＝グリッドは空間の単位としては、起源のような元になるから造形に関わると避けては通れなかっただろう。だがそれを「零《ゼロ》」と考えると、意外にマレーヴィッチや、モンドリアンが多用しているのが分かる。ともに言うまでもない、二十世紀抽象美術のパイオニアたちだ。つまり正方形にこだわると、抽象というよりそれ以前の世界観＝「零」を想定せざるを得ない、ということだ。零というより、スーパー零、現実界の「モノ」を引き算して、向こう側の「見えない」世界に引っ張って行ってしまう衝動、欲動だな。
それは何より、この世を突き抜ける「零」、あるいはあの世から見た「零」を考えることになって、神秘主義に近づいていく。行かざるを得ない、というのが私の発想だ。

スクリャービンの世界観

庭のことを考えてみる。京都の禅の石庭でもいいが、どこでも自然を人間が「切り取ったら」、それは庭になる。それが四角でも丸でも同じだ。

武蔵野の雑木林のサナトリウムに住んでいる。森が冬化粧をはじめると、葉を落とした木々が固い空間に突き刺さるようにあらわれ、身体にごつごつとぶつかってくる。眼に見えない、森ぜんたいの景色にもなり、抽象的な気配だ。変哲ない自然にあっても、そこここに自分だけの庭が、見えがくれする。庭とは、自然についての人間の解釈。自然そのものが世界を切り取ったひとつの庭、ミニアチュールとしての世界模型なのではないかと、思えるときもある。だとしたら私どもが五感で感じとっている自然は、すでにして抽象化された、世界像の神秘的な教科書なのではないか。西洋の庭は四角だが、東洋や日本の庭は円だ、と言った人がいたのを思い出す。見える形のことでは無い、飽くまで比喩である。敢えていうと、見る角度をピッタリ限定して見せ場をつくる、押しつけ型が西洋か。もっと揺らいで、動いて、その都度都度に、受け手に任せるのが東洋か。日本人の感じる自然の移ろいとは、自然の影なのではないだろうか。それはパウル・クレーが、自分は眼に見えないものの仕組みを絵に描いている、と言ったのと同じ意味のような気がする。私たちのすぐかたわらに眼には見えない未知の世界が息づいており、私たちの感じる世界はその影でしかないとしたら。

あらゆる自然はそのままで、神秘主義的な庭なのだ。スクリャービン(Alexandre Scriabine, 1872–1915)のピアノ・ソナタ十番。「光と昆虫のソナタ」を聴く。森の空気が、光の粒を飲みこみながら、そこらじゅうで小さく打ち震え、やがて大きな動悸になって、ゆれ返してうねり始める。

「あらゆる草木や小さな動物たちは、私達の霊魂の顕れである。その姿は、私達の魂の動きに対応している。彼らはそのままで象徴《シンボル》だ。［…］動物は、セックスにおける愛撫に相当し得る。［…］たとえば鳥は崇高な愛である。私は鳥がはばたき舞い上がるのを見るとき、いつもそれは私自身の心の動きと同じとまさに同じだ、と感ずる。」[註3]

晩年のスクリャービンはブリュッセルでブラバッキー夫人の神智学グループと交わって、一九一〇年にモスクワに帰ってからの、彼の音楽は一変。ロシア象徴派の詩人たちとの親交もあった。万華鏡のような、光の演出をオーケストラ曲に合わせた、一種の神秘主義の祭祀のような祭典を思いついたのもこの頃だ。

初期にはそれはそれで充分に美しいロマン派風の甘いピアノ曲ばかり書いていたのに、やがていわゆる、機能法和声の重力圏から抜け出す。和音を支えていた主・従の関係を無理矢理にたち切って、ほとんどたったひとつの和声しか使わずに、移調が出来なくなるような極端な旋法だけによった。後期の音楽は、無重

フェドール・シェクテフ「モスクワのデロジンスカヤ邸食堂室」1901
［出典："The Twilight of the Tsars: Russian Art at the Turn of the Century", Hayward Gallery, South Bank Centre, 1991］

力の空間に、それぞれの音がオブジェのように浮かぶ、妖艶な、だまし絵の世界になった。鏡の空間、と言っていいだろう。音同士は関係を断ち切られたので、無限に大きくもなり、また縮んだりもする。

耳に心地よく響く和音世界は、ルネサンス以来、確立された。その調性音楽を、非調性に突き抜けたのが、三人のパイオニアで、ドビュッシーも和声を壊したし、シェーンベルクも十二音という新しい発明をしたのに、スクリャービンだけが、何も新しい開発をせずに、和声にとどまりながら、「自動的に」その「属七の和音＝元に戻って、転調が出来なくなる」の多様によって、異世界に抜けて行ってしまったとされる。

一枚の鏡を地面に叩きつける。粉々になった無数の破片もそれぞれにまた一枚の鏡になり、映し出す世界も同じもとのままである。そう、華厳経にある。世界は一枚の判じ絵でしかないことが、庭を想う時わかってくる。それがスクリャービンのように通常の感覚を超えた、官能的なエクスタシーのなかで起こる、神秘体験なのかどうかは私には、いまだにわからないが。

スクリャービンはアルバースより一世代半上、しかもロシア世紀末の象徴主義の風土から出てきた異端者である。アルバース世代では、ウィーン学派シェーンベルクの弟子で彼の十二音技法を継いだヴェーベルンとベルクがいる。ともに十二音にこだわったが、作風はミニマルな結晶のような神秘的ヴェーベルンと、表現主義的に肉体の声に自在によったベルクではちがう。一見ストイックなあらわれはアルバースはややヴェーベルンに似ているが、私にとっての極上至高の音楽家ヴェーベルンをアルバースにここでは比較しない。ある畏友が晩年のアルバースをよく知っていて、彼によると自分は天才、他は世界中馬鹿者だらけという鼻持ちならない人物だったという。まあ、それもおいておこう。

スクリャービンは前述のように、従来の和音でも特殊な「属七」の和音を多用することで新しい世界に偶然にか抜け出ていったとされる。属七とは、移調の効かない構造をもった和音、つまり自動的に「元の調性」に戻ってしまう特性があって、スクリャービンはそれを意図的に多用することに徹底的にこだわったとされる。

典型的にはピアノ・ソナタの七番「焔に向かって」などに感じられるような、つかもうと思ってもつかめない、しかしたしかに宙に浮かんではいるが「在る」と感じる透明な球が、目前で膨らんだりすぼんだりする、不可思議でエロティックな体感空間だろう。敢えて読み替えるまでもなく、私はこれはアルバースの絵が目指したものと同じ、あるいは相似形をしているのではないかと感じたわけだ。

庭は真上からは見ることが出来ない。人間はそれをやや歪んだ位置から、斜め上から眺める。自然に対してもそうだ。それを熟知してある種の斜めの宇宙観を閉じ込めたのが、千利休の国宝「待庵」だろう。利休は世界は「正面」出来ないもの、斜めからしか見れないものなのを知っていた。同じ原理は、曼荼羅にもあって、それは金剛界と胎蔵界が、X軸Y軸にぶっ違えながら、小さな菩薩像の群れが、四角錐形に一群となって、出たり入ったりする。つまり、世界は正面出来ない、しようと思えば写像するしかないわけだ。ロンドンでロスコの洞窟と、アルバースの方形が呟いていたことはこれだったのではないか、と私は思うようになった。写像というか、メタフィジカルな写像としての正方形のことだ。

神秘主義的和音としての絵画、その後

神秘主義とはプラトンのイデアをいうまでもなく、私たちの感じるこの世界のすぐ側に、それとピッタリひっ付いて?・見えない世界が取り巻いていて、この世はそのあの世の仕組みに完全に支配されている、という特異で?・(普通?・)なものの考え方だ。私はモンドリアンもマレーヴィッチも同様に、彼らの描いたものは、西洋人にとっての曼荼羅=世界像だ、と考える質だ。

だからアルバースが当たり前の元素的単位だが、使い方によっては「元に戻る=向こう側に行ってしまう」危険性を伴った正方形を偏執的に使ったのを、スクリャービンが転調が出来ずに「元に戻る」無限円環的「属七」の和音に依ったのと、似ているのじゃないか、と私は牽強付会《けんきょうふかい》に読み替えたわけ。だが、やはり出発点は、実見による飽くまで肉体的直感だ。モンドリアンより、マレーヴィッチより、遥かにそう感じた。それがロンドンでのことだった。解が当たっているかどうかは、もうおこう。

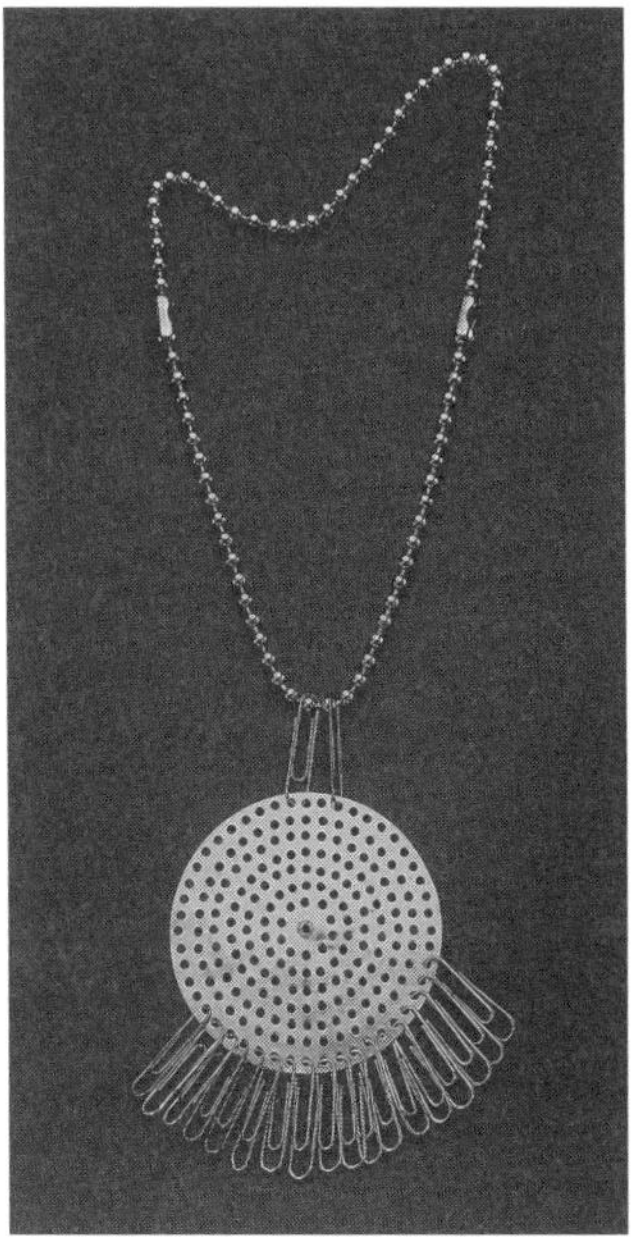

アンニ・アルバース《ネックレス》1940年、
ジョセフ・アンド・アンニ・アルバース財団蔵
[出典:"Josef + Anni Albers: designs for living",
Merrell Publishers Ltd., 2004]

実は私は夫のアルバースよりはるかに、テキスタイル作家だった夫人アンニ・アルバースに長い間魅かれていた。彼女がアンデスやらいろいろの土俗的でローカルなテキスタイルから

何を汲んで、自作の中でモダンに洗練させていったかに興味があった。それに、我が家のお女将が愛用しているのは、素晴らしい出来の彼女デザインのネックレスだ。これは彼女が、アメリカに渡って後、伝説的なブラックマウンテン・カレッジにおける、戦時下の授業で学生と共同した既製品を利用した「レディ・メイド組合せ」ジュエリーの授業から生まれた傑作だ。本体は油料理に使うレードルの穴の空いたオタマ、それにゼムクリップをたくさんぶら下げる。ネックレス部分は、風呂の栓を引っ張る鎖玉である。どんな洋服にも素敵に合う、二十世紀の傑作モダンデザイン、ナンバーワンと思う。

そして私は、アルバースの教え子の中でも傑出した天才美術家、一九七〇年に惜しくも自死した、エヴァ・ヘッセが忘れられない。彼女の身近な、在り来たりのゴム・チューブなどの素材を使った、肉体的で官能的で即物的な感覚の彫刻は、忘れ難いものとして、私の記憶に残っている。戦後アメリカのミニマリズムの一作家としてかたずけることは、とうてい出来ない変種株だ。それはまたいつか書こうと思う。教育者としてのアルバースを知らない(興味ない?)私にも、こうやってアルバースの、やや短絡的な神秘主義が、肉体そのものでもって贖《あがな》われて輪廻転生しているのはよく分かるわけでもあった。

[註]

1 「ジョセフ・アルバースの授業──色と素材の実験室」(DIC川村記念美術館、二〇二三年七月二十九日─十一月五日)

2 エルンスト・シュール「日本美術の精神」(谷本愼介訳、『美術手帖 特集:ウィーン──一八九八─一九一八 分離派の都市空間』、一九七九)。日本の建築空間を「方形」としたのは、建築史の横山正先生による、一九九八年十月二十二日、ギャラリー間における講演「日本建築のタテとヨコ」。さらに、「方形」がヨーロッパでは黄金比に反する、不安定な形態だというのは、オランダ建築史の奥佳也さんの指摘。ウィーン世紀末と日本との接点が、「水と方形」だというのが身体で感じている持説だが、それをしも上記や、いろいろ先達の諸説・所論を借りて自分なりに血肉にしたものである。

3 『スクリャービン全集 二』(編集・校訂 伊達純・岡田敦子、春秋社、一九八七)。

スクリャービンについては、ピアニストで研究家の岡田敦子の論考のそっくりそのままの焼き直し。一九八七年の草月ホールでのパンフレットなどから借りた。「だまし船」というのは、そこに掲載された作曲家、間宮芳生の指摘。かつて、モスクワのスクリャービン自邸(現博物館)に行った時、私はその完璧に風土から浮遊した(通常の私見では、かなりそれは風土に密着した地域性をもつはずなのだが)アール・ヌーヴォーの洗練に、いささか驚いて、スクリャービン自身の、「超越性」、「厭世《えんせい》感」に背筋がゾッとした覚えがあり、そのことを書いたこともある。拙著『モダニズムの建築・庭園をめぐる断章』(淡交社、二〇〇〇)で、本章は別稿だがそのスクリャービンの章に内容的に重なる部分も多少ある。

愛聴版は長く、生誕百年にニューヨークで録音された、レコード「ホロヴィッツ スクリャービン・リサイタル」(Horowitz Maestro, CBS/Sony, 1972)だった。

1-09

白旗でない、白い世界への退却

——プロコフィエフから、マレーヴィッチの至高主義《シュプレマティズム》をみると

宇宙への退却

その天才音楽家は、ロシア革命を逃れて日本経由でアメリカに渡った。むろん、ロシア・ピアニズムの申し子でもあった。ロシア・ピアニズムとは、重心の重い、これ以上重いものが無いくらいの重い重戦車であって、それでこそロシア的哀愁が表層的でなく鳴り、ロシア的哀感がメロドラマ的でなく響く。

一般にプロコフィエフ(Sergei Prokofiev, 1891–1953)を音楽におけるフォーヴィズムに例える言いかたがあるが、それは当たっていないこともないようだ。たしかモスクワ音楽院在学中の作曲であったピアノ協奏曲一番から、「気狂いなのか?」と評されたぐらい、突拍子もない前衛であったから。ピアノ協奏曲三番ハ長調には、日本滞在中聴いた、越後獅子が使われているという通説もある。彼は、晩年のオペラ「石の花」でも、コーカサスの山々を眺め入りながら、その土俗との共鳴、一体を図ろうとして、見事に成功

しているようだ。［註1］

ピアノ協奏曲三番はロシア時代に構想されたが、なんと一九二一年ブルターニュで完成され、同地に偶然にも滞在していた詩人、ロシア世紀末を代表するコンスタンチン・バリモントに捧げられたらしい。「空色の高みから私は地上を見る、そして物言わぬ夢で私は魂と話す、私が天上の高所に行くとき　私のなかで明滅する、あの目に見えぬ霊魂と。」（「エーデルワイス」一八九六、西周成訳）［註2］

最初の出だしから、グイグイ、さらにさらにグイーッと上空へと引っ張られるような、重力に対する反抗感覚満載のダイナミズムだ。だが、何に対しての？　ここで私は、この時代のロシアに偏在した、「対空飛翔」願望について言いたいわけではない。だが一方で、それも否定できない。それをしも世紀末の象徴派、その厭世的空気に共通の、現実逃避願望だと言ってしまえば話しは終わりになる。

土俗性とモダンさ（この場合には、金属的な、ニュートラルな透明感か）を併せもっているのが、プロコフィエフの特徴なのは誰にでも分かるが、私はそれを、もっと宇宙への無重力的退避願望の中に、しばし読み解いてみたい。

バリモントは「古代の騎馬民族が打楽器を打ち鳴らす」ようだと称したと伝えられるが、最終章のコーダを聴くと誰でもそう納得するだろうが、それは私にはもっと大きな宇宙規模の衝撃に聞こえる。大地で打ち鳴らされた打楽器＝ピアノの音というより、はるかに人間の肉体の手の届かない宇宙空間で鳴り響く、宇宙線による電子音の非人間的な叫びのように聞こえるのだ。［註3］

実は「上昇感」ということでは、私は円熟した三番より、まさにモスクワ音楽院の卒業演奏で、禁（古典派のピアノ協奏曲を弾くという）を犯してこの自作一番を弾いて一等を得たこの曲、つまり一番の方がはるかにそうだと感じる。「アクロバット」と、「音楽史上、最もオリジナルなピアノ協奏曲」と賛否が真っ二つに分かれたと伝えられる。この「アクロバット」こそが、プロコフィエフの本来の身上なのだと感じる。そしてその危なさ、危うさが、何としても天空に上昇せねばならぬという魂の奥底からわいてくる危機感を代弁しているからだ。[註4]

さらにはその上昇感からこそ、ロシアの、あの土臭い、民族の吐息が聞こえてくるのは私だけなのだろうか。

アーキテクトンという飛翔願望

二十世紀抽象美術の開発者、そのパイオニアの第一人者であった、ロシア・アヴァンギャル芸術の師父的存在カジミール・マレーヴィッチ（Kazimir Malevich, 1879–1935）はちょうど同じ時期、一九二一年頃、あの「至高主義＝シュプレマティズム」を表明した一連の代表作絵画群をつくっていた。

有名で何より衝撃的なのは、現在西側で最もその作品が多く所蔵されているアムステルダムのステデリック美術館にある「白の中の白い十字」になるだろうか。だが一九二〇年、そして二〇〜二一年には、細長い黒い十字が真ん中の白い四角で消されているもの、さらには、細長い赤い十字が黒い円の手前、上から描かれているもの、この二点が描かれている。いずれも、お得意の空中浮遊感覚をことさらに強調した絵だ。

そしてこの時期併行して、あれらの画期的な建築空間模型、「アーキテクトン ゴータ」群が試行された。いずれも大小の白い直方体が、連続して積み重なり、上へ上へと伸びて行くような無限上昇建築であった。その最後に来るのが、全体がみっちり密集した塊となって、一つの弾丸のように、ロケットのように上に伸びていく「ゴータ 2-A」だった。オリジナルは失われて、現在再制作がパリのポンピドー・センターにある。

このアーキテクトン中最も有名な「ゴータ 2-A」は唯一、右手中央下方、正方形キューブの前面に、黒い球がやや左上に描かれている。上昇が胎蔵界だとすると、この四角に黒い円は、金剛界に見えなくもない、立体模型化した曼荼羅世界である。いや考えようによっては、すべては非人間的な宇宙未来空間にあって、こ

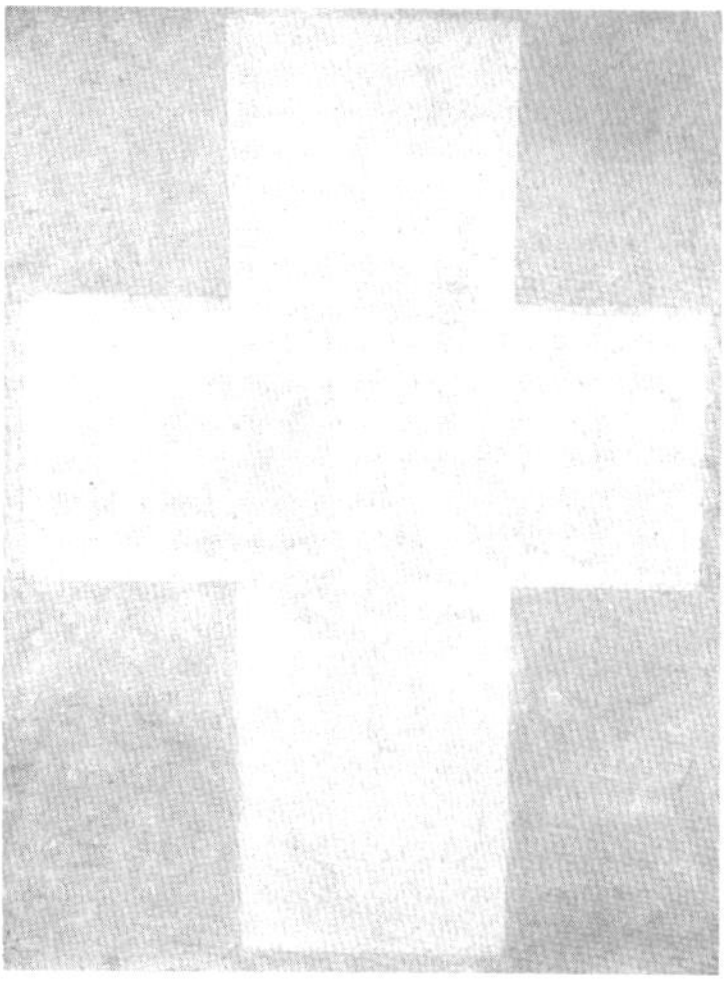

カジミール・マレーヴィッチ《白の中の白い十字》
1920–21年、アムステルダム市立美術館蔵
[出典:“Kazimir Malevich: the climax of disclosure”, Rainer Crone, David Moos, University of Chicago Press, 1991]

カジミール・マレーヴィッチ《アーキテクトン:
ゴータ 2-A》1923–27年頃、
ポンピドゥー・センター、パリ蔵
[出典:“Russian avant-garde”, Stedelijk Museum Amsterdam, 2013-14]

れだけがポツンと、大地にへばりついて生きていこうとする土着的なロシア農奴に見えなくもないのか。いずれにしても目指している、いや空間全体で叫んでいるのは、アンチ重力、つまり「上昇」である。

「いつも若い太陽のように、火の花々、透明な大気、そして金色の全てをやさしく愛撫しよう。
［……］
不動の平穏にとどまってはならぬ、より遠く、聖約《せいやく》の境界線まで、より遠く、運命の数字が我らを招く　新しき花々の燃え上がる、永劫《えいごう》へと。太陽のようになろう、それは――若い。そこに美の聖約がある。」（バリモントの詩「太陽のようになろう！」一九〇二、西周成訳）［註5］

負への飛翔、逃避行

マレーヴィッチもプロコフィエフも、感じていた予兆。それは現世的恐怖、それが革命成ってやがて後に二人とも、別々のかたちで被《こうむ》ることになる政治的圧政、粛清やら恐怖政治やらをふくんでの、社会主義リアリズム＝スターリン体制下での芸術圧殺への予兆、予感とまでは言うまい。だが歴史をひもといてみたらその昏い符号は、驚くべきほどであったのも事実。

また二人のアヴァンギャルディストが、もっと前の前世紀末、象徴主義の、憂鬱なる厭世主義に色どられていて、ナロードニキ運動の挫折以来の、絶望的現世否定の風潮を引きずっていることも思いやられるだろうか。だから、歴史の前後からは二つの飛翔願望は容易に、退避願望のそれと読み取れるのであった。

だがまたここでは、そこにも深入りしないでおこう。

私事だが一九八〇年代半ば、奇跡的に行われた日本で初めてのロシア・アヴァンギャルド美術の紹介展観にかかわることが出来たのも、駆け出し学芸員としての僥倖《ぎょうこう》であったが、その実体験をすべて語る紙面はない。だがその「芸術と革命」展開催を期して、またまた画期的な「ミュージック・イン・ミュージアム」企画で、ロシア・アヴァンギャルド演劇史上の傑作とされる「太陽の征服」再構成上演を一九八五年私は池袋で実見している。[註6]

一九一六年ペテルブルクのルナ・パーク劇場で上演された。マレーヴィッチの舞台美術、詩人クルチョーヌイフの台本、マチューシンの音楽、フレーブニコフも参加した、ロシア未来派劇の一大傑作、その嚆矢たるものであった。長く記憶の底に眠っていた記憶が、一昨年YouTubeで再録されていた、スイスのバーゼル劇場における二〇一五年巡回（バイエラー美術館との共同企画。「ロシア・アヴァンギルド美術展」の関連上演。再構成初演は、二〇一三年モスクワ）上演を見る機会があって、甦った。それは同時に、プロフィエフのこの協奏曲三番を考える絶好の機会になった。[註7]

劇そのものはナンセンスの極み、ドタバタ無意味劇で、当時の社会風潮を背景にして、軍隊やら兵士、武器を持つ集団がやたらに出て来て、だが何をするかというと、正体不明の「旅人」に操《あやつ》られながら、太陽に挑みかかっていく抱腹絶倒、奇妙奇天烈、摩訶不思議の音楽劇、オペラだ。音楽をつけたのは、マチューシンだが、私は彼がモスクワに残したアトリエに行ったことがあって、家中に、大小の白いサイコロ形の直方体が、天井から糸で吊るしてあったのを昨日のことのように覚えている。ああここにも、空中上昇があるなと嘆息したものであった。

前口上を書いたフレーヴニコフや、台本をやったクルチョーヌイフが入れあげて?いたのが、「ザーウミ」なる、超言語だ。マレーヴィッチのシュプレマティズムをもじったわけではないが、この「超」なるものは、ロシアの同時代では、現実の視覚=言語的、意味や社会的制約から、「飛び出る」、「突き出る」というものだ。言葉自体はダダの連中も同時期にやっていた、例えばクルト・シュヴィッタースが自ら、唸って叫んで残している音声無意味詩「ウル・ソナータ」みたいなものだ。


「始め良ければ、すべて良し」、「では、終わりは?」

「終わりなんかないさ」

「我々は、世界に対峙して戦うのさ。さあ、カカシどもを虐殺だ。戦闘機や大砲を用意しろ。何人もの血をそれらにくれてやれ!山々を水底に沈めるのだ[註8]」


合間合間に、例の「ザーウミ」的無意味語の絶叫、阿鼻叫喚的合唱が入る。登場人物?たちは、仮面をつけて、四角に着飾って、ロボット然と動き回る。彼らはマレーヴィッチによる、シュプレマティズム的防護服を着ている。その動きも、人間の柔らかな動きから出来るだけ遠く、ギクシャクギクシャク動くというより、脱臼ロボットのそれだ。登場人物は皆「未来派兵士」君たち。記憶では、たしか戦争讃美などもやって凶暴でファナティックな側面もあったらしいイタリア未来派の、その遠い残響であろうか。

その舞台全体が、マレーヴィッチの白の中の黒い太陽＝十字を、立体化したものを巨大な背景にしている。もとより彼の絵画は周知のように、中の矩形が斜めに傾いでいるために、元来は三次元のバイアス空間図である。

まあそういう場面が次々に展開される、面白いドタバタ劇だ。画期的ではある。そして私見では、ダダ演劇の元祖あの、「ぶっ殺せ、ぶっ潰せ！」の阿鼻叫喚悪党劇、アルフレッド・ジャリによる『ユビュ王』を下敷きにしているな、と感心もする。

ヴィーナスは、白がお好き

「大いなる静寂と争って　あの声が
静寂に勝った……
スモーリヌイの円屋根より白く
豪奢な夏の庭よりそれは神秘的だった」［註9］
一九一七年　ペテルブルク

世紀末の、「アクメイズム」（甘美・官能主義とでも訳すか）という芸術至上主義の詩人グループの女神、アンナ・アフマートヴァは、同じペテルブルクで「太陽の征服」上演の一年後、こう書いている。主人公は白い天使だが、これは彼女の場合には芸術の女神ヴィーナスを意味するようだ。初期詩集『白い群れ』に頻出する白のイメージは「白い部屋」、「白い神」、「白い十字架」など、次詩集『主の年』にも登場する彼女にとっての最重要モチーフであった。畏友でもあったアレクサンドル・ブロークは、むしろ彼女に替わって、もっと直裁に、白い神＝西方教会（カトリック）のマリア信仰ではない、ロシア正教的ソフィアが、天から地上に降りてくる秘蹟を謳《うた》った詩人だ。

「朝のデーモン（悪魔）がいる。明るくも、霞《かす》んで見える。黄金の巻き毛で、幸せそう。空のように青いマントを纏《まと》い、真珠母いろの影を生んで。薄い夜の影が青い空に生まれる夕刻、彼の額《ひたい》には凶兆が過《よぎ》り、黄金の毛は赤みを帯びて、過ぎ去った嵐を巻き起こす」（「カルメンに」一九一四）[註10]

そのデーモンこそ、地上の災いから逃れて天に、白く漂う、芸術家像であった。世界との自己同一化。これなども、アクメイズムの著名な詩人、発狂したソログープの私神論「私こそが、まさしく神である」を思い起こさせる。

つまり「白いもの」は、天の聖なるものであって、つまり人間には見えない、非人間的抽象であるのがロシア世紀末的伝統であるとしたら、マレーヴィッチとてそれから逃れていたわけではなく、その伝統をむしろ文字通り、視覚化したことがわかる。案外このことがロシア・アヴァンギャルドを解く鍵のような気が長い間、したものであった。

その直観はロシア人畏友Mの斡旋によって、八〇年代後半、まだペレストロイカ以前のロシア美術館（展示ギャラリーには、一点すら出ていなかった）の収蔵庫で、ラックにかかったマレーヴィッチの大小、八十点余りの絵画群を見せられて、瞠目もし圧倒もされ、嘆息した私は「なんだ、あるんじゃないか！」と叫び、またそれとは別に、そう先のようにも思ったものであった。作品群が実際の宇宙飛行船団の如く、収蔵庫のラックから一斉に宙に浮いて宇宙へ飛び立とうとしている、いや、もうそこは大気圏を既に抜けた宇宙空間であった。その背筋を電流のように貫いた衝撃を、私は生涯忘れることはないだろう。

そしてマレーヴィッチの初期には、如何にも象徴派風の横たわるキリスト像涅槃図のような、奇妙に魅力的なものがあったことも思い出されるし、有名な一九一五年の「0,10」展の自作コーナーに、彼は部屋の四隅の入隅の天井際に、自作一点を「イコン掛け」（ロシア正教での、自宅のイコンの掛け方）したものであった。ここにも、天へ、宇宙へと昇る、見えないものへの上昇がある。ロシア・アヴァンギャルドの本質とは、地にへばりくように皇帝《ツァーリ》に徹底的に虐められて来た農奴による、宇宙への退却なのだ、というと短絡に過ぎるだろうか。

カジミール・マレーヴィッチ「0,10 最後の未来派絵画展」展示風景 1915年
［出典：“Kazimir Malevich and the art of geometry”, John Milner, Yale University Press, 1996］

アヴァンギャルドの粛清が早くも始まったのが、一九二二年。皆がこぞって西側に逃れたのに、いっこう動こうとしなかったのが、師父マレーヴィッチだ。

最後にまたまた、西側に行ったり、またソ連に帰ったりして、政治的不安定に揺らいだプロコフィエフだが、その極めつきの曰くつきが、第四協奏曲、左手のためのコンチェルトだ。件《くだん》の、超有名ピアニスト、一次大戦で右手を失った、ウィーンのユダヤ系財閥の息子、パウル・ヴィトゲンシュタイン（かの、二十世紀最大の、謎の言語哲学者ヴィトゲンシュタインの兄貴である）に委嘱された。ところが「曲想が全く理解出来ない」と演奏もされず、打ち捨てられた。[註11]

さもあらんと、今では思う。

それは、もう、この曲の曲想どころか、実体的空気は、この世には無い、彼方天空に逃れた天使たちの奏でる、天上のワルプルギス祭だからじゃないのだろうか。最後の最後に、またアフマートヴァの白を。

「おまえを　私の天使　騙してなんかいない
どうして置き去りにしてしまったのか
ネヴァーの向こうから流れ弾が
［……］
哀れなおまえの心臓を捜している
そうして凍りついた家でひとりおまえは

白い輝きのなかに白く身を横たえている
痛ましい私の名を称えながら」[註12]
一九二二年　ペテルブルク

［註］

1 十年、いや二十年は経っているか、プロコフィエフを聴き始めた頃、オペラ・シティ・コンサート・ホールに都響の交響曲一番だったかを聴きにいって、指揮の井上道義が「フォーヴィズム」と説明して、納得した。事績はすべて、愛聴しているCD Warner Classics「プロコフィエフ　ピアノ協奏曲第一番 変ニ長調 作品十」「バルトーク　ピアノ協奏曲第三番　Sz.119」「プロコフィエフ　ピアノ協奏曲第三番　ハ長調 作品二十六」（マルタ・アルゲリッチ／シャルル・デュトワ　モントリオール管弦楽団、一九九七）の松沢憲の解説や、Decca Classics Best 50「セルゲイ・プロコフィエフ　ピアノ協奏曲曲集」（ヴラディーミル・アシュケナージ／アンドレ・プレヴィン　ロンドン交響楽団、一九七四・七五）の斎藤弘美の解説から借りた。畏敬する音楽学者、白石美雪さんによるＮＨＫ ＦＭ放送「現代の音楽　プロコフィエフ（一）（二）」（二〇二三年十月二九日、十一月五日）からも借りた。彼女は、プロコフィエフを「モーターを想起する」と面白いことを言っていた。たしかに私流にいうと、機械＝宇宙船？による、宇宙への退避ではある。また同「クラシック・リクエスト」（放送日不明）の吉田愛理（この人が原稿を書いているのでは無いだろうが）の曲目解説で、ピアノ協奏曲三番の作曲経緯と、バリモントや、「石の花」のことを言っていて、それも借りた。

2 『金の時代・銀の時代　ロシア詩選集』（西周成編訳、アルトアーツ、二〇一六）

3 註1に同じ。

4 註1に同じ。

5　註2に同じ。

6　「芸術と革命　革命六十五周年記念／ロシア・アヴァンギャルド芸術の流れ」(西武美術館、一九八二)では、美術館内で特別公演として「太陽の征服」が千田是也(再構成)、木島始(上演台本)、一柳慧(音楽)らによって再構成上演された。その五年後には第二弾展「芸術と革命II　ロシア・アヴァンギャルドの旋風：一九二〇―三〇の肖像／革命七十周年記念」(西武美術館、一九八七)が開催された。

7　https://www.youtube.com/watch?v=CUz905Yhtc
Fondation Beyeler presented a production of the Futurist opera Victory Over the Sun during Art Basel in Basel 2015. The production, which was shown in the Theater Basel on 17th June 2015, was created in 2013 by the State Namin Theatre in Moscow in cooperation with the State Russian Museum in St. Petersburg.
マレーヴィッチについては、アムステルダム市立美術館での、画期的な回顧展図録(“Kazimir Malevich and The Russian Avant-Garde—Featuring Selections from the Khardziev and Costakis Collections”, Stedelijk Museum Amsterdam, 2014)、とくに主筆のバート・ルッテンの原稿を参照した。

8　“VICTORY OVER THE SUN: The First Futurist Opera by Aleksi Kruchenykh” (Translated by Larissa Shmailo, Edited and with an introduction by Eugene Ostashevsky, Červená Brava Press, 2014)から、訳した。

9　『アフマートヴァ詩集　白い群れ　主の年』(木下晴世訳、群像社、二〇〇三)。事蹟は、訳者解説から借りた。

10　“Aleksandr Blok, Selection of best verses: translation with original Russian version transcripted in footnotes” (Translated by Dave Gd, Independently published, 2021)から、訳した。

11　註1に同じ。

12　註9に同じ。

＊本稿は、まったく新しく書いたものだが、内容的には、『青春二十世紀美術講座――激動の世界史が生んだ冒険をめぐる十五のレッスン』(東京美術、二〇二二)の第五章に、重なる部分がある。

1-10

火の叫びのロスコ
――それをしも、唯一無二の女神ブリュンヒルデに捧げるか

ノアイユ夫人に会いに佐倉へ

佐倉のＤＩＣ川村記念美術館は、思い出深い場所だ。成田空港に近いので、遠い。だがこの美術館、戦後アメリカ美術を中心に日本でも有数、いや無二の収蔵を誇る。昔の美術館仲間Ｓさんが学芸部長をやっていた。学生を連れてよく行って茶室で抹茶をご馳走になり、眺めの良い庭を見ながら話し込んだ。「ザ・キュレーター」と世界中でかつて呼ばれた私も一目置く、彼は一風変わったキュレーター。ある時企画した神秘主義をテーマにした傑作展に、「これを企画した学芸員の脳は狂っている」という苦情があったほど。まあ詳述はしまい[註1]。

九月になってもいっこう暑さのおさまらない月半ばの週末、お女将は亡母十回忌で帰省中、一人で佐倉に。藤田の「ノアイユ夫人像」に会いに行った。レオナルド藤田画伯の最高傑作であるばかりでなく、アー

ル・デコ絵画の白眉ではなかろうか。たしかに我が愚妻に似ていなくもない。家内は純粋無垢のシンデレラ、貴族出ではないものの地方医師の名家娘として珠のように育てられ、堅実大らかな家庭で性格的な険や翳《かげ》りは微塵《みじん》も無い。同じ美人で気品匂うがごとくでも、ノアイユ夫人とは正反対だ。この眉間や眼差しに、影と独特の凄みのあるサロン寵児であった貴族夫人、南仏の奇妙にモダンな別荘シャトーに住んだ。設計したのは、アール・デコの異端建築家で巨匠コルビュジエの友人だったマレ＝ステヴァンス。マン・レイがここを面白がって舞台にした無声シュール映画「サイコロ城の秘密」を撮っている。元ネタは象徴詩の重鎮、マラルメの一大問題作「骰子一擲《とうしいってき》」。行ったことは無いが、映画で知っている水槽のごとき透明度の高いこの屋上庭園付きシャトーと藤田嗣治のノアイユ夫人像は、一対の謎として私の脳裏に長く残った。謎というのは一九二〇年代消費文化を象徴する、アール・デコという悪食飽食の装飾的欲望の彼方に薄ぼんやりと見えがくれする、狷介《けんかい》で不穏な雲のようにみえるからだ。誰のデザインかは不明、ポール・ポアレか誰かの紗のような花柄のレースを素肌にすっきり纏《まと》って妖艶というか、妖気さえ漂う。これを見たら、日が暮れないうちに帰ってももう良いだろうと思わせる。小難しい話しをするつもりは無いが、アール・デコを畏友H氏と並んで日本でも数少ない専門とする私は、アール・デコの本質とは装飾の自己増殖、自己模倣、模倣の果ての果ての「ミメシス（擬態）」、その儚《はかな》い、華麗なれの果ての、甘い美しい悲しさかな、と思っている。藤田独特の、灰色がかった卵色の、大きな背景がまた忘れ難いほどいい。[註2]［口絵5頁］

彼女の表情やら全身の柳のような姿、その衣装も含めて全体から漂ってくるのは、ある種の殺気のようなものだ。彼女はおそらく、誰か個人を恨んだり無論してないだろう。夫人の個人史を仔細に調べたりする趣味もずぼらな私には無い。だがおそらくそういう通俗的な恨みを超えて、時代の殺気というか、そういうものを彼女が代弁しているように私には思えて仕方ない。

ヨーゼフ・アルバースを教育的側面から企画する展観をやっていたが、[註3]彼の絵は見れば見るほど、神秘主義に見えてくるのが面白い。正方形にこだわったのは、珍しい。何故ならこの、不安定で西洋的黄金比の常識に反する、「クルクル動いて不安的な」、つまり日本的流れる水の、アンチ・ギリシャ古典的美意識を愛したことになるから。だから西欧人には、珍しい感受性だ。これはオランダとジャポニズムという日本趣味だらけだったウィーン以外には案外、見かけない習俗でもある。だがまあ、アルバースは日本にはたぶん興味がなかっただろう、無骨ドイツ人だ。だがアール・デコも一般理解では、植物世界を源泉とするアール・ヌーヴォーのグニャグニャ曲線とうって変わって、機械時代のカクカクデコボコした、謂わば「方形」的造形が主体にもなってくる。アルバースもアール・デコなんかなあ？ まあ、それはさておこう。

そう思いながら、マーク・ロスコ(Mark Rothko, 1903–70)の部屋に行った。ここは好きなのだがシーグラム絵画群と呼ばれているもので、こことロンドンのテートに大きくは分かれてある。現在もマンハッタンの中ほどに鎮座する、「レス・イズ・モア(余分を削ってナンボや)」の巨匠ミース大先生の手になるシーグラム・ビルのために描いた壁画だ。この鉄とガラスの「黒いダイヤモンド」の一階の、たしかステーキ・ハウスのために頼まれた。吹き抜けでは無いが天井はるか高く、かなり壁(といってもガラス壁だから分厚いカーテンを回すわけだが)の上の方に飾るつもりだったはず。メタルの鎖がズラリ垂れ下がった、かなりここにも「無国籍風」アール・デコがあったはずだ。そういう写真を昔見た覚えがある。だがロスコの絵を颯爽と並べて仰ぎ見ながら血の滴るステーキを食いたいというアメリカ的悪趣味もいただけないが、そもそもそんな高いところに飾られたんじゃ、赤茶色の煉瓦かカーテンにしか見えなかっただろう。いや考えようによってはロスコの絵は一種の、抽象の闘牛絵画のようで、獰猛《どうもう》だから案外合うのかも知れない。そう想像して独りごちる。経緯があって決別、ロスコは壁画を渡さなかったので、今は二ヶ所に救出されてある。全体を七角形の部屋にしたような、神殿の気配のする川村の展示は、やはりヒューストンのロスコ・チャペルを意識してのことだろう。

叫んでいる絵

ロスコの絵は、とりわけ四角に縁取りされている燕脂《えんじ》色のものは、そのオレンジと赤茶の境目が、ササくれて毛羽立ち筆触が荒れているものが多く、それらは怪物が大きな口を開けて叫んでるようにみえることがある。そもそもロスコの絵はどの絵でも、その筆使いというか、色の帯は、向こうへと「抜ける」空洞、洞窟のように描かれていると、私には見える。たしか、誰かもそう指摘していたか。それからそのササくれは、また微細に蠢いて炎のようにも見えるのである。

その日もそう感じた。それから昔これらを見た時に、「ああ、こりゃあ宇宙の洪笑」だな、と感じたことを思い出した。あるいは「牛」かなこれは、いや水牛バイソンか。するとやっぱりラスコー、アルタミラじゃないか、とはたと膝を打った。

宇宙の静謐《せいひつ》を描いた、いやそれより、ノアの洪水の後で残った世界終末の後の、寂幕《じゃくまく》か。そういう気配もあるにはあるが、私にはロスコは、やはり絵が見る人間の目を「食べてしまう」ような、こちらに向かって襲いかかって来る凶暴絵画じゃないかと思える。ゴヤの「黒い絵」にも雰囲気は似てなくもない。

有名なロスコの聖地であるヒューストンには行った。アメリカ屈指の個人コレクター、ド・メニール家の財団美術館。だがロスコ・チャペルは正直なところ、さほど感心しなかった。八角形のコンクリートの厚みがどうも宇宙戦艦然として、重たすぎる。設計したフィリップ・ジョンソンのせいじゃなく、ロスコの趣味だろう。趣味と言っては失礼だが。こりゃ失敗じゃないか、とまでは思わなかったが、世界中から聖地然として宗教施設のように美術マニアの人々がやって来るのが信じられなかった。ロジャースが設計したサイ・トゥオンブリのパヴィリオンの方が印象に残った。歳下の優れた絵描きSが一

マーク・ロスコ《「壁画No.1」のためのスケッチ》1958年、DIC川村記念美術館蔵
［出典：『マーク・ロスコ』、淡交社、2009年］

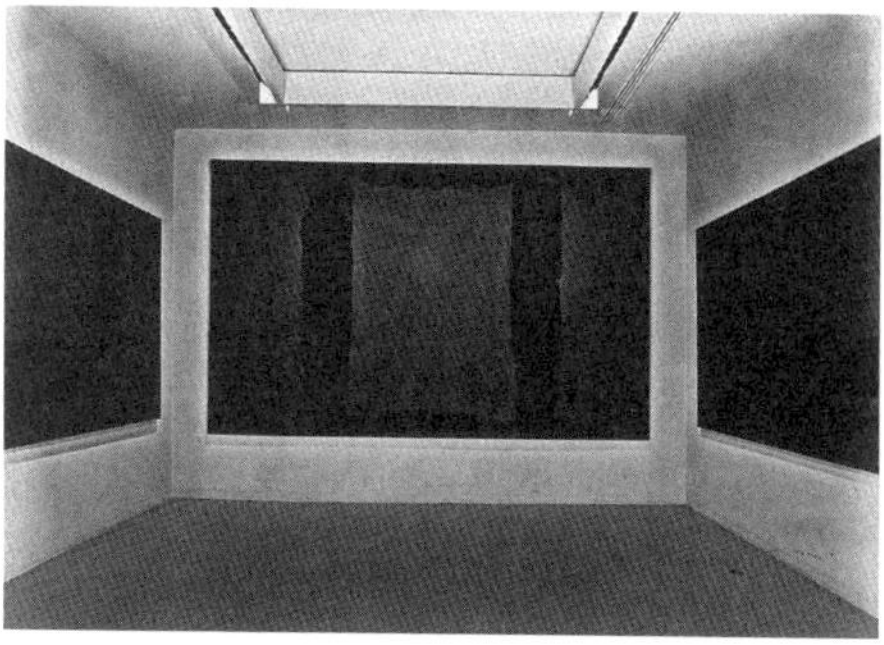

ニューヨーク近代美術館でのロスコ回顧展に展示されたシーグラム壁画
［Photo: The Museum of Modern Art, New York/ Scala, Florence 出典：『マーク・ロスコ』、淡交社、2009年］
上下ともに、©2024 Kate Rothko Prizel & Christopher Rothko / ARS, New York / JASPAR, Tokyo, 2024 X0231

度行って、飛行機の関係で二三日も居て、朝から夕方までの刻々の時間の変化や陽光で、表情を変え続けるのをたっぷり味わったのでよかったと言っていた。[註4] 彼女の絵もまたその後、そういう分厚い「呼吸する絵画」になった。そういえば、「呼吸する色彩」とロスコを書いている人がたしかあって誰だか忘れたが、それは私にもよく分かる表現だ。ロスコは静謐である前に、動的で獰猛なエネルギーを重視している絵描きだ。静謐はむしろ見る者の側の結果論だろう。

まあそれは分かるが礼拝堂のように絵画の前にじっと長く座っていたりする習慣は、私には無い。

川村に行ったその夜、一人で優雅に都内のホテルに泊まった私は、翌日どうしても時間を潰す必要があって、汗だくで六本木の国立新美術館に行った。テートから大分県美の開館展でターナーを二点借りたことがあった。それを国宝「松林図」と並べた。これも宿願であった。空前絶後だろうか。三連休で異常に混み合ってもいたが「テート・コレクション」展[註5]はいただけなかった。これで新美も終わったな、と正直思った。展示も下手だし、現代作家とモダンを合わせるという意図がまるでコンセプト倒れしている。話しにならない。日本の（おそらくテート学芸員と共同企画だろうが）学芸員の未来はどうなるのだろうか、という余計な心配はすまい。

そこで見たかったのはターナーもあるし好きなブレイクもあるが、実はジョン・マーチン（John Martin, 1789–1854）だ。「気狂い画家」と揶揄《やゆ》された彼の、壮大崇高強迫観念的なポンペイの、真っ赤な爆発画が出ていた。

その時思ったのは、前日見たロスコの、大きく口を開けて噛みついてくるような宇宙怪獣絵の火炎だった。似ている。マーチンのも、火山の炎がそんなに広がるはずも無いのに、真っ赤な天の洞窟か天蓋然と、壮大な口を開けて「火が叫んでいる」のだった。[註6]

ヴァルハラへ、ヴァルハラへ

不愉快千万な展観とは裏腹に、私の脳裏にまたマーチン経由のロスコが甦った。

正直ロスコはさほど好きな作家ではない。同時代ならニューマンに長く魅かれたし、書いたこともあった。いちばん好きなのは、クリフォード・スティルだ。あの、奈落のような滑落がこたえられない。ロスコでは、ニューヨークの近代美術館にある、海辺で奇妙な物体が駒のように回る、珍しい初期シュルレアリズム絵が好きだ。抽象表現主義の作家はいずれの作家も、シュルレアリズムを経由して四〇年代に独自の活路を開いていったが、その残響が不思議なほど残っているというのが私見だ。ロシア系移民にしてユダヤ人。ロスコ

ジョン・マーチン《ポンペイとヘルクラネウムの崩壊》1822年(2011年修復)、テート美術館蔵
[出典: "John Martin: apocalypse", edited by Martin Myrone, Tate, 2011]

もまた、移動して横断する装飾欲望だったアール・デコの聖地マンハッタンで生まれ育っている。だがこれもここでは深入りしない。

お女将と別れてから、私はその二日女性に会っていない。女性どころか人間に会っていない。人間嫌いの私にとっては唯一無二の贅沢。だがマーチンも、その日私には妙に華麗で残酷な、醒めた殺意を秘めた女性に映った。何故ならこれも語呂合わせのようで申し訳ないが、あのノアイユ夫人が居たからだ。見えがくれというべきか。彼女の壮麗なる殺意に比肩する女性に、この愚鈍の大東京で今時出会うわけはない。期待もしていない。

ぶり返した暑さでもうヘトヘトになって、ミッドタウンからNHKホールまでタクシーに乗る。久しぶりのN響定期の演目は、ワグナー「ニーベルングの指輪」全曲の演奏会形式。初めて聴いた。それぞれの曲の見せ場や場面を上手にアレンジしてある。ワグナー（Richard Wagner 1813–83）そのものとはちょっと違う曲調の音楽になっているが。こういうものが存在するのも不勉強で知らなかった。演奏会形式はよくあるが単一演目だ。四夜四演目のハイライトを一時間強にまとめるのはアンソロジーみたいでまるきり期待していなかったが、別モノとして立派に成立している、しかも演奏には驚愕した。近年とみにぐんぐんレヴェル・アップしているが、N響恐るべしの感懐をもった。

またまた言うと私は謂ゆるワグネリアンではない。革命家＝音楽家としてのワグナーは十九世紀という「先を慌てた人間どもの時代」特有の個性だろうし興味がわかないわけでは無いが、人間としてはそのパトロンであって信奉者、文字通り狷介な怪物ワグナーに翻弄された可哀想な狂王ルードヴィッヒの方がはるかに面白い。名匠ヴィスコンティの映画をもち出すまでも無いだろう。音楽にしても言い方は難しいが、人工的だ。向こう受けする飾りが多い。虚飾だな。ベートーヴェンのあの、自然そのものから抽出して来たような、偉大な推進力は無い。そう考えると、ワグナーも充分アール・デコだ。大作曲家に無礼を承知で、彼の音楽は新しい近代という時代に慌てて対応しようとする十九世紀に特有の、下品で通俗的。時系は逆だが、極彩色のアール・デコに近い。

好きなのはやはり「ローエングリン」か「タンホイザー」。その歌舞伎的見えっ張り、見せ場満載、分かりやすさが演歌好きの私好みだ。くどくどしい官能無限円環旋律なら「トリスタンとイゾルデ」だろう。だが四夜連続の「指輪」は、その荒唐無稽なドラマも好ましいが、結句、物語り全体がいちばんギリシャ悲劇の不条理と条理、その日常的往還の実感が最も深く彫られている作品と思える。バイロイトを考えなくても毎年年々歳々、演出の際立った斬新さを世界中で競い合っている演目も他に無いだろう。私は来世ではもうキュレーターを辞めてオペラ演出家になるつもりだから、その格好の練習材料にもなる。

何故「指輪」かというと、私にとってはワグナー・オペラ最強の女性神が、これに出てくるからだ。

ブリュンヒルデ。

彼女は冥界の王、ヴォータンの娘。その世界を天衣無縫に、勇猛闊達に、そして憐れみ深く、苛烈に可憐に空中闊歩する唯一無二の女性神、女性戦士である。自分の妹と弟が結ばれて産みおとした、宿命の英雄戦士ジークフリードを夫とする。ヴォータンが好きで好きで堪らないが、それでもその義侠心から愛する父を敢えて裏切って、いつも殺されかける。酷い目に合い続けるのが、彼女の生涯だ。そして夫である英雄ジークフリードが殺された後、ヴァルハラ城という冥界の城を焼き討ちし、その炎の中に、白い愛馬グラーネに跨《また》がって、飛び込んでしまう。

「神々の黄昏」。それが結末だ。

ちなみに、私は大分県美でやった開館展第二弾を「神々の黄昏」と銘打った。誰も理解しなかっただろう。それで良いのである。東西のヴィーナスの出会いを演出したこの未曾有の展観（自慢だが事実である）を考えた私の頭には、常に、古今東西の真の英雄、ブリュンヒルデがあった。

まったく余計な話だが、根っからキュレーターで身体で知っていることしか書かない私は、何か文章を書こうと思うと、必ずその予行演習というか準備運動に人形をつくる。だから半分は作家、彫刻家なのだと言っても良いが、昔は「歌って踊れる学芸員」と嘯《うそぶ》いていた。まあ手を動かしてしかものを考えられない質だ。イゾルデよりはるかに憧れるブリュンヒルデをもう、何体つくっただろうか。

その一時間強の、切れ目の無い演奏会形式の「指輪」の最後で、私は涙が止まらなかった。

普段日がな一日CDを聴いているが、やはり生には敵わない。まったく別モノの迫力、臨場感がある。ファビオ・ルイージの指揮とN響の一体感、その大編成の交響楽が、宇宙船のような塊になって頭上に浮かんでいるようだった。[註7]

一般に「ブリュンヒルデの自己犠牲」と言われるが、それは一体どうなんだろうか。

たしかにその不滅の愛、他者への寛容の故にこうむる悲惨は、彼女を唯一無二の英雄に仕立て上げるのに十分だろう。

だが私は思うのだが、彼女の生は報われなかったのではなく、そうやって火の中に飛び込むことによって、世界全体を救った。そして彼女じしんも結句救ったのではないだろうか。

それが救済ということの、真の意味が明かされる瞬間であったのではないかと私には思われて仕方ない。彼女は、愛の人であることより、戦士であることに殉じたのではなかっただろうか。

そう思って私は前日に佐倉で見た、ノアイユ夫人のあの冷たい、醒《さ》めた殺意を思い出していた。それからあの、大きな宇宙の口＝火山口を開けて私に迫って来た、ロスコの絵の炎を。

残酷な殺意、すでに対象の無くなったその殺意は、この上なく美しいものとして、無上なものとして残ったのではないだろうか。最後の最後は、人間、上品も下品も無い。どう真剣に真味に心底生きたかどうか否かだろう。充分に下品で極彩色？のロスコの絵に、そのギリギリの天国＝地獄絵図の炎の謎が私に開示されたのは、その性質を同じうする私にとっても、またその瞬間であった。

ロスコの絵は、燃える宇宙の叫びの口となって、私にヴァルハラ城を、ブリュンヒルデの飛び込んで行ったあの燃える城の落城を出現させた。

おそらく私は会ったこともない、そして来世でも絶対に会えないこの女神に生涯恋焦がれ続けるだろう。それが私の唯一の存在証明であるかのように。私はある種の、憑かれた者だ。それもまた、幸せなことだろう。

その翌日早朝、二日酔いで、隣にお女将の居ないベッドで一人で頭を抱える私の元に、娘が久しぶりに帰って来たものであった。

［註］

1　畏友、鈴木尊志さんの「静寂と色彩：月光のアンフラマンス」展（二〇〇九）

2　元、東京都庭園美術館館長の、工芸史家、樋田豊次郎さん。

3　「ジョセフ・アルバースの授業――色と素材の実験室」（DIC川村記念美術館、二〇二三年七月二十九日―十一月五日）

4　文中の「歳下の優れた絵描きS」とは第二章に登場する関根直子のこと。

5　「テート美術館展 光――ターナー、印象派から現代へ」（国立新美術館、二〇二三年七月十二日―十月二日）

6　ジョン・マーチン「ポンペイとヘルクラネウムの崩壊」（一八二二）

7　CDでは、"Richard Wagner, The Ring, An Orchestral adventure arranged by Henk De Vlieger Lawrence Renes Royal Swedish Orchestra"（Super Audio CD, 2013）にあるように、オランダ人作曲家、デ・フリーゲルによる編曲「指輪オーケストラル・アドヴェンチャー」と称するようだ。ファビオ・ルイージ指揮の素晴らしい「神々の黄昏」は、二〇一三年のメトロポリタン歌劇場の上演（ロバート・ルパージュによる演出が秀逸）、ブリュンヒルデ役のデヴォラ・ヴォートに捧げる人形を、いくつもつくったものであった。

2章
「共感覚への旅」——同時代作家論

2-01

天の龍、天の舞踊
――横尾龍彦の霊画、あるいはドイツ表現主義の彼方

「彼は在る。一つの身振りで彼は創造するだろう。彼は無限の中に幾百万の宇宙を投影し、それらの上ではまた同じ営みが始まるだろう。[…]わたくしは、われわれがある一つの神の先祖であること、またわれわれの最も深い孤独が、幾千年を越えて、この神の開始にまで拡がってゆくのを感じる。」

(ライナー・マリア・リルケ『フィレンツェだより』[註1])

霊画、あるいは舞踊の絵画

ドイツと日本を往復しながら、未踏の「霊画」を探求し続けた、異端の画家横尾龍彦が亡くなったのは、ちょうど三年前の十一月のことであった。

訃報をきいてから、私はすぐに、自らの主宰する美術館の一階展示ギャラリーに赴き、その壁に私自身

の手で展示した横尾の六枚の絵画を、見た。そしてそこにはやがて、作家の訃報を伝えるキャプションが、新たに追加された。

それらの絵のあったあの場所の、しんと澄んだ不思議な空気。明らかに、光は遠く鋭く、そして冥府からのように冷たかった。北の空気。ドイツ・ロマン派のカスパール・ダヴィッド・フリードリヒの、いくつかの絵画、ドレスデンの国立美術館にある「山上の磔刑」のオレンジがかった青い光。あるいは、ハンブルグのクンストハーレにある、オットー・ルンゲの傑作「朝」。それらに流れている、蒼ざめた空気であった。横尾は北九州の生まれ、余談だが私も瀬戸内の西の産で、ともに「南」の人間だが、ヨーロッパの北が、その文明の起源である地中海、南に憧れるように、またその逆もあるのかと、ふとそんなことも思ったものであった。

それはまた、秩父の初秋のあの時の気配につながっていた。そのことが、私のなかで長く残った。横尾が秩父をアトリエに選んだのは、おそらく幾つかの理由があるだろうが、「チチブ」とはアイヌの言葉だと、この地で林業を営む旧友Kにきいたことがある。

見ること。ただ、見ること。それしか、私には出来ない。私はまた、生涯見ることに憑かれた、一人の魔でもあった。

その「見る」魔である私が、横尾の残した絵を見ることによって、私の「見ること」は、着実に、強化され、深化されていったといえる。否、それは簡単な綺麗事ではまた決してない。

見ることは、時に自らを毒しまた腐敗させてもゆく。横尾の絵が、それを私に教えた。見る者を練磨し、精錬し、研ぎ澄ませもするが、またそれだけではなくある時は荒ぶらせ、踊らせ、傷つけ錯乱させてゆくのである。

横尾の出発点は、そこで学んで体得もした謂わばシュルレアリズムの系譜を引き継ぐ、ウィーン幻想派絵画だった。

だから当然のように、デカルコマニーやフロッタージュなど、意志による絵筆の決定性「描くこと」を、ディオニソス的に揺るがせ、より「見ること」に傾く絵画の傾向を横尾が追ってきたことも、また事実である。だからなのか、横尾の絵画は他のあらゆる絵画にまして、私に「見ること」を巡る夢魔を突きつける。それは、いっしゅ「見る」ことを「描く」ことに同化させて来た絵画の男権的情動に対して批判的に働く、両性具有的なものでもあった。横尾が、西洋文明に対して漢方薬のような緩和を行なってきた、人智学のルドルフ・シュタイナーに触れて、その考えに傾倒するようになって「霊画」に転化深化しても、ここで短絡的に敢えていうと、脆弱な「見る」ことを強固な「描く」ことに同化させずに、それを特権的に守ったのは、同断なのであった。[註2]

瞑想をへて、宇宙の気と一体になった横尾の肉体が、さらに別の気を呼び込み、巻き込んで、その波動を画布に瞬間的に定着させる、その動きの要所要所で、私どもにとっては不可避な「見ること」の夢魔を、今度は、描くという行為ぜんたいが、受け容れていったのではないか。

そう思った時、私には横尾龍彦という一個の画家の仕事のぜんたいが、いっきょに理解出来たような気がしたのであった。

＊　＊　＊

その二ヶ月前の九月、まだ蒸し暑さの残る都心から、すっきり澄んだ空気の漂う秩父へ、私は若い学芸員のMと家内、そして娘を伴った。ドイツから戻った横尾を秩父のアトリエに訪ねるためだった。

横尾は意外にも元気そうだった。癌の痛みを必死で堪えながらも、「まだまだやりたいことがあって」と彫りかけのふくよかなマリア像を指差した先生の、ある種明るい、生気に満ちた表情にも驚いたが、アトリエのテラスから、車椅子に腰掛けて優しげに手を振る横尾の姿、その何か薄ぼんやり消えてゆくように感じたさまに、もしかして、これで先生とはお別れになるのだろうか、という気持ちもよぎった。

お別れというのは、正確ではない。横尾も私どももカトリックの信仰を持っているので、謂わば、「死は、一時の別れ」にしかすぎないのだが……。

その時、秋の展観用に私が選んだのは、大きく深い水槽のようなアトリエにかけられた、六点、大雑把に言って、青三点、茶三点であった。アトリエの作品をほぼそのまま借りて来るかたちになった。二つの収蔵庫にいっぱいの作品群も見せてもらったが、私には、その六点の形づくる気配でじゅうぶん、というより、それでピッタリだ、という直観があった。作家のアトリエの空気感をそのまま美術館に持ち込みたかった訳ではない。飽くまで絵が語りかける、その運動感の直観である。

秋開催した大分県立美術館での開館記念展第二弾、「神々の黄昏――東西のヴィーナス出会う世紀末、心の風景《けしき》、西東」の会期中、十一月二十三日に、横尾は亡くなった。

「青い風」、二〇〇三
「雨を降らす龍」、二〇〇三
「風神」、二〇一二
「舞踏する混沌」、一九九六
「円相」、一九九二
「華」、一九九五
右の六点が、それである。
私は、コレクション展示室が展示替えになるたびに、未亡人横尾嘉子さんのご好意とご意志で私ども大

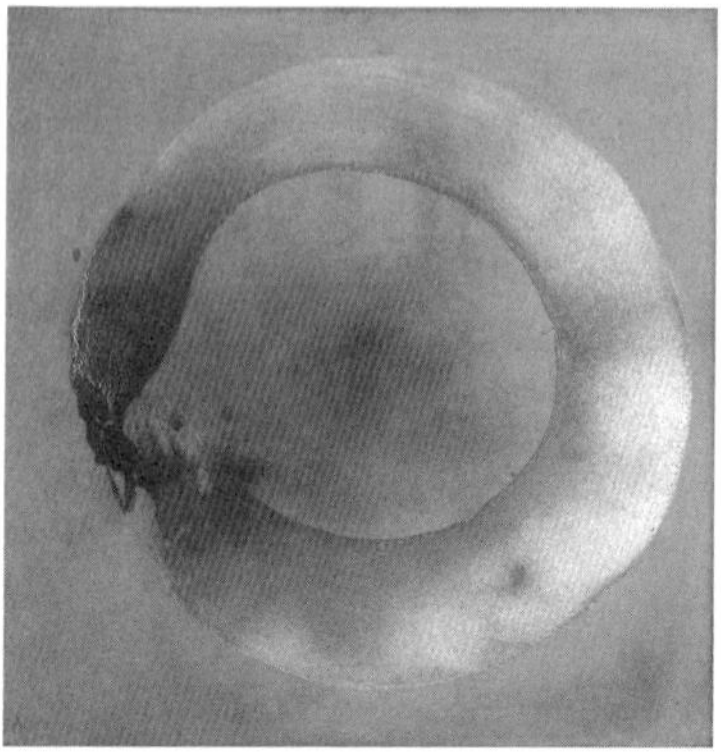
横尾龍彦《円相》1992年、個人蔵

横尾龍彦《舞踏する混沌》1996年、個人蔵

分県立美術館に寄託された、その時の六点のうちの四点を、時々で代わるがわる、見る。

「青い風」、「雨を降らす龍」、そして、「舞踏する混沌」、「円相」であった。ご夫人のお気持ちの尊さは、出品作のなかの、サイズとしてもより大きな大作を優先して美術館に残してくださったご判断に如実に現われているので、私としては有難いことこのうえも無く、妥当なるお礼の言葉すら見あたらない。

ここではそうでなく、横尾の作品四点を、代わるがわる見る、時々に私が「見る」ことに特化して、話をすすめたい。それをしも自らに与えられた僥倖とも恩恵ともむろん感謝するが、内実はそう簡単ではない。なぜなら、横尾の絵画は、舞踊の絵画であるからだ。そして、霊画であるからだ。

ではいったい、舞踊の絵画で無いものが、第一級と呼ばれる絵画のなかであるのか?霊画でいったいぜんたい無いものが、真にあるレヴェルに到達した絵画のなかで有り得るのか?と問われれば、それは、ちょっと説明が難しい。

ささやかなこの試論は、おそらくはそれを分かり易く説明するための駄文に失墜《しっつい》するのかも知れないが、宿命なら甘んじて受け容れたい、という気持ちから今は逃れられない。

横尾の絵画は、舞踊の絵画であって、しかも霊画である。

それは私にとって、「見たい」、「見えるようになりたい」という、私どもが必然的に持っている「見ること」の欲望を、謂わば、遮《さえぎ》り、禁じる方向に働きかけるからである、と言えば、もしかしたら、今の私の正直な実感にいささかは近いかも知れない。言いたいことは、横尾龍彦の絵画の前で、私どもは、盲目になる、あるいはそう成らざるを得ない、比喩的であっても直截であってもかかる稀有な体験をする、ということなのである。

私は横尾の絵画の前で目を閉じる。自らの邪悪で凡俗な目の欲望に、終止符を打つ。

そして横尾の霊画の、その奥の方から手前へと吹いて来る、渡って来る、不可思議としか言いようのない、冷気の動きに身を委ねる。消え去った私の目は、そこに漂う、荒れ狂う気に、再び、乗り移る。

敢えて大仰《おおぎょう》にいえば「目の舞踊」ということになるが、それが横尾の絵画が私に与える恩寵の源泉なのである。それはかの、二十世紀きっての神秘思想家であった、ルドルフ・シュタイナーのいう、「ティンクトゥーラ」の正体ともいえるような気さえする。〔註3〕

横尾の苦闘は、「青の時代」にある成果を結んだ。苦闘とはあれだけ初期にこだわった、描くことの源泉、その原罪とも言える、「イメージ」の放棄であったと私は感じた。イメージは出現し消滅してはいるが、それはもうそれまでの固定された「イメージ」では無く、それは出現しては消える、ある種の「気の運動そのものになって」画家を呪縛していない。後の「霊画」は「イメージ」の呪縛から完全に解放されている。素材の他者性や偶然に任せるという簡単な問題ではない、言い方が難しいが、それは「メタ絵画」のような領域に入って、二十一世紀の「霊画」になっていると独りごちた。

舞踊神、ドーレ・ホイヤー

ドイツ表現主義の不世出のダンサー、ドーレ・ホイヤーが実際に踊る映像を見たのは、もうかれこれ三十年前、ベルリンの美術アカデミーで、国立アーカイヴからの映像資料を網羅した画期的な「ドイツ表現主義舞踊展」を見た時だった。その数年前、私は日本で、ホイヤーの弟子、今も活躍する舞踊家シュザンヌ・リンケによる、ホイヤー振り付けの再構成舞踊を見ている。

その時の衝撃は、私を生涯、ドイツ表現主義舞踊という、この二十世紀に招来した、大きなうねりの渦の虜にした。

ターバンのような帽子、ひざ下を脚絆のごときもので縛るように巻いた独特の衣装出で立ちにも驚いたが、小太鼓のリズムにのって、身体を反転し、逆転させながら、彼女は駒のように固く、モーターに巻きつけられた女豹の肉体のように柔らかく、捻《ねじ》れ、歪み、回転しながら跳ね返し、腕を捻っては返し、手首や掌を捻転反転させた。

その大小の動きの連鎖を、「シューッ、シューッ」という、蛇の息遣いのような、絞り出す唸りの声が、縫いながら絡みつきながら加速した。

未だ見たことのない、非ヨーロッパ的な、身体の捻転運動だった。私には、これこそがドイツ表現主義なのだ、ということが、一瞬にして直感的に了解された。

舞踊史的な常識を知らない素人だが、アメリカから渡ってきて、旧来のバレエ、それをマリウス・プティパ以来のロマン主義的舞踊と言い替えてもいいが、それを「裸足」（伝記映画のタイトル）で覆したのが、イザドラ・ダンカンだったというなら、そしてその謂わば体制内大改革をやったのが、ディアギレフ率いるダンサーたち、ヴァツラフ・ニジンスキーやその妹ニジンスカだというなら、別の先駆者、マリー・ヴィグマンや、ルドルフ・ラバンなど、ドイツ表現主義の踊り手たちは、舞踊の近代において如何に位置づけ

られるのだろうか。[註4]

乱暴にいうなら、音楽を主《あるじ》にして「何ものかに、つねに依拠してきた」舞踊の、それはまずもって音楽からの依存離脱、独立だったようにも思える。ドイツという音楽国民性故に逆説的に起こった現象といえば、ちょっと身も蓋も無いのかも知れないが。

ただ私には、「魔女のダンス」や「死のダンス」のヴィグマンや、「緑のテーブル」の、ホイヤーとは同世代のクルト・ヨースよりも、はるかにホイヤーの、純粋舞踊的で、潔癖な、一種アルカイダ的な音楽放棄は、そのまま逆に、舞踊の放棄に背理として重ね合わされるような気がするのである。

だが、舞踊の放棄とはいったいどういう意味か。むしろ舞踊における音楽の拒否、と言い替えた方が適切ではないのか。

それは「盲《めしい》の舞踊」、あるいは舞踊における、そのアポロ的動作確認作業としての、「見ること」の

ドーレ・ホイヤー「人間への影響」より〈嫌悪〉
[Courtesy of Deutschen Tanzarchiv Köln
出典：“Dore Hoyer Tänzerin”, Hedwig Müller, Frank-Manuel Peter, Garnet Schuldt, Edition Hentrich, 1992]

ドーレ・ホイヤー「人間への影響」より〈欲望〉
[Courtesy of Deutschen Tanzarchiv Köln
出典：“Dore Hoyer Tänzerin”, Hedwig Müller, Frank-Manuel Peter, Garnet Schuldt, Edition Hentrich, 1992]

拒絶なのである。構成感を保つための「見ること」、その忌避《きひ》。

いや、勘違いかもしれないが、いっぽうでホイヤーの舞踊は、ある種かのルドルフ・シュタイナーのオイリュトミーに近いように感じる。どういう意味かというと、オイリュトミーは、分離し分断されそうになった人間の生身の肉体と宇宙生命や自然のあいだを仲介し再接合させる、道具として呼び出されていたからであった。[註5] 謂わば、それは「見せるため」の舞踏ではなく一種の体操のようなものなのだ。

シュタイナーのいった「ティンクトゥーラ」(宇宙と生命の仲介分子たる空気というか、分子的粒子)を擬《なぞら》えるべくその動きは計画・考案されており、一度は手も足も、自らの外へ投げ出され、それを再び見えない糸で手繰り寄せる、そういう生命＝自然円環、宇宙円環が、動きや舞踊の根幹に根づいているからなのだ。

彼らの、ふわふわゆったりと浮遊する蝶のような緩慢《かんまん》な動きは、あるいは先駆者ダンカンのある部分に重なるとしても、やはり、かなり特徴的だ。ホイヤーの舞踊も、私のような素人には構造はほぼ同じにみえるのだが、それにジャワやインドネシアの儀礼ダンスや、影絵踊りワヤンの影響を無理矢理接合したようにも見える。それがかえって、「分断」「文節」の鋭い、痛々しい断層を想わせるところが、ホイヤーの悲劇に映る。

私が長く、彼女を崇拝の対象にして来た理由がここにある。

踊る天の龍、あるいは実在としてのティンクトゥーラ

以上のことを、私はじつは、単に、私にとっての舞踊神、ドーレ・ホイヤーの魅惑についてだけとして

は、書いていない。

それはむろん、霊の絵画である、そして、舞踊の絵画である、それらを生みだした当の、異端の画家横尾龍彦について、書いている。

今回の展観[註6]の作品を選ぶために、三年振りに、秩父の横尾邸を訪れた。

子育て中のMは居ないものの、三年前と同様、女房とそして娘藍をともなった。じつのところこの娘は、生前の横尾先生を、ある種師と仰いで、幾度かそのアトリエを訪ね、近しくしてもらったばかりか、瞑想の方法に触れて伝授され、その瞑想的制作の実在に接してもいた。彼女が、その多からぬ機会のなかで横尾と瞑想しながら制作した一枚のアクリル画は、我が家の宝であるばかりか、小さいながら「踊る天の龍」として、瞠目すべきことに、横尾の作品のある種の小さな模型のようなものに、私には感じられる。

横尾龍彦の絵画は、天を飛翔する龍、その無限に広がる、一つの大きな運動そのもののように、私には感じられる。

その絵画の内的運動は、私に、いつも「見ることの不可能性」を突きつけ、そして、思わず知らず、比喩的にも直截にも、まなこを閉じさせ、そして、絵画を追って、自らも見えない気となって舞いあがるような、稀有な体験を与えてくれるのである。

いや、横尾の絵画は、原初の、有り得ただろう太古の私どもの祖先の彼方、その時空から、やって来る。天の龍、横尾の魂は、その絵画によって、あらかじめ、「見える時空」を横切ってしまっていた、そういうそら恐ろしい実在を突きつける。

それが、横尾が残した「霊画」が、現世の私どもみなを導く、恩寵の源なのである。

今私は、モーツァルトの「レクイエム」、ヘルムート・ヴィンシャーマンによるドイツ・バッハ・ゾリステンによる演奏をきいている。モーツァルトの音楽はいつも私どもに「この世にありながらあの世にもあること」、その神秘的な実在を突きつける。[註7]

それこそ、横尾の霊画が教える、「すべての人間の生の瞬間瞬間に生起する、生と死の交代劇」と同じものなのではなかっただろうか。そう、私は感じる。

最後に別稿として、娘新見藍が、横尾先生に捧げて書いた詩を、未亡人横尾嘉子さんの強いお奨めによって、併記、並列する。

「来《きた》るべき日の、先生へ」

先生、鳥が飛んでいます。

ふくらした、想いたちが、飛び寄って、

私のところへやってきました。

きれいだとか、美しいだとか、儚いと感じる、
移ろいの日々を追って、とけてゆきます。

胸が焼けるような苦しみも、
オーロラ色の心模様も、
暑さに滴る汗つゆさえも、
みだれた、小さな奇蹟に過ぎぬ事、知るばかりでいます。

膳は下がらず、
身幅を見つめるのです。

先生、聞こえますでしょうか、
私は、ひそかに、叫んでいます。

その声が高くに昇られた、先生への賛美です。
来《きた》るべき日に、奇蹟を、持っていきたいのです。
穏和で、崇高な、天人が、守っているのでしょう。

いつの日にでも、未熟な魂を、見定めていて下さい。

（恩師、横尾龍彦先生へ向けて）　二〇一八年八月　新見藍

［註］

1　若年から愛読して来た訳書。筑摩書房版の、森有正訳である。

2　畏敬する高橋巖先生の名著、『ディオニュソスの美学』（春秋社、二〇〇五）にすべて依っている。かつてコラージュについて書いたが、その元になったのは、コラージュの、「絵画―絵筆＝アカデミズム＝男権的」「刺繍やレース編みの展開としてのコラージュ＝家庭内手工芸＝女性による」といったフェミニズム批評から発想を得ていて、それは、香川檀さん『ダダの性と身体　エルンスト・グロス・ヘーヒ』（ブリュッケ、一九九八）から学んで借りたもの。

3　シュタイナーやその考えについては、「ティンクトゥーラ」や「エーテル体」などすべてふくめて、高橋巖先生の著書（前掲書や、『シュタイナー哲学入門――もう一つの近代思想史』（岩波現代文庫、二〇一五）以外、逐一あげないが）や、古里の幼馴染み、精神科医、松本順正、そして、映像作家、能勢伊勢雄さんらに教わったことを、丸ごと借りている。

4　ホイヤーについては、同展図録や唯一のモノグラフ"Dore Hoyer, Tänzerin"(Edition Hentric/Deutsches Tanzarchiv Köln, 1992)の主著、Hedwig Müller, Frank-Manuel Peter, Garnet Schuldt の論から借りた。

5　註3に同じ。

6　アートビオトープ那須、坂茂設計によるスイートヴィラの開業記念で、「十五の棚」を二〇二〇年夏に開催した。棚は、それぞれ二作家の作品の組み合わせ「合わせ技」から成り、テーマに沿って、表のギリシャ舞踊神「ディオニソス」と、裏のローマ舞踊神「バッカス」の二対の組み合わせが、別々の二部屋に配置されている。それらは互いに補完し合うが、一度に両方が見られることはない。全十五作家による、十五の棚。

その五（一号室）
「表現主義と舞踊」（ディオニソス、影）
横尾龍彦（平面、ミクストメディア）vs 高橋禎彦（ガラス）

その六（五号室）
「表現主義と舞踊」（バッカス、影の裏側）
高橋禎彦（ガラス）vs 横尾龍彦（平面、ミクストメディア）

ドイツで活躍し二〇一五年に没した、神秘主義者にしてシュタイナー派の美術家横尾龍彦の「気」の霊画と、現代吹きガラスの第一人者、ジャズの風をもたらすマエストロ高橋禎彦との競演。

見えない霊的分子、シュタイナーが「エーテル体」と呼んだ「気」を禅で表現した横尾の舞踊画面と、自在で軽やかな音楽を身体で感じて「踊り出すような」高橋のガラス表現を楽しんでいただきたい、と書いた。

7　モーツァルトについては、畏敬する亡き遠山一行先生の論から、学んで借りた。

＊本稿は、ギャラリーTOMにおける「横尾龍彦――舞踊する混沌」展（二〇一八）における展観原稿を再録して、加筆した。

2-02

世紀末の女神ペヤチェヴィッチ
——西井葉子の黒いロマンティシズムに

定型から逃れる、女神

かつて愛読した三島由紀夫の『女神』は、女性崇拝が極まった男が、火事で顔に火傷を負った妻に見きりをつけ、かわりに娘を自らの「女神」に飼育しようとする悲劇だ。如何にも有りそうな定型だが、その話しよりも、そういう「定型」にいまだにとらわれている私どもの「定型」観、それをしも女神というさらなる「低レヴェル」?の「定型」に押し込めようとする、渇望なのか、安心感なのか、そんなものに、俗なる私は逆に強烈に魅かれる。まあ、需要と供給の問題だと、簡単に片づけることも出来る。

男女が何故結びつくのか、それは意味あることなのか、自然の摂理なのか、無意味な戯言《ざれごと》なのか、人間愛の特殊形なのか、「定型」議論をしたいわけではない。美術や音楽は、それこそそういう愚鈍なる「定型」から別個のところにある別モノと、安住はしていられまいというのが話しの筋だ。

若いころ、自分は単純なのでロマン派しか理解しない、理解出来ないだろうと思い込んだ。さほど見当ちがいは無かったが、そう簡単な事でもなかった。当時シューマン、とりわけピアノ曲に耽溺《たんでき》した。ピアノは打楽器で好きだし、それ以外にも理由があるがここで詳述しない。理屈っぽいシューマンの理論家としての側面がわかり易く音楽に裏返った安心に浸ることでもあったのか。ショパンの不安の真の意味を、まだ理解していなかっただろう。シューマンの、狂気に向かってまっしぐらの直情も肌に合ったかも知れない。

それが一気に覆《くつがえ》されたのが、ラジオでクララ・シューマンのピアノ協奏曲を聴いた時。何だ、この不敵で不吉なデモーニッシュ、悪魔的気配は！と驚愕《きょうがく》。こりゃ夫より才能大だなと感心もしたが、それは才能であったのか、彼女が狂気の夫を持った生活感情的「不幸」が偶然滲みでた体感音楽であったのか、今でも判然しない。たぶん後者だろう。他にはさほど彼女の名品は無い、これだけが図抜けて傑出している。だがその本質は私にはいまだによく分からない。

夫ローベルトの発狂、病死後、彼女を精神的に慕い支え続けたのが優等生ブラームス君だ。ロマン派を代表する個性というのは分かるが、私はほとんど聴かない。優しさと感傷だけでは無い観照の方向性に耐えられないわけでもない。同じ優等生でもメンデルスゾーンは割と受け入れやすい。だがブラームスのピアノ協奏曲の激情だけは、女神に対する自らの英雄的苛烈さ（献身か？）を唄っていて、わかり易く楽しんで聴ける。音楽音痴の話しはそこまでである。

西井葉子という個性

今までのやや戯言めいた小話を、私は義塾慶應の後輩で、ピアニスト西井葉子のことを考えながら書いた。[註1]べつだん、西井が私の女神という話しではないし、彼女の個人史を知ってもいない。かの英傑塾長小泉信三がどこかで写真家三木淳のことを「塾には、学校で教えないことで名を成す人が多い」といっていたが、西井も私も文学部フランス文学科、名誉教授でマラルメ学の泰斗立仙順郎先生門下だ。西井と会ったのも、千葉の先生宅の大同窓会、亡き奥さまご健在であった。クロアチアでピアノを学んでいるという話しだけ覚えていて、やがてその帰国記念公演を浜離宮ホールに聴きに行った。たしか、亡き柳橋の巨匠Sも来ていた、公演後に西井とビールを飲んで歓談した。[註2]

演目はふだん聴かないプロコフィエフの戦争ソナタとか、ややこしい硬派の曲ばかりで、半可通の私はさほど楽しめなかった。筋金入りのSとかは理解したのだろう。手元に無いがそのパンフレットに西井の先生が「商業主義に毒された日本音楽界に、私の真性の教え子を送り込む」と書いてあって、大したもんだなと驚いたし、西井が「戦乱や難民、生きるだけが本当に困難な国では、皆難しい音楽を聴く」と言ったのが記憶に残った。

話しはとんで、古里三重県の伊勢で活動する西井の東京

西井葉子「ドラ・ペヤチェヴィッチ：ピアノ作品全集」
HERB Classics、2015年

公演を昨夏聴きに行った。ラフマニノフのピアノ・ソナタ二番だ。これも滅多に聴かない。いろいろな要素が錯綜《さくそう》して、複雑な曲だ。ラフマニノフ特有の、世に流布した甘いフレーズ満載のものとは違う。逡巡、惑乱、迷走、不安、茫漠、そういう人間の負の感情をひと針一針編み組んだ、薄いうすーい漂う雲のようなもの、といおうか。訓練のおかげか、だんだんそういうものも、ロマン派のマイナス・イメージ、あえて短絡するとアポロ的なモノではないディオニュソス的部分に、耳が慣れて来たのだろう。雲間の向こうに何かが透けて見える……という感じか。ロマン派は単純に、個人一人ひとりの感情を、あまり手を加えずに宇宙規模にスケール拡大したものといえる。この拡大やら圧縮にまさに十九世紀という時代の息吹が感じられるわけだ。リストがまあ、典型的ですな。西井の好んでいるのは、わかりやすいその結果の謳歌よりも、難しいそのプロセスということか、それがクロアチア風なのか。

だから最後のアンコールのリスト「献呈」の時に、本人「あんまり私、こういうの（フレーズが心地よく、向こう受けするモノの意だろう）好きじゃないんですが」と素直に言い訳していた。

だから西井というピアノニストは、ロマン派の闇を描こうとしている、というのが私の解釈だ。闇というのは、プロセスと置き換えてもいい。畏敬する遠山一行先生が、死後出版された回顧録で三島とパリで会った時にさほどヨーロッパを知らないはずの三島が、「日本は結論の文化だが、ヨーロッパはプロセスの文化だ」と言ったのに瞠目したと書いておられたのを思い出した。[註3]

その西井が精力的に紹介しているのが、世紀末クロアチアのショパンと謳《うた》われた女神ドラ・ペヤチェヴィッチ（Dora Pejačević, 1885–1923）であった。

世紀末の女神

クロアチアに行ったこともない私は、西井のピアノによってしかその世紀末の女神を想像できない。ショパンの知的な晦渋《かいじゅう》はそこに少ないし、ラフマニノフの激情をさらに一途にしたものか、と短絡した。ＣＤや実演でずっと聴いているから、西井の個性とない混ぜになっているのかも知れない。だが、あのクララ・シューマンのピアノ協奏曲を聴いた時の、驚きはやや薄れつつあるものの、再び甦ったのは事実だ。女性だからでは無い。それはもっと短絡すると、不幸な激情だ。愛の敗北、人生への絶望、出口の無い落胆、無気力の音というと穿《うが》ちすぎるだろうが、もっとギリシャ悲劇的な、宇宙の凄惨《せいさん》、悲惨をこうむった人間の叫びの音のような気がして私には仕方ない。というより、個人だけの、他人にとってはとるに足らない小さな体験であって、だが本人にとっては世界が崩壊するのと等しい深い悲劇を、ただ純粋に生き直そう、生き続けようとしている決意、と言ったらもっと近いだろうか。一九一五年、二十九歳で書いた変ロ短調のソナタの冒頭に顕れるものは、そういった悲劇の純化した結晶だ。

人は自分の遠い記憶の中の痛み、そういった何かに重ね合わせてしか、他者に共感も共鳴も出来ないものだ。悲しい感情の種類はゴマンとあるだろうが、何か究極の悲惨を体験して、絶望に虚ろに目を開けた子供のような、行き場のない感情、それがそのままで、世界の抹殺の感情に高まるしかないようなもの。

ブダペスト生まれの彼女、母親はハンガリーの貴族というから、その写真の面影には、どことなくマジャール人の土臭さを感じる。といってもハンガリー人を多く知っているわけでも無い私は、一人の畏友写真家A、彼女のスッキリした凛々《りり》しさ、だけどある種影のある土臭さを思い出した。民族に内在する悲劇的表情といったら言い過ぎになるだろうが。[註4]

ウィーンから列車でブダペストに行くと、到着前に、鄙《ひな》びた藁屋根の農家がいくつも緩やかな丘陵にあらわれる。出ている煙の筋が霧に混じってなんとももの悲しい。首都に着いても、華麗なハプスブルクの王宮離宮も素敵なのだが（エリザベス皇妃が愛したからどことなく、繊細で白っぽくて良い大理石が使われていて、全体が女性的だが）、私はやはりレヒネル・エデン（Lechner Ödön, 1845–1914）など、もっと獣的でクネクネした、極才色の焼きものを多用した独特のアール・ヌーヴォー建築に魅かれた。やはりこれらは、パリなどの純粋で透明な、石の文化の結晶みたいな空気感とは明らかに違う土の匂いを直裁に感じさせるものだ。ショパンは、とりわけ彼の音楽にはいくら東欧のマズルカなどの舞曲が使われているといっても、そこにはポーランドの草原の金色の輝きや匂いはほとんど無い。無いというと嘘になるが、直裁に現れてはいない。それらはショパンという稀有な個性の中で透過され濾過されて、まったく別の風合いで表に出てきている。払拭されてパリ風の

レヒネル・エデン「ブダペスト応用美術館」1897年完成
［出典：『レヒネル・エデンの建築探訪：ハンガリー世紀末建築をガイドする』寺田生子、渡辺美紀、株式会社 彰国社、1995年］

ドラ・ペヤチェヴィッチ

洗練を纏《まと》っている、というのともちがうが、異星の惑星の趣きを予め背負っている。それが天才の証しなのだろう。

ペヤチェヴィッチがその短い生涯に、すでにロマン派の激情を通過して、表現主義的なものを獲得していったのはその辺りの事情もあるだろう。土俗的なものを捨てずにより純化、強化しようとすると、それは表現主義的にならざるを得ない。また彼女がウィーン派のベルクや画家ココシュカとほとんど同い歳で、バルトークがややお兄さんという時代的な影響もあるだろう。

彼女の音楽は私にはもっと「造形的」な蠢き、「アールヌーヴォー建築」の獣的動的なざわめきに似ていると、感じる。それはロマン派のそれが、黒い鏡に映った裏側の姿だ。背理の闇、といってもいい。エデンの応用美術美術館などは、まさに、極彩色のうねる竜が地に堕ちた姿というか、そんな異様ではあるが、どことなしに土の匂いがする。その金色に反射する鮮やかな緑の屋根タイルは、私には西井の弾く、ペヤチェヴィッチに重なって聴こえたものだ。[註5]

表現主義、あるいは黒いロマンティシズム

かつてその立ち上げを担った大分県立美術館で、オープン第二段展に、ウィーンから国宝級のクリムト作品「ヌーダ・ヴェリタス（真実の裸身）」を招来した。それを、「東西のヴィーナスの出合い」として、宇佐の古い寺に伝世する日本最古の木造菩薩像と並べて展示した。つくったのは、むろん国宝の石仏磨崖仏群と同じ、渡来人僧たちであった。明らかにガンダーラ仏経由の、ギリシャの残響のあるものもあった。そ

れをクリムトと並べるのが、私の夢であった。

その関連事業で西井葉子に来てもらって、ウィーンの曲、シューベルトなどと絡めて弾いてもらった。だが眼目は、ペヤチェヴィッチであった。

オープン記念は、別府の奥の院の素敵な温泉町、鉄輪の冨士屋ホールでやった。この時、西井はクロアチア大統領で作曲家イヴォ・ヨシポヴィッチのプレリュード「ガラス玉演戯」をやった。私は初めて聴いたそのトーン・クラスター奏法に驚いたものだったが、西井がやると如何にも似合った。握り拳を叩きつけるように弾く、これは表現主義だな、と感心した。

　では表現主義とはいったい何かという問題になるだろうが、たとえばプロコフィエフをフォーヴィズムという言い方があるが、ペヤチェヴィッチでは、晩年の「カプリッチョ」のような黒いロマンティック、負の諧謔《かいぎゃく》的叙情というか、闇が蠢《うごめ》くような、胸騒ぎ

「開館記念展vol.2『神々の黄昏』」展示風景（大分県立美術館）、2015–16年
左から：グスタフ・クリムト《ヌーダ・ヴェリタス》、天福寺木造菩薩像

のする舞踊風のざわめきのことかも知れない。

私は長く表現主義、それもドイツ表現主義舞踊に魅かれてきた。その理由をここで考えるわけにもいかないが、それはアールヌーヴォー（ドイツ系だからユーゲント・シュティールというか）という空中楼閣に浮かんだ、新しい世界像の提案が、そのまま発展して極度に洗練されたりせず、土俗的なものにぶつかって、もういっぺん、土と大地に引き下ろされたものではなかっただろうか。造形的には、やはりアールヌーヴォーは、一種の浮遊感だ。そのイメージの源泉が、水草や水の中の揺曳《ようえい》、しなやかな植物的曲線だったわけだからではない。それは「目」のクラスター、つまり天体望遠鏡と顕微鏡を行ったり来たりする、新しい、目＝世界の捉え方そのものの運動感であって、かのキュビズムすらその中に萌芽として内包していた、というのが私見だ。それが、土俗とか東ヨーロッパが独特に持っている風土性、郷土性に再びぶつかって、さらに新たな運動感＝肉体の舞踊感をハレーションとして獲得して行ったのではないか、と最近私は思うようになった。理屈っぽい話しはその辺にしよう。

最後のピアノ曲と言われるのが、変イ長調のソナタだ。一楽章のものだが、六年前の変ロ短調のソナタの展開というより、そっくりそのまま、自らを繰り返した、というより、私にはその夜の闇を裏返した、静かな不気味さに満ちたものに感じられた。

けだし名曲だろう。そこにはショパンの韜晦《とうかい》、ラヴェルの晦渋、リストの圧縮、そしてアール・ヌーヴォー建築のレヒネル・エデンの土臭い絢爛《けんらん》が、惑星のように散りばめられており、脈略無く運行錯綜して、混在しているからだ。

それが私にとっての後期ロマン派、「遅れて来たロマン派」の、鏡に揺らぐような、黒い惑星のようなものと映るのであった。

［註］

1 愛聴はむろん、西井葉子のCD「ドラ・ペヤチェヴィッチ全集」("Dora Pejačević Complete Piano Works," HERB Classics, 2015)、「西井葉子プレイズセルゲイ・ラフマニノフ」("Yoko Nishii plays Sergei Rachmaninov," 2020, QACK-30018)であり、それぞれ西井の曲目解説、作家解説を借りた。

2 柳橋の亡き巨匠Sこと、鈴木智博。家業を継いで悠々自適に美食三昧、竹針で名曲を聴いて、時に「コルトー全集」などのライナー・ノートを書いていたが、二〇一八年十一月に癌で亡くなった。

3 死後出版された、遠山一行『語られた自叙伝』(長谷川郁夫編、作品社、二〇一五)

4 ブダペスト在住の写真家、アンドレア・バトルフィ(Andrea Bàtorfi, 1967–)。

5 学芸員業界の兄貴分だった、河本信治さんが企画した、「ドナウの夢と追憶　ハンガリーの建築と応用美術一八九六―一九一六」展(京都国立近代美術館、一九九五年九月五日―十月二十二日)が、日本で最初の包括的な紹介だった。

2-03

ラヴェルに誘われ、夜の海へ

――椎名絢の球体絵

夜の光

夜の海のことで、私には忘れられない二つの風景がある。

一つはごく若い頃に、京都の鴨川の夏の流れを川床《ゆか》から眺めていたこと。それは過去のさまざまの事どもを思い出しながら、ずっと長く、石のうえを舐めて小動物のように揺らめく、迂回しては蠢く、その黒いビロードの獣の表皮に魅入られていたこと。走馬灯というのがピッタリする、忘れ難い体験だった。その前に、祇園の昏い小路を酔ってふらついていたら、フッと思わず背筋が凍るような、黒い妖気に包まれて、驚愕したことも思い出された。さすがに、誰かの言うように日本の恥部？といっては失礼だが、かの不在の中心である天皇のいた、黒く湿った日本という肉体のど真ん中だっただけのことはあるなと変な感心をしたものだ。

さらにずっと後、古里尾道の町の目の前、川のような狭い水道の桟橋に立って、うねる黒い夜の潮の流れを見ていたことだ。親たちの子供の頃は泳いでいたそうだが、意外に流れが速く、そのうなりと揺れが酔いに合わせて不可思議な体感だった。今は無い雁木《がんぎ》の石段で、日がな遊んだ場所でもあった。

その時には懐かしさというよりか、どことない空恐ろしさを感じた。非人間的なものというか、個人のささやかな過去や記憶を嘲笑《あざわら》っているような、人間などものともしないような怪物か。風光明媚な、古くから観光地として有名な箱庭のような掌《てのひら》の港町が、海の夜の流れで、姿を変えていた。奇妙なものだったが、それがさほど気持ち悪くもなかった。過去も未来も元より幻想だ、そういう意味では人間には現在という時間しか許されていないのだという呼び声。「ただ、今を想えよ」というような、凄みのある自然の囁きだったのかも知れない。それらを思い出させたのが、椎名絢の絵画を知った契機でもあった。

「見世物学会」という、極めてユニークで、真摯な探求を行っている文化研究集団の同士でもある、椎名絢の展観が始まる。[註1]

椎名絢が描き追ってきたのは、熱海あたり、あるいは東北の湯治場の鄙《ひな》びた旅館や、温泉宿の風景であり、寂《さび》れた広間や湿った布団、場末のスナック、何ともいえない旅籠《はたご》の侘《わび》しい風情の中庭など。

一貫して、謂わば、独特の体温と空気をもった場であったようだ。それが、見世物学会という、サーカスやカラクリ人形とかの、謂わば「限界芸術」的なもの、影の芸術領域に光をあて続けて来たこのグループの志向や興味から出てきたのかどうかは、本人にも聞いたことがない。だが予想するのに、そういう部分も確かにあるだろう。

だから椎名絢の絵画は、体温のトポロジー（地勢学、とでも訳すか）ともいえる。誤解を恐れずにいうと「肉体派」ともいえる椎名の絵に似た体験は遠い記憶にあったが、なかなか甦らなかった。印象とかそういう次元の話しでもない。絵は記憶の裏側から時にひょっこり現れたりする。

そうだなあ、ベックリンか、ホドラーか。このスイス世紀末の作家たちは、世紀末ドイツ語圏ユーゲント・シュティール独特のものをもっている。日本には、ほとんど紹介されない。爛《ただ》れたエロティシズムと、おそらくはそれ以上に、人間の肉体と自然を溶け合わせる体感、空気の体温のようなものをひたすら描き続けた作家たちだ。ドイツロマン派のカスパー

椎名絢《宿・階段》2019年、個人蔵［撮影：村上賀子］

椎名絢《宿・中庭》2015年、個人蔵［撮影：加藤貴文］

ル・ダヴィッド・フリードリッヒほどではないが、やはり北方の作家たちといっていい。

北関東の気配

九月の始めのある火曜の夕刻、国分寺の駅から椎名絢のアトリエを訪ねた。畏友の日本画家内田あぐりさんからメールがあって、椎名の小展示の始まりに一緒にトークをしてくれないか、という誘いだ。快諾し、本人とも会ってアトリエ訪問を約したからだ。

土砂降りに近い雨だった。まだ蒸し暑かった。ビールならもっと良かったなと思った冷たい麦茶をたて続けに飲んで、他愛のない話しをした。瀬戸内の尾道出身の私にとって、まったく想像もつかない土地柄、茨城の出という。ほとんど知らないが、一度行った、雨引のような場所を思い出した。突然隆起する大きな山が平野から伸びて、どこでも同じ、絵に描いたような決まった借景をつくる。平らな野は、私など海育ちには大した面白みがない。悪くいえば、銭湯壁画の趣だ。糧《かて》うどんの味は覚えていない。たぶん、悪口を言っただろう。もっと北の、『智恵子抄』の阿多々羅山を思い描いたが、たぶん、似たような感じだろう。だが、その丸みのある風景は身体には、残った。

すっきりした清楚なアトリエで一枚だけ、出品予定の絵をみた。「球体絵」だな、と思った。セザンヌじゃないが、世界を球と円筒と円錐でとらえよ、という呪文がきこえた訳でもなく、絵の中のある種、膨らんだ「空気の匂い」がそうさせているんじゃないか、と思った。それまで椎名の絵に感じていたのは、「湿気」や「湿度」という印象だ。それは彫刻学科の学生から頼まれて、二号館の土間で即席講評をやっていて偶然出くわした、西田俊英先生も口にされたので、やはり皆そう感じるんだなと納得した。

椎名本人は、すごくすっきりした、何か少年っぽい印象の人柄であって、この「湿度」や「肉体派」の感じとはちょっとほど遠い。人は、自分に無いものに魅かれる。

「空気の匂い」と思って、ふだんあまり聴かない、ラヴェルのピアノ曲を思い出した。それは、夜の海に煌《きら》めく、夜の光、その音であった。

椎名的陰影、あるいはラヴェル

椎名のそういった、全体としては「湿度」を感じさせる絵にある、ある種の独特のニュアンスに目がいった。簡単に言えば、可憐さなのだが、またそれは微妙な、椎名に独特の「毛羽立った」色あいと筆使いによって、さまざまに変化して、ユニークで繊細な、とらえどころのない不可思議なニュアンス、陰影を醸し出している。
ラヴェル「夜のガスパール」を聴く。あるいは「鏡」。かの名匠ドビュッシーと並んで、おそらくはアール・ヌーヴォーの音楽家ともいえるモーリス・ラヴェルの音楽、とりわけそのピアノ曲は、夜の音で出来ている。夜の音、というと、つまり夜の海の光、ということだ。[註2]
椎名が夜の風景を描く訳ではないが、その球体絵の裏側には、微細な生き物、それも夜光植物のようなものが、蠢《うごめ》き踊る。光の煌めきや照り返しが、行き来する。鈍い光、あるいは一瞬の閃光、その疾駆や揺らめきなど、動きのなかに陰影に富んだ表情が揺曳《ようえい》する。

光と闇の表情だけで出来た絵画、それが可憐さを、懐かしさを喚起する。私にとっては、あの、思い出の中の二つの夜の水、その光の中の獣の気配だった。そういう意味で、私は敢えて、水墨画の伝統のなかに椎名が連なる系譜を見つけようとせずに、逆に自然の森の幻想に霊感の源泉を受けたアール・ヌーヴォーの作家たち、そのミクロコスモスの小宇宙に、通底する光景を探す。分かり易く、かのエミール・ガレの白濁したオパール・ガラスから浮き出て揺らめく水中植物群でも良いだろう。夜光虫の幻想。

円筒の音楽

とり立ててそれを言うのも気がひけるが、椎名絢は、ムサビに来る前に生物学を学んでいる。そのことについて椎名にきいたことはない。こじつけのようにいうと、十九世紀、黎明期のデザイナーたちは多く、装飾紋様と様式の体得の基礎として、自然抽象の見本として、まず植物学を学んでいる。日本に来て、日本美術にも造詣の深かった、イギリス十九世紀の傑出したデザイナー、クリストファー・ドレッサーや、オーウェン・ジョーンズなどである。何処で読んだか忘れたが、植物や生命の基本形態は、円筒形だ、ときいたこともある。

椎名の球体絵が、何処から来るのかは知らないが、そういう、筒型の円筒がクネクネ踊るような、ミトコンドリア的動きが、彼女の絵にはみちているようにも感じる。

そう考えて私はまた、パリ左岸のカルチエ・ラタンの一角にある、クリュニー修道院美術館（現国立中世美術館）のいちばん奥の部屋にある、至宝「一角獣と貴婦人のタピスリー」を思い出していた。

よく知られているように、十五世紀フランドルで制作されたとされるこの毛織物、ゴブラン織りは、五感のタピスリーとも呼ばれ、最後の謎の一枚を含んで六枚で出来ている。主人公はむろん、伝説の一角獣とそれに五感を教える貴婦人であるのだが、そのまわりを取り囲んでいる、聞き耳を立て、目を凝らして、二人を取り囲んでいる花花、植物、幾多の小動物たちが、逆に主人公とも言える。

五感を超えた、第六感、その限りない憧れと欲望に向かって、「森羅万象」が響き合っているさまは、息をのむ。

十九世紀象徴派の領宰、詩人ボードレールが、「コレスポンダンス」＝万物照応（と私は訳したいが）と喝破したように、夜の光の陰影のなかに、見えないが蠢き、煌めく夜光の動植物たちの肉体の音や、匂い、手触りが……。そう思ってまた、私は再び椎奈絢の絵に見入る。椎名の絵には、具体的なそういう小動物は、登場しない。それが見えるものとして描かれていたら、それはマンガで終わる。

後日譚

コロナ禍になって、西荻窪のユニークなギャラリー「数寄和」で、軸装をトピックにした若手の日本画家の展観があって見に行った。初めてだったが、ゆったりとしたスッキリ空間といい、品が良い素敵なご主人といい、昔からの馴染みのように寛《くつろ》いだ。コロナじゃ無かったらビールでも出したんですが、とよく立ち寄るという、畏敬する、詩人の吉田加南子さんの話しにもなった。

その後しばらくして、小さな方形の絵（軸装では無かったが）で、林の入り口の景色が描かれていたものを、娘が誕生日にと買って贈ってくれた。

もう、あれらの温泉宿や、旅籠の布団の絵は描かなくなったのだろうか、とは椎名には聞かなかったが。だがあの「球体の湿度」は、まごうかたなく、描かれていて、毎日それを眺めようと思ったからだ。しかも、いちばん好きな庭、とういうか、それは見る者が見たら庭だが、そう見ない人にとってはまるで、普通の雑木林の一角だ。それがまた、感興を誘った。私は蒐集家では無いから、自分で美術作品を買い求めることは、ほとんど皆無と言っていいほどない。

私はその絵を見ながら、書斎（なんてものは、我が家には無く、本棚があってソファのある応接間＝時に息子の居室であり、そうでなければ私の簡易書斎になる）で、寝転がってラヴェルを聴く。いちばん好きな、左手のためのピアノ協奏曲だ。知られているように、戦争で右手を失った、ウィーンのユダヤ財閥の息子、パウル・ヴィトゲンシュタインのために作曲された。終章が特に、激しく、舞踊を超えて戦闘的で、依頼者に演奏不能？と拒否もされたという、曰くつきの逸品である。

難曲でアクロバット的、ここでは夜の光りは、ヴァルプルギス化して、跳梁跋扈《ちょうりょうばっこ》している。

椎名絢《風景》2021年、個人蔵

それで、良いのである。そうで無いなら、私は、椎名がこの小さな、球体の庭に込めた、見えない、黒い光の跋扈を見落としそうになるから。

［註］

1 椎名絢個展（武蔵野美術大学二号館 gFAL、二〇一九年十一月十一日―十二月七日）。本稿は、その個展のために書いたものを、加筆したものである。

2 ラヴェルは管弦楽曲に、有名な「ボレロ」やらバレエ音楽「ダフニスとクロエ」やら、どこでも?出てくる、かの「亡き王女のためのパヴァーヌ」とか、数限りなく名曲がある。だが私は、「ダフニス」は別にして、ほとんど日常聴かないし、親炙《しんしゃ》しない。だがピアノ曲は、好きだ。いちばんラヴェルのバスク性（彼は、フランス人というよりバスク人だ）が出ているのが、ピアノ曲じゃないだろうか。陰影というと簡単に聞こえるが、その独特の、昏《くら》い情熱をやはり感じるから。とくに愛聴版は無いが、やはり、コルトー（大した人だし、私ごときが言える相手じゃないが、実はあまり好きじゃない――今一度、カメラータ版「コルトー全集」を改めて聴いてみるのが晩年の課題だ――亡き義塾の畏友、柳橋の巨匠、鈴木智博が、ライナー・ノートを書いている）が偉大なんだろうが、ジャン・フィリップ・コラールのフランス的?なる、燻《くす》んだ上品さが流石だ。アルゲリッチの若い時の演奏は何でも好きだが（広島で、高校時代、私は彼女の演奏会に行っている、一九七三年?か、最盛期だな）（歳とってからの彼女は、精彩に欠けるし、大家ぶって取り巻きを引き連れていて、ちょっとなあ?と思うが）、やはり、私にとって別格なのは、双刃の剣のような切れ味の、ベネデッティ・ミケランジェリのピアノ協奏曲だ。依頼者ヴィトゲンシュタインの演奏自体は、あまり感心しない。

“Ravel Complete works for solo piano Jean-Philippe Collard”（Erato/Warner Classics, 1977–80）

“Maurice Ravel, Gaspard de la Nuit / Sonatine / Valses nobles et sentimentales, Martha Argerich”（Deutsche Grammophon, 1975）

“Ravel, Concerto pour piano en sol majeur / Rachmaninov, Piano Concerto No.4, Arturo Benedetti Michelangeli, Philharmonia Orchestra, Ettore Gracis”（Warner Classics, 1958）

2-04

愛の抽象性について
——関根直子の鉛筆画、あるいは「トリスタンとイゾルデ」

すべてを超える陶酔

あの苛烈な夏が終わり、地面にはもう灼《や》きつかれて淀んだ空気がただよい、焦げて香ばしい桜葉が色鮮やかに街路に散っていた夏の終わり、そしてすべてがこの世から消え去りそうだった、コロナ前、誰しもがその予兆を理解していなかったが、それでもたしかに在ったある種の、世間一般に敷衍した熱狂や錯乱の夏の続いた九月始めの日曜、私は家内をともなって、上野の東京文化会館を訪れた。二〇一六年のことであった。

不世出のバリトン、中山悌一がドイツ音楽やリートを日本に広めるために創設した二期会、その現代的な総力を結集した、ワグナーの「トリスタンとイゾルデ」を聴くためにであった。

たいへんな力演で素晴らしかった。家内共ども、ほんとうに、来て良かったと思い、久しぶりに、大好きなワグナー世界を堪能した。ホールの入り口で、二期会理事長の中山欽吾先生に、いつも出会うのだが、その感動をもお伝えした。

大分で二〇一六年の三月に見た二期会公演「さまよえるオランダ人」もまた、メリハリの効いた、プロジェクション・マッピングを大胆に使ったダイナミックな演出だったが、今回はまた、シンプルかつ抑制の効いたもの、「ドラマ世界にじっくり浸《ひた》らせよう」という意図が歌唱力の充実と相まって、見たことの無い、ヴィーラント・ワグナーの演出もかくや、と思ったりもした。

あとでパンフレットを見た家内が、イゾルデ役の池田香織が、私と同窓の慶應義塾出身だと言ったが、テノールの福井敬始め、全キャスト日本人で、東京文化会館の大ホールを大きなひとつの楽器として、鳴り響かせる圧倒的な声量と歌唱力に唸った。「日本オペラも斯《か》くして、世界レヴェルに来たか」と感無量だ。

優れた演奏とは、その作曲家の生の声を蘇らせるものだ、というのが私の信条だが、昨日も、十九世紀ロマン派の王者リヒャルト・ワグナーの亡霊が、劇場の空間に大きく立ち現れるような、幻を見た気がした。激動の近代黎明期にあって、革命や政治に翻弄されながらも、徹底的に人間存在を見据えた、そのニヒリズム寸前のような、芸術愛にこそ、現代人も陶酔する、何ものかがあるのだろう。

私は畢竟《ひっきょう》ワグネリアンではない。かのバヴァリア王ルードヴィッヒを翻弄し、陶酔させた、ある意味政治的で、複雑な人格にさほど興味は無い。中途半端なロマン主義者、という印象もある。だがその音楽は、まさしく時代の熱気をそのまま十全に吸いとって、空恐ろしいものに肥大していった。そのことは、決して否めないだろう。芸術家は、時代から遠く隔絶、孤立してこそ、その時代の底流に流れる民衆の情念を吸いあげるものだ、と言ったのは、二十世紀きっての神秘家、ルドルフ・シュタイナーだったが、それはワグナーには、あてはまらない。[註1]

愛の抽象性について

愛とは、抽象的な概念なんかではなく、極めて具体的かつ即物的、実存的なものであることは、誰でもが知っている。恋愛ならそうだが、それが人類愛や神の愛などとより大きく対象が広がってゆくと、だんだん抽象的になってゆく、とふつう人は考えるだろうが、私は「愛は一種類しかない」と信じる偏狭なる「唯愛論主義者」であって、すべての愛は質も実体も同じものと考える。愛は、たったひとつしかない、すべて一つの実体に収斂《しゅうれん》するからこそ、あらゆるものより尊いのではないだろうか。

それとは別に、その公演の最後の絶唱「愛の死」をきいていて、そこでやっと初めて、ワグナーとても、飽くまで浮遊する和音を浮遊したままにしておき、謂わば「絶頂」を限りなくお預けにする音楽的「お預け魔」の彼が、やっと最後の最後で、「円環を閉じさせる」その絶頂で、私は「ああ、やっぱり、これこそは、抽象だな」、とひとりごちた。

ワグナーには、絶頂は一回限りのものとしてしか、訪れない。だから、それは、抽象なのである。

つまりは、主要な登場人物がすべて退場して（実際には、イゾルデ＝それも、愛の対象たるトリスタンを失って、忘我の、亡霊だけは居るにはいるんだが）、「無＝何も無い、誰も居ない」状態にこの舞台全体がとうとうなって（ほぼそうである様相に近いのだが、登場人物が、皆死ぬ、という現実の意味ではなく）、最後に取り残されるのが、この「歌

＝抽象そのもの」になった「愛」だからである。
言い方は難しいが、それが愛の抽象性なのではないだろうか。

絵画とは、「絵とは何か？」という問いを描く、探求

そうしてとうぶん、イゾルデの絶唱、「愛の死」が頭のなかで響きわたっていた、まだ夏の暑さのいっこうに去らない九月半ば、私は大嫌いな渋谷の雑踏を息を詰めながらようよう抜けて、松濤のギャラリエ・アンドウに重い足を運んだ。関根直子の新作展を見るためだ。

美術大学で、口を酸っぱくして学生に言うのは、「絵描きが、絵を描く目的は、『絵とは何か？』という根源的な問いを描くのであって、それ以外の目的は無い」ということだ。難しい議論だが、如何に構成が緊密で、色彩が多彩であっても、その絵から「絵とはそもそも何ぞや？」という深い問いかけが聞こえて来なければ、それは「布や紙にただ色を塗った、絵のようなもの＝飾りもの」でしか無い。そう、私は信じている。工芸、書、詩や俳句、音楽だって、実はみな同断である。

ウィーン生まれで二十世紀きっての難解哲学者、ヴィゲンシュタインは、こう言っている。「主体（私）は世界に属さない、その限界である」（訳者は失念した）。私（ども）は一体全体、世界の縁の絶壁にぴったり貼りついて居るのか、そのほんのちょっと「内側に堕ちそうに傾いているか？」、「外側に足がかかっているか、いないのか？」、この「世界と自分の関係の問題」こそを「絵描きは、日々問いながら、描いている」のであって、それ以外ではない、ということだ。[註2]

関根直子は、その問題に、鉛筆一本と消しゴムでもって、果敢に挑んでいる作家だ。彼女の絵は、息をのむほど美しい。だがそれは、「無限に変化しながら、関根の手と私たちの目を呑み込み、包み込み、引きつけ突き放しながら、何処へともなく誘って行く」、さらには「疾走し、絡みつき、動きまわり、錯乱させる」絵画なのだ。

関根の新作を見る度に、その深度と強度を、着実に押しすすめて行く仕事ぶりに、驚嘆する。恐らくは自ら孤独に、のたうちまわり苦しみながら探り、絶望的に待ちわび、死ぬ思いでようよう「絞り出した滓《おり》」のような残骸として、初めて「絵画が、現われ出る」、この「前人未到の仕事」にこそ私は瞠目する。

関根の絵画の特徴は、その、深い礫層《れきそう》性だ。絵画空間は、多層に展開するが、その幾層のもの面はまた、視覚では容易に面としてすらとらえられない。水槽のような見えない、しかも流動する空間の中を、彼女の手が跋扈《ばっこ》する。私どもの目は、とうてい、それに追いつけない。すがりついても、いつも引き離されてゆく。愛の抽象性、のように、とここで言ってしまうと唐突に聞こえるだろうか。「これこそが、絵だ」、「これこそが、絵描きだ」と、小さな身体で、静かに寡黙に話す、知的な彼女を誇りに思う。

初めて、千葉は木更津の、潮の香りのするような、古ぼけた彼女の仕事場、小さなアパートに行ったのは、二十年いじょう前。三島由紀夫の畢生の四部作『豊饒の海』に、その絵をなぞらえた。その当時の探求は、水墨画の、洒脱で、茫洋《ぼうよう》とした、桃仙の楽園をも思わせたからだ。[註3]

新しい大分の県立美術館の、開館を率いた。開館展「モダン百花繚乱『大分世界美術館』」展(二〇一五)では、関根の鉛筆画を、アメリカの戦後をリードした抽象表現主義派の雄、バーネット・ニューマンの大作「夜の女王Ⅱ」の横に並べて「出会わせた」。日本のトップクラスの新進平面作家が競う、上野の「VOCA」展にも、過去何度も推薦され、賞も受賞した、四十歳という年齢制限ギリギリの関根を敢えて推薦した。[註4]

関根は、ラスコーの洞窟画を思わせる、さらに深化したチャレンジで「絵画の根源を、さらに問うた」。

大分の建築家塩塚隆生さんの軽やかな竹田市の新図書館内では、また、新たなチャレンジをやる。何しろ、豊後南画のリーダー、田能村竹田のお膝元である。「神話の再創造」こそが、伝統の現代化こそが、伝統を守る唯一の手段である、と私は考える。過去をただ有り難がって顕彰したり、宗麟や官兵衛の銅像を駅前に建てるだけでは、始まらない。竹田の南画の伝統、その洒脱、飄逸、茫洋、そして哀愁こそを、現代の関根直子が、再創造するのである。

光の軌跡

以下は、VOCA展図録用に、関根に捧げた詩である。

「光の軌跡」
——関根直子に、
——あるいは、世に流布した「反逆」と、それを超えた殉教

彼女は、光を追わない。荒野での長い体験は、その肉体に。

前世の傷跡をも、とどめず。何故だ？　答えろ！　静謐よ、お前、囚われの踊り子。

軽やかな、歴史の黒。バッカスは、遅れて、やって来るから。

燔祭は近い。急げディオニソス！　汝の時来らずとも。廃棄せよ。軽やかな、ゲームの規則。

いつも。今日も黒、惑星の描く、祖先霊。

荒野に隠れ住んで、クロマニヨン人の、筆致をあぶりだせ。

紋章は、西へ。


関根直子は、油絵を拒絶した訳ではない。

正確にいうと、「拒絶した訳では無かった」のである。もっと正確にいうと、「超えようとして、まさに超えつつある」のである。鉛筆画の作家が、油絵を超えるとは、いったいどういうことか？関根の初期の鉛筆画群に、私は、日本に特有で固有の、「文人南画」、墨絵という、淡彩墨彩の無限世界をみて、瞠目もし、また、「賛」は無いものの、「賛」の余韻をすら文学的にも感じて、深い感興を覚え続けてきた。

その関根は、パリ留学以降、突如として、謂わば世間一般的な言い方をすれば「化けた」のである。夢幻とも言い得る、筆触のヴァリエーション。空間におけるさまざまな異種の深みの礫層。それら、パースペクティヴを生成消滅させながら、重層する、絵画に内在する「動態的」視線は、そうして肉体的な強靭さをも身につけ、無類の、深い感興、陶酔すら誘うものに、「実体的」になった。その達成は、何度強調しても強調し過ぎる、ということは無いだろう。

その時、はたと分かったのは、関根が意識するとしないにかかわらず、関根の鉛筆画が狩人が獲物を追うように、執拗に追い、追い越そうとしたのは、まさしく、西洋絵画の達成した、クロマニオン人以来の、中世、ルネサンス以来の、「描く」伝統そのものだったのではないか、ということ。関根の鉛筆画の、無限宇宙に展開するものは、狂画人、かのマロウド・ウイリアム・ターナーが描こうとした「日本の空間」、その長い歴史を裏返したような、壮大なる返礼である、とも私にはみえる。その向こうに、天心に鼓舞される、大観や春草が、そして観山が、垣間みられるだろうし、私にとっては、かのロマン派の王、オットー・ルンゲの系譜学がここ二〇一五年の日本に蘇ったようにも、感じられて仕方ないのである。

舞踊の絵画、あるいは冬の花火

もう、ずいぶん前になるか、台風で、嵐のような雨風の吹きすさぶ八月の最後の月曜、京橋のASK?でやっている、関根直子の個展に行った。[註5] 彼女の木更津のアトリエに最初に行ったのは、あれも初夏だったろうか。今はリクルート社のエリート社員になっているゼミ生の戸澤潤一君といっしょだった。海辺の、殺伐とした漁師町の風景と、引き込み線に放り出された貨車が、港町育ちの私は、妙に印象に残った。

彼女の絵に、文学的な私は、どういう訳か古里尾道の潮の流れすら感じた。それは一種、夏に目一杯泳いだ後の、身体に残る波に漂う独特の浮遊感に近かった。それかどうか、単純な私は、多彩でそのじつポリフォニックな運動を感じさせる関根の鉛筆画を、その時には、文人南画的な、桃源郷というか、東海に浮かぶ仙境島へ向かう海の旅のように感じて、そういうようにきわめて文学的にパンフレットにも書いた。

まあ、作家は、見る者が自分の絵に何を感じようがそんなことは我知らんことだろうし、そんな単純な絵解きまがいを、今だにやる奴もいるのかと呆れられたかも知れないが、まあ、それも見る者としての私の勝手だろうし、すべて、言葉はそこに何か、言い得ぬものを隠した比喩としてしか機能しない、というのが持論である。だから、関根の鉛筆画に、ショパンの舟歌（「バルカロール」は、むろん、夕陽にとろとろと溶けながら暮れなずむ、かのヴェニスの干潟の光景だが）を聴く私は、この台風の日に、関根の絵に、今度は「冬の花火」を思ったのである。それは、魅力的で不思議な、光のような点点も見えたので、またまた短絡的に、夜の空を思ったというじつに幼稚な反応だが、むしろ、それは、冬の乾いた空に炸裂する、花火の気持ちの良い、音の谺《こだま》だった。

関根の絵画は、音なのか。まあ、寡黙で大人しい関根本人の、隠された苛烈さが感じられれば、私にはそれでじゅうぶんなのである。

だがやはり、関根の空間は、舞踏的である。その意味をこれから、私も、ショパンを聴きながら、そして他人にはいっさい関係のない、私だけのこだわり「弁当画」を描きながら、ゆっくり秋まで考えようと思った。

夜の海への誘い

夜の海を、見る。黒い水の流れが、鋼いろのおもてを揺らし、艶めかしい未生のうごめきに、吸いこまれそうになる。それは未生の胎動のようでもあり、また消滅への誘いを香らせる。

あまりに馴れ親しんだ習慣だが、世界と向きあうのは、いつも恐ろしい。

夜の海は、その境い目に息づく、たしかな風景のひとつだ。夜の海は、闇そのものでない。闇は気配だが、夜の海は、実体である。

溶けでる炉の鋳鉄のように、うごめくものが絶えまなくゆききして、かぎりない。それは果てのない、世界そのもののの、躍動。だがこの動きは、描かなければ、実現されない。

これを見えないもの、といっていいのかどうか迷う。なぜなら、こうして世界そのものに向きあうとき、見えないものは無いはずだから。動きが身体の芯に溶け入ってくるのは、表に光のうごめきがあるため。夜の海は、その光のさらに内がわに巣食う。そうした何かが、たしかに、そこにある。極寒にも生暖かく、見ることをつつむ。夏の海はまた、天体の軌跡さえおもわせる。

夜の海は、無辺の寄るべなさ、広漠とした哀感を感じさせずにおかない。いやむしろ、虚無、というほうがむしろ

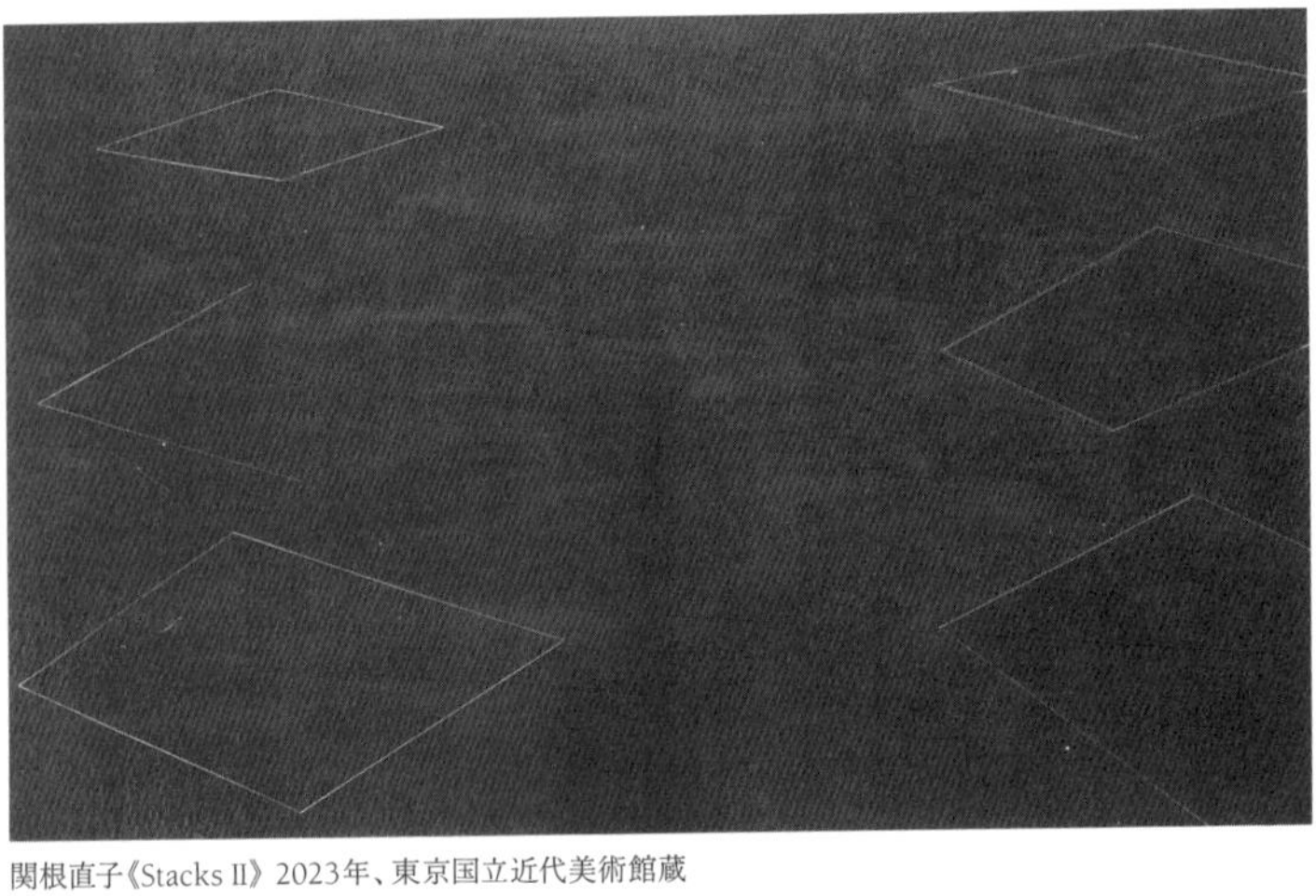

関根直子《Stacks II》2023年、東京国立近代美術館蔵

正しいだろう。夜の海が、世界の向こうがわへと、いつも誘う。海はかくして、世界と肉体の境域として作動する。

ただ、絵画へ

関根直子の、鉛筆と消しゴムによるオールオーヴァーな画面がかかえる世界観を、私はそうみた。絵画を、世界と肉体の境域とも、世界と意識との境域とも言ってても差しつかえはないだろうから。

関根直子は、丹念にすっきりと、ていねいにしかも勇敢に、その海を描きだして、世界の境域から、帰還してくる。彼女は、鉛筆と消しゴムを選んだ。線を選んだと、言えるかもしれないが、事情はそう簡単ではない。たぶん。絵画というオールオーヴァーな画面であって、線そのものではない。線のようにいっけん見えるだけの、編みこまれた海のうごめきと、内がわの波動だ。

広漠とした光のおもてを編みこむ、大きく波打つ、闇の水の織物。けれどこれもまた自明なように、絵画とは夜の海のように、けっして吸いこまれてはならないものだ。彼方の魅惑から帰還しなければ、人は生きてはいられないから。

豊饒の海

三島由紀夫は、遺作となった四部作、『豊饒の海』を、月の干乾らびた、表皮の呼称からとった。地球から見えるのは、幻のように幻惑する、光り輝く海のおもてだけ。そこに実現されるのは、乾いた、あらゆる生命を拒む、広漠だけである。ひとつの風景であることに変わりはないだろうが、いかにも地勢図や、宇宙から俯瞰したように一見は見える関根の画面も、虚無のユーモアさえたたえているのだ。

関根直子を、現代屈指の文人画家のひとり、というとんでもない勘ちがいに思われるだろうか。だが彼女の画面からは、鉄斎や、あるいは雪舟のもっていた、無辺の虚無のユーモアが息づいている。危険なことである。だから彼女は、世界を立ちあげながらも、ぎりぎりの危ういところで、生のほうへ、還ってくることができるのだろう。

後日譚

二〇一九年夏、私は竹田に一泊して、冷たい川の流れに飛び込んだりして、オレクトロニカという、人体彫刻を木彫でやって建築的構成と合わせる、ユニークな若手二人、加藤亮、児玉純平と旧交を温めた。だが、目的は、新装成った竹田市図書館に設置された、関根の新作をじっくり見て、一日を過ごすことだった。

その一日は、無限の感興を誘って、長く脳裏に残った。大きな洞窟の中に吸い込まれて、私の「目」は、飽かず、その手の運動の舞踊空間をなぞり舞っていたようだ。時間を描くというと単純に過ぎるが、関根も描いているが、私も見ることでそうやって、過去の思い出の中を描いていたのだろう。

それは、関根も行ったという、ヒューストンのロスコ・チャペル、テート・モダンの、あの有り得なかったシーグラム・ルームの残骸、そして行ったことの無い、ラスコー洞窟群を、私は行ったり来たりした。関根は決して、自らが見たもの、その体験をなぞって描いてはいない。そのはざまに、時間がまるで生きている獣のように、螺旋のように、行き来する。関根の時間。私の時間。それらは、手の過去と、目の現在、いや目の思い出と、手の欲動で、今まさに編まれて、立ち現れる。すべての、体験と交錯する。「絵画」という、体験の場。その至福を味わったものであった。

さらに、第一生命ギャラリーでの、驚異的な展観については、私はもうここに詳述しない。[註6] 出来るなら、来世で、やってみようと思っている。さらに、関根は那須のアートビオトープ那須の、Artist in Residenceに、二〇二一年夏の滞在して、ワークショップを行い、その成果展を、千鳥ヶ淵のギャラリー册で行った。[註7] その時、私は、以下のように書いた。

「De Profundis＝『深き淵より』」

黒鉛が赤い血のように舞いながら折重なって、沈みこむときもあり、またその紫いろの疾駆が地の肉体を引き剥がしたように、原初の闇を駆け回ることもある。それらが視覚を撫《な》ぜ楽しませ、くすぐり、先走りしては振り返ってこちらを誘う、いや嘲笑《あざわら》うほどの、無類の絵画である。だからいうまでもなく、優れた絵画の必須の条件であるごとく、関根の絵画もまた、「手」の絵画ではなく、「眼」の絵画である。

鉛筆でもガッシュでも、その塗って、描き重ねた宇宙軸のような銀いろの光沢もまた、光を裏切った、あの、闇の舞踊のようでもあった。その向こう、その奥底に、また、幾重もの蠢くものたちが、生き、そして絶える。情念の縁、世界のさい果てまでも、それらは、今も、息絶えず、生きようともがく。

きわめて多角的な、重層構造をもっている関根の絵に、ある種の卓越した知的構造を読みとることは容易であるだろうし、それはむしろ絵画全般に対する礼節ではあっても、自らの愚鈍を恥じるに値しないていどの常套だけでのことでも、あるいはあるのではないだろうか。私はそれらをじゅうぶんに知悉《ちしつ》しているとして、それには与《くみ》しないでおこうと思う。なぜなら関根を情念や、肉体、たとえそれが宇宙的なものであっても、そういう方面から読み解かないのならば、それは彼女の絵画的肉体の実在に対しての無礼であるように、私は感じるからである。

「深淵より」。

関根の絵画が衝撃的であればあるほど、それは私ども人間の感情を超えた、ある種の超越的構造をもつようになる。それは関根個人の人間的な思惑とは、まったく関係がない。それは、他に何も比べようの無いイエスの、地上に受肉した、人間では無いもののみが味わう苦しみのことだ。それをラテン語で、人間がそのもっとも原始的、原初的な底辺の深淵を体験した場合にいうわけだが、かのオスカー・ワイルドが獄中で書いた手記も、また、かく題されていた。

詩篇第三十一番。その深淵からの、しぼりだされた、神への叫び。全存在を消し去って、叫びそのものに、叫び、だけになった人間。たかが四十過ぎたぐらいの、だが、やはりここぞ、今、という、作家生涯の分岐点に立っている関根に、今さら「達成」などというのは烏滸《おこ》がましいかも知れない。だが、この言葉を、かれこれ二十年、彼女の仕事につき合ってきた私は、そう、今、名づけようと思う。

知的な関根は、それぞれの体験を表面においてではなく、血肉化してきた。私は彼女の絵画に、ラスコー壁画の省察をうかがい、ヒューストンのロスコ・チャペルに佇む関根を想像する悦びをも、けっして手放さない。それらの濾過はやがて、見ることの裏と表の繋がりや、その円舞として、あれらの鏡面絵画を生んだのを、私は知っている。

だから、いや、だが、もっとも優れた絵画は、もっとも非人間的なものに向かうのである。関根の絵は、息詰まるような線の舞踊のなかで、あるときはピラネージの、あの「地獄＝Carceri」のように世界終末の建築であり、典雅な天女の羽衣の呼気のように、軽やかな、しかも不安定なる円舞のなかで、あの見果てぬ、幻視の詩人ゲオルゲ(Stefan George, 1868-1933)の、中空の庭のようでもある。

かくて私は終生、関根の手に、その手の軌跡に、憧れ続けようと心に決めて思っているものである。なぜなら私個人は、畢竟、優れて愚鈍なる、古典的ロマン主義者だからである。小さな感興がないか、といえば、それはある。あり過ぎるほどある。

それもまた、無限の庭の恩寵のごとく、誰にでもに開かれてある。

関根の絵画ほど、身近に置いておいて、遠来の友を感じるものもまれだろう。

［註］

1 高橋巖『神秘学入門』（ちくまプリマーブックス、二〇〇〇）から、借りた。
2 かつての、大修館書店版全集の、大森壮蔵か、『ウィトゲンシュタインセレクション』（平凡社ライブラリー、二〇〇〇）の黒田亘か、『「青色本」を掘り崩す――ウィトゲンシュタインの誤診』（講談社学術文庫、二〇一八）の永井均か、失念した。
3 「αMプロジェクト二〇〇三 風景の奪還 vol.5 関根直子『線、海からの帰還』」（art space kimura ASK ?、二〇〇四年三月八日―二十七日）
4 「VOCA展二〇一六―現代美術の展望―新しい平面の作家たち」（上野の森美術館、二〇一六年三月十二日―三十日）
5 「九月の庭 関根直子個展」（art space kimura ASK ?、二〇〇九年八月三十一日―九月十二日）
6 「関根直子展『複合風景―Composite Scenery』」（第一生命ギャラリー、二〇二二年十一月十日―十二月一日）
7 「『深き淵より』De Profundis ――関根直子の、絵画的『深淵』に」（ギャラリー冊、二〇二二年七月五日―八月二十六日）

＊本稿は、さまざまに、過去に書いたものの、パッチワークで出来ている。

2-05

愛の自己許容を超えられるか? 新たなる表現主義

――新見藍の陶彫が、エゴン・シーレに出会う時

「主体は世界に属さない。その限界である。」(ルードヴィヒ・ヴィトゲンシュタイン)[註1]

世界は、表面に、ふたたび輪廻転生する

世界は、平滑ではない。

それは、触覚の先のその先、その奥の奥に隠されてあるものが、躍《おど》りでる、捻《ねじ》れ、飛びだし、世界の表へと、あらわれる瞬間でもある。それはまた、何かしら、ざらざらしたもの、ごつごつした手触りに包まれているだけの触覚性でも、また無いのは言うまでもない。粘土が鋭利このうえない刃の切っ先で、抉《えぐ》られ、切り裂かれ、巨大なささくれのように突きでる、そして触れば血がでるほどに、元来はガラス質もふくむ陶土の硬度は、千度の窯で焼かれながら、その姿をあらわす。

その造形は、精神と肉体の一体となった、もぎ取られるような、痛みの痛覚をその核心にすえている。それがたとえ果てしなく小さくても、世界はここに捻転《ねんてん》し、その内部と外部の逆転した、宿命の姿をあらわすのである。

つくづく思い返してみて、私は二十世紀の世界大戦時に突如あらわれた表現主義とは、その前の十九世紀ドイツに代表されるような、ロマン派の末裔なのではないだろうかと思うことがある。音楽でいうところのロマン派は、一般に言って、自己意識の無限拡大をいうのだろうが、それらは大雑把にかの「楽劇」の集大成者ワグナーや、昔から好んで聴いていたリストのピアノ曲からも想像し易い。ゲーテは、生命の成長は向日性の前にまず自らの内側へ捻れて入り込み、それが内部の硬い層に突き返されて再び外へ捩れ返る、跳ね返り現象だといっている。その捻転?の周期運動が、表現主義の基本構造だとしたら、世界や宇宙への自己拡張をねらったロマン派が、もう一度、内部へと潜行するのが表現主義だと言えなくもない。これは日を改めて考えてみたい問題ではある。

近代は「自我」という概念＝実体を発見したが、そこに近代の最大の誤謬《ごびゅう》があったと喝破したのは、これも若い頃から親炙《しんしゃ》した、パリに行って戻ってこなくなった哲学者、森有正である。私はその頃、高校の時読んだ小林秀雄の「ランボー」体験の衝撃以来、当然のようにフランス文学に進んでその学者になろうとしていた時、これを読んである種の大きな衝撃を受けた。そこには、こう書かれていたからだ。いまだに何度読んでも感銘を受けるから全文を引用したいぐらいだが、端折《はしょ》ることにする。

「近代の精神、近代の文化は自我の真相を歪めた。それは自我を解放すると言いながら、また自我を自由にすることを求めながら、返って、自我を現実から逃避させ、観念化した。この観念化された自己に誠実を尽し、それを肯定し、貫こうとして、近代の虚偽と欺瞞とが成立した。敏感な純潔な精神の皮膚をもった若い魂がそこに真に厳密でないものを洞察したのは驚くべきことである。」

「一箇の魂があって、表現の虚偽を身をもって知り、それから区別された自己の魂への誠実を貫こうと決意する。凡ゆる表現の拒否は死に他ならない。表現は生そのものの働きであるから。」

「殊にかれは人間現実の自己許容性、就中愛の自己許容に対して極度の敏感さを示す。人間の愛に対するこの不信は、前に述べた表現への不信に劣らず深い洞察とそれよりも更に徹底した反撥を示している。」

「歴史において、人間における愛の自己許容その虚偽を痛烈に感じた人はキリストであった。しかし彼は人生に背を向けて立ち去らなかった。逆に人々は彼に背を向けてこそと立ち去ったのである。」

もう駄弁を弄《ろう》してもいた仕方ないが、愛の自己許容、それを否定したのは他には誰なのだろうか。北の巨人、宮澤賢治はそうだろう。餓死した悲劇の哲学者、シモーヌ・ヴェイユもそうだろう。そして、パリの社交界の中にありながら、古里ポーランドを夢見続けたあの、ロマン派の真の王者、ショパンがそうだったろう。そこで私はまた、思い返してみる。表現主義とは、その潔癖なる世界全拒絶が、裏返ったも

のではなかっただろうかと。[註2]

宿命の手

生あるものすべては、みな「反世界」への夢を抱いている。だが、誠に残念なことにそれを実現し得るものは、ほんのわずかの芸術家だけである。その代償が如何ばかりのものであるか、むろん、それを知る者もまた、ごく少ないだろう。

芸術家とはすべてを失って、なおその見返りが微塵《みじん》なく、決定的、宿命的に、絶望的に、世界から打ち捨てられてあるものの謂いだ。彼らに、救いがやってくる瞬間は、だから未来永劫無い。

だが、だからこそ、彼らの、手は知っている。宿命の手は、知っているはずだ。何もかもを。隅隅にいたるまで。世界ぜんたいを呪詛しながら、拒絶しながら、その手によってのみ、小さな「反世界」に捻転し得た者だけが知るもの。絶対的な、孤独のうちに。その時、その小さな「反世界」が果たして、幸福なユートピアなのかどうか、その手に問うても、もうすでに、意味が無いだろう。祈り、という言葉が限りなく近い気もするが、ここではその言葉も敢えて拒否したい、というのが私の素直な気持ちである。だが、ただ手によって抉《えぐ》りだされたものだけが、ただ、私どもの前にただずむ。

拒絶が、裏返る時

世紀末ウィーンに生まれた、希有なる芸術的個性、エゴン・シーレは、その師であり、黄金の装飾画家グスタフ・クリムトとは対照的な、絵画的個性であった。クリムトのそれが、筆触、質感ともに、対象であるモデル（多くは、当時勃興した産業ブルジョワジーの夫人たちであった、そのヒステリー療法をやっていたフロイトが、後にリビドー理論で二十世紀の精神分析を打ち立てるのは、よく知られている）の、その美しい、滑らかな肌の表面こそを、至高の装飾平面として、「這《は》う目＝欲望」によってそれをなぞり、絵画を生んだのに対して、シーレの描く、社会の下層で生きる人人は、彼の手によって、その内部の肉を抉りだされ、世界の表面へと、再び捻転し、無理矢理にも、甦らせられた者たちなのである。[註3]

表現主義の先駆者としての、シーレがここにいる。

周知のように、エゴン・シーレの描くあらゆる手は、哀しい手、悲劇の手、そして、宿命の手であった。それは、彼が、生まれた瞬間からすでにして、世界のすべてのから、拒絶されてあったからである。

そして彼もすべてを拒絶して、生きた。狂気のうちに死んだ梅毒の父親も、そして、シーレをこよなく愛した母親も、その兄弟も。

その時、描くこと、見ることだけが、彼に残された。ただ彼が受け容れたのは、その彼じしんの手、掌のなかに、捻れ込み、織り込まれ、折り曲げられ、縛りあげられ、悲鳴と絶叫をあげながら、捻転し、反転して、輪廻転生して、再び甦った「世界の裏側」だけであったからである。

世界輪廻の瞬間

最晩年のシーレに、不可思議な大作がある。

ウィーンのレオポルド美術館の所蔵するこの絵画は、リヒャルト・ゲルストルの遺作、自殺の直前に描かれた青い閃光を放つ自画像と双璧をなす、シーレの最高傑作だが、地色や背景には、シーレ特有の、黒い、何層にも塗り固めたような面も、またデフォルメされた屈曲する形態も、抽象への萌芽のような、描き残しや、画面そのものによるモチーフの切断も、いっさい見られない。

多くの観客は、挑発家シーレにしては、大人しい絵と、いっけん見るのかもしれない。砂浜らしく思えるのは、その大きく、緩やかに様式化されて波打つ地模様と、オレンジいろの丸い貝殻のようなものが点在するからだが、それも一体何だかはよくは分からない、不思議な絵である。そこに、これはシーレ特有の、身体を不自然に折り曲げた男が二人、上下に、双子の老人のごとく中空に「浮かんでいる」。

「変容、Transfiguration」。

この絵を初めて見た時、その瞬間にうろ覚えでたしか「中有」といったか、仏教で死後の、大千世界にみまかる前に何十日間か漂うとされている、この世でもなく、あの世でもない、その中間世界に、彼らが浮かぶ姿、む

エゴン・シーレ《変容》1915年、レオポルド美術館蔵
［出典：『エゴン・シーレ画集』エルヴィン・ミッチ、坂崎乙郎訳、リブロポート、1983年］

ろん、シーレ自身の生身のドッペルゲンガー（陰陽二身）に思えたものだ。あるいは、シーレはここで、救われなかった自分と、救われた自分を取り替える作業を、中空で、中有で、虚ろに慌ただしく行っていたのだろうか。そうやっているうちに、死後のシーレは、やがて赤ん坊に帰って、母の温かい胎内へ回帰するのだろうか。

利休とシーレが、出会った頃

私ども学科（かつて私が属していた）へのウィーンからの訪問教授、ポールさんは、シーレに関する展覧会企画のワークショップのさなか、学生たちの選んだ、黒楽茶碗や、禅の石庭、盆栽などに、ひどく、インスピレーションを受け、吃驚したという。

「シーレ作品のもつ、ユニークな質感、デフォルメ、アシメトリカルな構図、余白、簡素さ、求心的な削ぎ落とし、などとの共通性もさることながら、何より、それら利休的な日本美術のもつ特性、計算され尽くした完成度を持っているのに、一方あたかも、そこから、またさらに別の何かが今まさに始まろうとする、清新で、生命の始まりの、温かい気配こそが、シーレ作品へ、いままでまったく存在しなかった、驚くべき、新しい視点を充てています。［註4］」

表現主義の勃興のために

あれほど秀吉の忌み嫌った黒、利休の、そして長次郎の黒楽茶碗には、簡素なだけはなく「世界への拒絶」が満ち満ちていただろう。それはかぎりなく淋しいし、哀しいし、そうした負の感情を劇に見立てて積極的にあらわす、凛《りん》とした気配が横溢《おういつ》していた。拒絶の宣言、すべての存在に対する「否《ノー》」として。ただ、それは、また私どもの掌では、じつに温かい、ものなのである。そこに、生命の始まりのぬくもりを感じないものは、おそらくはいないであろう。[註5]

そうして見てみて初めて、幾度にも、さまざまな筆跡で塗り込め、塗り固めた、シーレの「黒」の悲しい拒絶の色のなかに、彼の生命への絶叫の、温かみが感じられて来るのであった。私はワークショップのさなか、ずっと、那須のアート・ビオトープでこの二ヶ月、陶の彫刻をつくり続けている私の娘のことを、考えていた。そしてまだ見ぬ、彼女の作品のことを。ポールさんもまた、彼女の作品の良き理解者、コレクターである。だが、彼女は、彼と入れ違いに東京へ戻って来る。こういう出会いも、また人生にはある。お分かりかと思うが、シーレについて、利休や長次郎についてこうして私が書いて来たことも、すべて、彼女の作品の私流の分析としてなのである。

畏敬するシュタイナー研究・実践者、能勢伊勢雄さんによれば、彼女の造形は、シュタイナーのいう、生命が自然からのエネルギーを受けて、それを自らの内部に取り込もうとして、いったん内側に捩じれ入り込んだものが、再び外部へと捩れ出る、その「世界反転」の好例なのだ、という。

そして、私にとっては、新見藍は、瀬戸内の古い小都市、尾道に長くあった、私ども先祖の末裔であって、長く「手を動かして生きる」誇るべきプロレタリアにして職人の家系の、強い血脈を引き継いでくれている、新たなる二十一世紀の表現主義者である。

ロマン主義がけっして終わらないように、また、二十世紀を牽引した、もっとも強烈な開拓者は、表現主義の芸術家たちであった。そこには、すでに自らの依るべきモダニズムへの自己批判も内包されてあって、田園への憧憬や、ギリシャ復興、肉体回帰、神秘主義など、今日ますます注目されるべき「反俗的、反世界的」潮流が渦巻いていた。

ダンスの女王、イザドラ・ダンカンがおり、それを継いだマリー・ヴィグマンや、狂気の鬼神ドーレ・ホイヤーの命脈は、先年亡くなった、不世出の大芸術家、ピナ・バウシュまで続いていた。ヴォルプスヴェーデによった、幻想画家パウラ・モダーゾンや、生命とそれに共振する肉体の揺らぎを描いた、アジア主義者エミール・ノルデ、さらには、社会的生の実相をも造形化し得た、彫刻家バルラッハや、ケーテ・コロヴィッツがいた。旧約世界の巨きな、宇宙的虚無を求めた詩人リルケから、さらには、二十世

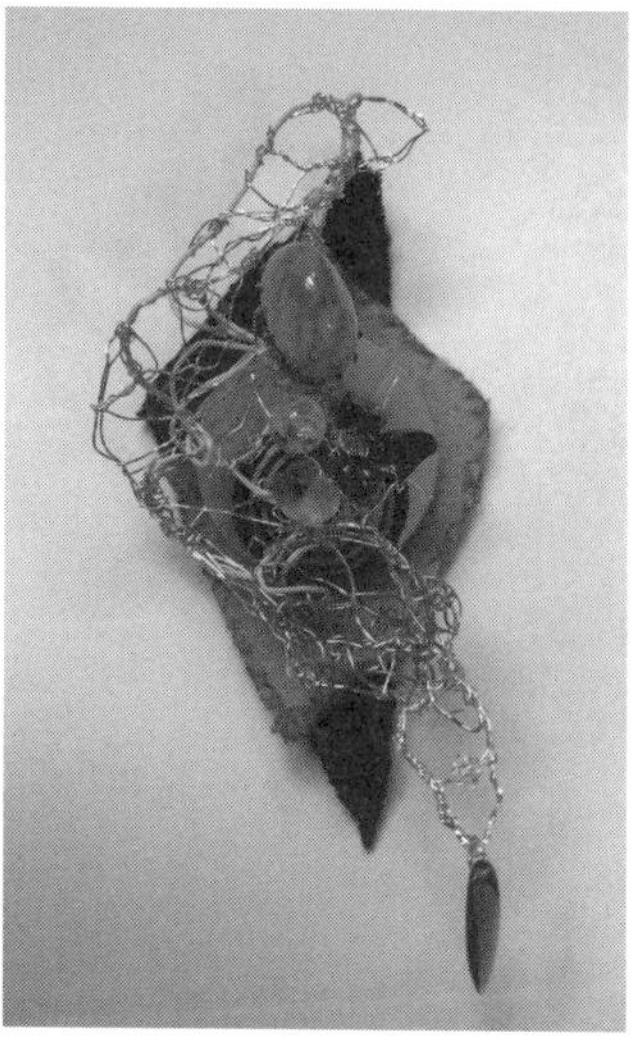

新見藍《龍舞うブローチ》2023年、個人蔵

新見藍《ひとり》2023年、作家蔵

紀ポストモダン運動のルーツともいえる、巨大な文化運動家ルドルフ・シュタイナー、彼らが東洋主義者にして、新しき自然の解釈者ヘルマン・ヘッセなどと集うた、北イタリアのマジョーレ湖畔の、サナトリウム芸術家コロニー、アスコーナなどなどを思い出していた。

那須の、アートビオトープ那須は、北山ひとみ・実優さん母娘と私どもの、見果てぬ夢、美意識の共感・共同体として始まったものであった。表現主義の原義、AUSDRUCKとは、内部にあるものを表に出すことであり、それはまた、宇宙や自然の躍動を、肉体の内奥へと、再び取り込み、捻れ込ませることであった。[註6]それらすべてが、私は、那須で私どもが始めた小さな運動体・芸術家村、「美意識の共感共同体」であるアート・ビオトープの根にあり、そして、新見藍の彫刻の新境地にあると、信じるものである。

私にとっては、またこうも、思える。生まれ育った、尾道は、川のような水道の海からいっきに坂の家並みが走りあがり、ミニチュアの珠玉の街、掌の宝石のように鳥瞰のきく、美しき古里であった。それが、あの、夏には向日葵の畠がなだらかに波打つ、涼やかな風のふくオーストリアはウィーンの郊外、シーレの古里ツルンの丘、清楚な味わいのグリューナー種葡萄を育む、秋に金色に輝く丘の夕べに、かくして出会うのである。

後日譚、ウィーンから尾道

この小論を私は、古里尾道の、実家というか、齢九十八の寅歳お袋の家の二階の天空の寓居で書いている。ずっと眺めているのは、向こうの山の上に立つ一本の柿の木であり、そのずっと向こうの西の山端と際の青い空だ。そうして、人間は「見ること」が生涯の仕事だな、と当たり前のことを一人ごちる。駄洒落にならないようにしたいが、私に宿命的に与られた名前が、草木田畠や山河などの自然の事物に由来するアニミズム的日本の苗字では無く、その見ることの宿命を背負っているからでもない。白川漢字学によれば、見るは視る、古代中国での、神に捧げものを高く掲げて持ち出す、跪《ひざまづ》いた人間の姿体であるという。

季節外れの乱気流と雷、霙《みぞれ》の降ったある遅い午後、すっかり晴れて西の山端から明るい夕陽の差し始めた頃、私は山の上の寓居からゆっくり歩いて、海岸まで降りた。そうして急な流れに揺れる桟橋に佇んで、古里の町をたっぷり見ながら堪能した。掌の中の、実に風光明媚なる、海山に囲まれて、家家のひしめき合う、それはそれは、美しい箱庭のような町だ。雨に濡れた舗道がキラキラと光っている。向かいには狭い川のような水道の向こうに、手に取るように、古い鉄錆びた小さな造船所の、つみかなさった鉄屑やら工具が仔細に見える。こういうもの、渡船の舫《はしけ》のアンカーや、船首に積まれたロープの類、船橋のアンテナなど海運重機ものを幼い頃からずっと眺めて育ったし、意味も無く面白がって見飽きなかった。おそらく、私の絵心の源泉はここから来ている、と感じることしきりだ。町の上には、ロープウェイが急峻《きゅうしゅん》に登って、千光寺という山、中腹には密教寺院があって、巨岩の上に古くから松明が灯り、遣隋使の船を導いていたという。だがそんな観光メッカ的風情だけでない、町のそこここには実に無累《むるい》なる感興に満ちているものが幾らでも、また何時でもある。それは、探す者の探す能力にかかっている。そうして私はそれらを見て育った。というより、見ること、それ自体に錬磨され製錬されて育てられたのであった。

「これは人間が作ったものだが、本当は、人間が作ったものではないな」とまた、私は一人ごちたものであった。

しまいに、我が家の伝統は、手と身体を動かす職人であることと、文武両道、文人であり画人でもある古《いにしえ》の文人の伝統に連なるものであることを申し添えて、彼女の最新の詩を一つ掲げたいと思う。

「夜の鳥、朝の鳥」

目覚めの時、大切なものたちが押し迫ってくる。
ひるがえる、波模様の、光の、翼たち。
姿見えぬ、心の隣人の優しさよ。
真理の裏側の、夜の風を、ふさいでおくれ。

つぶやく、幸せを、またたく鳥たちよ。
檻の中から、放たれて、飛びゆかん。
森が、静かにひそむころ、
とめどない気持ちをつかんで、朝の翼をみにゆこう。

夜の鳥を、友として連れゆかん。

たわいのない、妖かし心と、したとして。

二〇二三年二月。

［註］

1　誰の訳か、失念した。大森荘蔵か、黒崎宏か、永井均あたりだろう。

2　ゲーテの生命成長学は、文中の能勢伊勢雄さんの受け売り。自殺宣言をして、逗子の海に身を投げた一校生、『二十歳のエチュード』の、原口統三の追悼集に森が書いたもの。原口は森の講座を受けた教え子でもあった。森有正「立ち去る者」『死人覚え書　追悼の原口統三』（一九七六、青土社）

3　クリムトを「這う眼」と評したのは、文芸評論家三浦雅士さん、その他クリムト、フロイト、シーレの史実や形容や表現は、池内紀先生やネーベハイ氏、ビザンツ＝ブラッケンさんや、ポールさんの論から、学んで借りた。

4　二〇一二年十一月五日に行われた、公開講座「西洋美術における『手』の役割と表現――洞窟壁画からエゴン・シーレの表現主義まで」を受けて、六日から九日まで、エゴン・シーレ作品を使って展覧会の企画を行う、というワークショップが行われた。

ポール・アゼンバウムさんのワークショップでは、学生は、二つのグループに分かれて展覧会の企画を行い、最終プレゼンテーションまでは、すべて英語によって作業した。一つは、シーレとモダン・アートの結合で、「シーレの手への愛情、その五態――家族、恋人、自己愛、ナルシシズム＝フェティシズム、異界」。一つは、シーレと日本美術の結合で、「シーレを日本の美学で分析する――隠蔽《いんぺい》と欲望、挑発の構図、簡素と豊穣《ほうじょう》の美学」であって、逐次ポールさんのコメントやアドヴァイスを受けながら、すべて学生によって、作品選定、章づくりが行われた。小論のシーレと日本美術、利休などとの関連性の論旨や表現も、それら学生の作業とポール兄の指摘にすべて学んで、そこから借りた。

5 黒楽茶碗の「宇宙的温かさ」については、当代楽吉右衛門さんが、「静かなる革命 茶室・待庵」（ＮＨＫ Ｅテレ）で指摘しておられたものから、学んで借りた。

6 アスコーナの重要性に、一九八〇年代に焦点を充てたのは、亡き大キュレーター、ハロルド・ゼーマンさんであった。その展覧会「アスコーナ」展図録の彼の論から、学んで借りた。あるいはマーティン・グリーン『真理の山――アスコーナ対抗文化年代記』（進藤英樹訳、平凡社、一九九八）から借りたものもある。AUSDRUCKについては、シュタイナー派の写真家能勢伊勢雄さんや、畏友の精神科医、松本順正から聞いたことの受け売り。

2-06

「宇宙エーテル体」——松本陽子の黙示録的空間

「ショパンにとっては、音は物質と想像力の間の不安定な空間になげ出された意識の影である。ロマン派芸術はそこに個性の恣意が復権される幸福な瞬間を見たが、ショパンはその音が置かれた不安定な状態をそのままうけ入れて出発した。そうしなければならなかったリアリストとしての運命に彼の天才の本当の姿があったといえばよいのだろうか。」（遠山一行『ショパン』）[註1]

絵画の孤独

画家であるということは、そのままで「絵画」の孤独、そのものを引き受けることではないだろうか。それは絵画の歴史を引き受けるということと、絵画という物質でありながら物質を超えたものを志向するその宿命を引き受ける二重の意味になるだろう。その意味で、松本陽子の絵画は、その孤独を真っ向から引き受けている稀有な例だ。

それが私が八〇年代から見てきた、松本のピンク色の絵画に感じ続けていたこと。

絵画の孤独とは、絵画という作家としての困難と、愉楽を、それらすべての絵画の与えてくれる現象を混じり気なく、素直、直裁に受けとることではなかっただろうか。その感興と感動が、私ども以前に在ったこと、その未生で未見の思い出のようなものの、気配に包まれてあることであった。

＊　＊　＊

遠い、赤道直下のむせ返る大気に霞《かす》む、無数の群島アーキペラゴ。

ねっとりした、ぶあつい空気の厚みは、手にとって触れるごとく、今しがた生まれたばかり。そして未来永劫の生命として、虚空に浮かぶもの。地球儀を打ち鳴らす、巨人族に化身した私たち。群島のそこここに生きる、無数の人間にも、あるいは転生しうる。

この絵画の、なかでだけは。すべては、光と色と、波動だけなのに。

アルプス山麓に、光の神殿を建てた伝説の人々の姿が、山嶺《さんれい》の、虹いろにかすむ、黄金の夕陽に溶けだす時。見おろせば、私たちの身体もまた、天空の波動の粒子のひとつ。

稀有な光景の、唯一の媒介になるのは、宇宙エーテル体。

人智学の開祖、ルドルフ・シュタイナー。すべての物質的なものと、霊的なもの、見えるものと、見えざるものを繋ぐ、それをたったひとつの媒介と考えた。[註2]

媒介は、ア・プリオリに存在しない。それもまた、生まれつつ消えて、時空間を横断する、生物だから。

あるいは、時間の形象化、とも。

天の野原に、見えない色をした花々が咲き乱れ、理解できない言葉を呟きあう。絵画の、輪廻転生を信じるために、歌いだす言葉の花々。不可能への、痛々しい凝視。

＊　＊　＊

松本陽子の絵画は孤独だ。

あらゆる表現は、外部に出て記号化され、固定される。内部にあった、不定形で捕らえどころのない、言語化できぬものの停止。それはあるいは死さえ意味する。不幸ではない。人間の死が、生の側から知り得ぬように。芸術の宇宙的な生は、むしろそこから始まるのかも知れない。

無数に編み込まれる、波動。その軌跡の残像。しぶきと、擦《す》れ、拭《ぬぐ》いとられた影。そして、影の虚な曳航《えいこう》。空間は遠くにある。たぶん。

だが、時空を超えて響いてくる音のように、空間を横切る。

松本陽子の絵画は、止まること、堰き止められること、人間が生のなかで身勝手に行っている意識の固定化を徹底して拒絶する。[註3]

それが絵画の孤独の、源泉だ。

絵画の宿命

八〇年代半ば、松本陽子の、渦巻く、気の坩堝《るつぼ》のような薄紅いろの絵画をしばしば見た。以降その空間が、脳裏から離れることがなかった。ピンク色の吐息のなかにさまざまに見えない色が見え隠れして、迸《さえぎ》る、官能の霊気さえ従えていた。それは、天の園のようにも見え、また、微細に振動する、宇宙の発生体のようにも見えた。

やがて、地と天を結ぶ呼気の絵画は、凄みをさえ湛えた、黒い冷気の季節を迎えた。苦渋のなかの甘美というべきか、苦悩のただなかにある時の唯一の救い、あの生の奇妙な充実を思った。こうした文学的な付き合い方は、松本の純正な絵画道からは、きわめて不埒《ふらち》であったのかも知れない。世俗と離れて、淡々と、苛烈に描き続けた松本の新作を見て、そこに花開いた天の園が、じつに驚異的なほど、自然なるもの、それそのものであることに三度驚嘆した。未見の大伽盛が、立ち現れた目眩《めまい》を味わった。

それはむろん、描写ではない、描かれ、あるいは絵画ぜんたいで、まさに描かれようとされているものは、見える自然ではなく、万物を生み育てるエネルギー源としての、宇宙エーテル体であったのだ。

十九世紀半ば、パリのサロンにあって、籠児としてもてはやされながら、あれだけ、孤独で固い、孤絶した音楽を書いたショパン。ショパンには、メロディーにも、あらゆる音楽的快楽にも飼い慣らされることのない、「音」という、非物質的他者が必要だったのだ。

それが、ショパンにとっての、他者だ。すべては、比喩としてしか語れない。

天を駆けめぐる黄金の馬車、悪魔の稲妻のような、あの「バラード一番」の、宇宙的な空間。そしてショパンの音楽の、王者の孤独が、松本陽子のエーテル体には相応しいと、私には思えて仕方がない。

黙示録、疾駆する光

移転して新装なった、ヒノギャラリーで開かれている、松本陽子さんの新作を見て、一種言いようのない感興を受けとったので、少し駄文を書き連ねてみることにする。自信はまるで無い。

松本さんの今回のドローイングは、一言でいって、「軽やかさ」がよりいっそう増しているように感じたが、その軽やかさはまた、「しなる鞭《むち》」のような俊敏さでもあり、「舞い、這う、天の蛇＝テンヌパウ」のようなものでもあって、内面的運動感のもっている、いわく言い難い魅力を全的に秘めているのは、言うまでもない。

いぜんとして、私のように文学的なロマン派的注釈者には、松本さんが時に参照する「旧約聖書」の世界、その巨きな神から見た、世界の鳥瞰図と突き返されたその俯瞰図をまた私どもが神とともに見るという、驚異の光景そのものが垣間見られるような気がするが、それもまた、私個人の問題であって、松本さんの知ったことではなかろう。

ただそうした、肉体から出て、もういちど肉体に還帰するような、世界生成と消滅の相互還流の運動感こそが、今回の「軽やかな」ドローイング群から受けた感興の根にあるものだった、と言って私の正直な気持ちからはそう遠くない。

ということは、それは単に軽やかなのではない、もう別の、蜃気楼のような晴朗感、ということにもなるが、まあそれはそれで、おいておくことにしよう。

　しかしそれはまた、むしろ黙示録的世界そのものであって、鏡の裏表のように不可分で不可能な接合、光と闇が一体となった、私どもには、また眩暈の風景なのではなかろうか。その正体が、あの「天の蛇、テンヌパウ」なのではないか。

肉体の景色

　たしかに松本さんが言うように、ある意味「ふっきれた」清清しさが、最近とみに増しているのは事実であり、そう思って振り返れば、八〇年代のピンク色の、あの空気の胎動を描いた一群のアクリル画でさえ、ある種まだ、作家の心のなかの苦渋というか、苦悶が混然一体となって漂っていた、と見えなくもない。

　その昔松本さんから、アクリルが早く乾くのは、春から秋まで、だから自分は季節労働者みたいで、そして雨の日は仕事にならない、と聞いたことがある。松本さんの仕事は、この「待つこと」の時間の実る

松本陽子《黒い岩 V》1991年
［撮影：御澤徹　©Yoko Matsumoto, Courtesy of Hino Gallery］

恩寵《おんちょう》にも支えられているようである。

そして、即興的というと軽く聞こえるかもしれないが、それまでの生涯の全瞬間の凝縮である、「いま、ここ」が、松本さんの作品という、肉体の呼気からはいつも木霊《こだま》している。だから松本さんの仕事は、松本さんが人知れず感知して拾いあげた、それぞれの生命律動の芽を育てる器のようなものだ。

このところ、というか、この十年ほど個人的には、「芸術家にとっての自然」ということばかりを考え続け、それを小著にしたし、その後も、「庭」だとかノグチさんに触れて書くなどして、今もなお、この問題系のまわりを堂堂巡りしている。それは、単純にいって、作家にとっての自然観＝自然界の、とりわけ植物観、とここで乱暴に言ってもいい。四季折折、私どもの身の回りに輪廻転生しつつ世界そのものを構成する自然＝植物界を、作家がその創造のなかでどう感じ伴走させているかへの興味である。

松本さんの今回のドローイングが、先に言った、「旧約的な」神が見る＝人に見られる、俯瞰図の両義的畏怖を思わせたのと同時に、宇宙の胎動をミニアチュールに縮めた世界模型たる植物成長の何か、その種子とか根とか、生命現象の先端で起こるような生命的躍動をもさらに思わせたのも、正直なところである。

それはつまり、「自然」という概念、観念が生まれる、そのままの、ある新しい架空の植物の顕現、を思わせた。

キリスト教用語である、エピファニー「顕現」が、いかにもこの場合には相応しい。言葉の遊びでなく、また比喩的でもなくいうと、そこに、一本の見知らぬ樹というか、草＝ドローイング、が生えているのを目の前にして、ただただ驚愕したのである。そのとき、「自然の発生」という言葉が思わず、胸にわいた。

その時自然とは、けだし、私どもの肉体における、前世の風景の謂ではなかっただろうか。話は、ここまでである。ただ、私はもっと精密に、緻密に、松本さんのドローイングのこと、そしてその私の感興のことをこれからも、楽しみに考え続けたいと思う。

昔の美術館仲間、同僚であった鈴木尊志さんの、得も言われぬ奇想の文章にも大いに、触発された。そして、根っからの展示屋として言えば、すっきりした気持ちの良いスペースに対する、陳列も見事だった。[註4]

山本孝御大は、ちょっと飲み過ぎで静養中と聞くが、今回の松本展を企画した、武蔵美芸文の二期生卒業生である、愛娘美鈴さんは、じつに立派なギャラリストとして成長しつつあるとお見受けした。新装成って、中上清さんの、息をのむような力作群のあと、この松本展が続き、こうレヴェルが超級の第一級で落ちないと、次の人がやり難いんじゃなかろうかとか、下らぬ余計な老婆心がわく。

そして、今度は墨をやりたい、というますます盛んな松本さんの制作意欲に、さらなる期待をしている。言っても詮《せん》無いことながら、自らの怠惰を恥じるばかりである。最後に、昔書いて誰にも見せずにおいた、自作の詩を恥ずかし気もなく。松本さんの今回のドローイングを見たとき、身勝手にだが「ああ、あの詩の光景だな」とひとりごちたので。（「天の蛇」やキリシタン方言についての知識や語彙は、すべて谷川健一さんの『海神の贈物』から、学んで借りたものだ。南島先島群の人人は、「テンヌパウ」を見て、吉兆凶兆をむしろ超えた、神の怒り、叫びをこそ感じて畏怖したという。そう私は勝手に解釈した。それはむろん、虹のことである。）

「天の蛇―テンヌパウ」

テンヌパウは、太古より、なまめかしい、水を呑む、音の精だった。

冬の雑木林からこぼれる光を見つめていた猫が、柔らかな木洩れ陽をあびて、不思議そうに振りむいた。
顔はいかにも蒼ざめて獰猛にみえたが、首を傾けて、
鳥か小さな生き物を探す猫の背の、なだらかな斑《まだら》模様が、
かつてその昔、夏のはじめに訪れた、南島の大きな岬にみえた。
秋が来て、暑く猛った夏がすぐ終わったせいか、
黄や紅の葉はいかにも鮮やかで、その年は思わず息をのんだ。
けれど思わぬ心労の日々が続いて、無為に家にひきこもり、
幾日も幾日も、酒に溺れては恐ろしさのあまり、ただただ目を閉じて眠る日がつづいた。
久しぶりに、天の蛇―テンヌパウ、の話を読んで机上に向かったある日、
猫の背が、南島の岬に変わった。
斜面にそうて、ゆったりとした、巨象のごとき亀甲墓がみえる。
洞《ほこら》のそれぞれには、いまだ見たことのない炎《ほむら》が、生き物のごとくうずくまっていた。
空に向かって、幾すじもの、異なる光や色の帯が、のたうつように昇っていった。

その夜は、満天に星はひとつ無く、ただ明けがたにほんの数秒だが、
幾万という光る狐が、地に降ったらしい。
その時、あの壮麗な音が同じうして降ったかは、不幸にして私は知らない。
しかしどうやら、あのひとつひとつの光の狐は、
ほんとうは、天の蛇―テンヌパウ、の吐く、水の音の洪水であったのが知れる。
ただ私は、その音をもはや聞くこともない。
もう幾百年も、私は罪の咎で、耳を失っていた。
祖先が生死を賭して守った隠れキリシタンの信仰を、
私は不幸にしてまっとうすること、あたわなかった。
はや今年も、聖御救世主の誕生の日も近い。
巷では、樹々に天の鈴と地の音の水を仰々しく飾って、それを祝っている。
師走十二月、われらの、「御身のナタル日」の近い、ある夕べに。

後日譚――迫って来る「空間」とドラマを生む描線

こうやって、松本陽子さんについて昔の書いたものを再編集しながら、「余りに文学的な」絵画論に気がひけたわけでもないが(私は近年とみに、自分のやっていることは文学であって、それで構わないと開き直るようになった、目標は小林秀雄だ)、最近の思っていることどもをランダムに最後に思いつくまま書き連ねようと思う。

一つはコロナ禍での髙島屋での展観、それに埼玉近美でのグループ展で、東京都現代美術館に収蔵されている「宇宙エーテル体」（私が命名した）に再会した体験、そしてヒノギャラリーでの近作展を見ての感想だ。それぞれに、深い感興があった。

まずその昔、国立新美術館での大規模な二人展のあった時、特別講演会があって、松本さんの話しを聴いた。アメリカ体験でアクリルに出会ったこと（むろん、抽象表現主義の巨匠たちの大画面に）が大きな契機であったのは知っていた。それは二〇〇三年にやった、αMでの個展の際に、当時西八王子にあったアトリエに行った時にも聞いたことだ。

だから制作はアクリルの乾きの問題で、一発勝負、春から秋の季節の良い、天気の良い日に限られること、「とにかく、体力勝負なのよ、田植えみたいね」と、あの爽やかな、少女のような笑顔でおっしゃっていたことや、まあその実、身体やら物質としてのキャンバスやら絵の具に、本当に苦闘して（楽しんで）おられる日々なんだな、と頭が下がる思いがしたことだった。

私はかなりズボラな物書きで、普通の美術批評家とは違って、工芸でも絵画でも何でも、その作家がどうやってこの物質を生み出すのかのプロセスには、さほど興味をもたないたちだ。それを知ってもどうなるものでなく、目の前にあるこの物体（を超えるブツ）を見れば足りる、と考えるタイプの根っからの学芸員である。だが時に、私は松本さんがアトリエでどうしておられるか、あるいは本人も書かれているように（今回の埼玉近美のインタヴューは大変、読んでいて面白い、興味深いものだ）、アトリエからの行き来に夕陽やら夏の雲を感興深く見あげておられるのかを、楽しく想像することがある。[註5]

それは実は、松本さんの絵を見る時（その場では、さほど無いけれど）や、後でその余韻を楽しむのに、その絵が不思議で多層なドラマを孕《はら》んでいることを思いやる時の感興に近いものだ。その昔は、私も好きな旧約聖書の、特に『列王記』に出てくる、ダヴィデが祭祀エリに仕えていた少年時代、夜の寝床で三度、神に呼ばれるシーンなどを思い出した。松本さんの絵画ほど、私にはその余韻が深いものを他には知らないからだ。知られるように、抽象であるから（私は樹が描かれていても、顔でもすべての絵画は抽象と思うが）、具体的に指示する対象を伝達するような道具では、決してない。決してないのだが、絵画の問題はただそれだけでは終わらない。物語りは、「在る」ものだ。それは、私どもの中に、それぞれ自らの想念の中にだけ、発生するものだ。その発生の仕方を、絵画というのではないか、と最近私は思うようになった。

これは日本橋髙島屋での、傑作「熱帯」（二〇二一）を見た時にも感じて、そこに生まれた多層的な空間の深みが、何ら齟齬なく、私の聖書シーンに重なったのも、一つの僥倖であったことだ。

絵画は空間であるのは、当たり前だが、「それが生き物のように、動いて、迫って来る」と言っておられるのも、僥倖に感じたものであった。たしかに、私も埼玉でそれを感じた。それは上手くは言えないが、未見の劇場空間のドラマのようであったのだ。ちょっと一瞬、「なんだ、これは一体!?」という具合に、埼玉近美での「宇宙エーテル体」に再会した時の驚きと同じものであったことにも、二重に驚いたものであった。

ヒノギャラリーでは、絵画に現れては（消える?）描線に、新たな感動を覚えた。ドローイングが絵画と等価な「ブツ」であるのは、ご本人が言っていることだが、それまでさほど大胆には線の描線が絵画には現れてはいなかったと記憶する。だがこれも私には、それまでのドローイングの線とは違う、絵画の中に出現した「物語る」線だというのが、私見だ。むろん、それは旧約聖書的な風景や個人的な具体的イメージとはちがうのは言うまでもない。

敢えていうならば、私どものあずかり知らない、来世のイメージであろうか。それをしも、松本さんはインタヴューでは、ローラーで甦ったという白の「生命体」（二〇一二）を、「怖いような、死後のイメージ」と呼んで、それもまた絵画の与える、未見の幸せ、愉楽として楽しんでおられるのも愉快千万であったことだ。

最後に、他の作家の作品をじつに的確に見ておられるのも、当たり前のことだがいつも感心するもの。畏敬する亡き横尾龍彦先生は、図録をお送りしただけだが、「ああいう絵は、描けそうでなかなか描けるもんじゃありません」と言われたり、さかぎしよ

松本陽子《生命体について》2010年、ヒノギャラリー蔵
［撮影：山本糾 ©Yoko Matsumoto, Courtesy of Hino Gallery］

しおう作品に至っては本人を直接はご存知ないそうだが、「あのエンピツの作品は凄いよね」とストンとある時おっしゃった。旧学芸員の友人某には、「余白だけれどねえ、M君は、描けるのにあえて描き残すんだ、彼は描けないから残るのね」と辛辣。

［註］

1 遠山一行『カラー版作曲家の生涯 ショパン』（新潮文庫、一九八八）、『遠山一行著作集 第一巻』（新潮社、一九八五）

2 「宇宙エーテル体」とは、高橋巖先生が、シュタイナー神秘学を解釈する時に使われた言葉。シュタイナーの知見も、ここに列挙しないがすべて先生の諸著作からの借りもの。

3 語彙や口調に、畏敬する水原紫苑と吉田一穂の影響と、借用がある。

4 二〇一二年、ヒノギャラリーでの個展か。

5 「桃源郷通行許可証」（埼玉県立近代美術館、二〇二二年十月二十二日―二〇二三年一月二十九日の、図録『「桃源郷通行許可証」Book 1』（編集＝鳴原悠、篠原優、吉岡知子）の出品作家インタビュー。

＊本稿は、「宇宙エーテル体――松本陽子の孤独に」（αMプロジェクト二〇〇三 風景の奪還 vol. 3 松本陽子展「宇宙エーテル体」、二〇〇三年十月六日―二十五日）に、ヒノギャラリーの個展展観（二〇〇七）ホームページに書いたもの他を集めて加筆修正したものである。

2-07

天から降るものの表情について

——樋口健彦の彫刻に

見えない波動への信仰

九〇年代から精力的に活動の場を広げてきている、今や中堅作家といって過言ではない、樋口健彦の作品を概観するのは、さほど難しくないように感じられる。まず私などの印象に浮かぶのは、その終始一貫した、寡黙だが真摯なものづくりの姿勢であり、作品も、華美な思わせぶりがない反面、むしろより精彩を放つその表情の豊饒《ほうじょう》に、私をふくめて多くの人が、好感を寄せてきただろうからである。

だがいったん、彼の内面世界、その言葉にならない表明であるところの作品に一歩踏み込めば、果たしてそれを私たちの言葉でどう、容易にすくいとることができるだろう。かなりな困難を感じてしまうのは、それもまた、彼の持っている、飾らなく悩み「もの」に向き合っては立ちどまり、静かに耳傾け、なにより、「もの」が語る幸福な瞬間を忍耐強く待つ姿勢に、私どもが心から共感するからにほかならない。

はっきりわかるのは、彼の興味が、「もの」の孕《はら》んで産みだす、その空間の波動に向かっていることだろう。

そして私どもは、揺らぎ、訥訥《とつとつ》となにごとかを囁《つぶや》きながら、奇妙で不可思議な表情を刻刻見せる、彼の彫刻の表面に、自らを重ね託して、さまざまに夢見る。

彼が一貫して、造形した陶のやきものに、墨をバーナーで焦がし付けて黒い表情をもたせた陶彫をつくり続けていることは有名だが、九〇年代の初期のそれは、むしろ歪み膨らんだ、人間の肋骨のような隙間の、空間への転移や変容を、特徴的に読みとることができるかも知れない。

それがやがて、空洞や隙間じたい、そうした「もの」と「もの」をつなぐ触媒のような空間の反復とか、連続とかとなってあらわれ、一種の、樋口流としか言いようのない、独特の構造体を形づくってきたことは、これもまたまちがいないだろう。

乱暴にいえば、生命形態のようなバイオモルフィックなものから始まった彼の興味は、やがて、空間そのものが純粋に変貌するその表情のほうへ向かったと言えるだろう。彼はそのとき、見えない波動をたし

樋口健彦《Real Number》2006年

かに信じる気持ちになったはずである。

宇宙的なユーモア

樋口には、ホテルや商業空間でのパブリックやプライヴェートな空間への、建築サイドからの依頼も多いようだ。焼いた四角い大きな墨板を、ピッタリで無く、独特な隙間を挟んで何枚も何枚も重ね、大きな彫刻を建築空間の一部として設置するような仕事だ。樋口の彫刻をだから、建築や環境を彩るランドスケープ的なものに引き寄せて理解することも、また可能であるだろうが、私はもっと、彼の彫刻の根元にあるものへ耳傾けていたい気がする。

ひとつはさきほども言った、やはり、天から降ってくるような法悦とか、恍惚としたエピファニーの、幸福な顕現を待っている、謙虚な器としての彫刻の表情である。

樋口自身がそう信じているかどうかは別にして、あらゆる優れた彫刻の必然的にもっている宿命と性格がここにも垣間見られるわけで、彼の空洞を支え、反復させ、転位変貌させる手つきには、極めて人間的な戸惑いや焦燥や、そして不安が、そこに残照としてあらわれている。それはむろん、私もそうした人間だからであるが、たぶん、それはそうであって、またそれだけでは決してないと思われる。

あまりにも人間的な、と言えばそれまでだが、私もふくめて人間みな、そうした裸形の生な感情というか表情を、見るものに向けて、たぶん仮託するのだろう。だから私は、一見してはミニマルでストイックにもみえる彼の「構造的」彫刻に、構造的意志よりもまず、人間的な対話への渇望や、人間主義的な受容の姿勢、人間誰しもがもつような、驕《おご》りを戒《いまし》めるほどの、謙虚でひたむきな脆弱《ぜいじゃく》さすらみている。

そして樋口の彫刻は、終わりのない対話、その禅的とも言えるユーモアの宇宙性で、飽くことなく私を魅了する。

無いようで、あるもの

だから私はまた、彼の彫刻から、無上の笑い、宇宙からの哄笑をきくものでもあるようだ。それは、私にとっての日日の振幅そのものでもあって、冬の暁に響く、ニーチェの虚無的な、ツァラトゥストラの哄笑から、モーツァルトの音楽の、刻刻変化してはあっという間に消え去る、天の鐘の音のような天使の微笑までをふくんでいる。

それはまた、無いようである、あるようで無いものを感じとろうとする、私どもの願いを吸い込んでは成長する、豊饒な、虚無の器のような存在である。そうした、かつてのシュルレアリストたちがいみじくも、「夢の漂流物」といったようなものの現存を、私もまた、そこにみているのだろう。[註1]

また彼の彫刻のなかでは、黒いということもまた、空間そのものが持っている有機的な生命に精彩をあたえる、ずいぶん大事な性格だが、焼きつける彼の手つきもまた、一途な願いをふくんでいるようだ。どうでもいいことだが、黒はほんとうは、私は好きな色ではない。だから、樋口の彫刻には、私はもっと紫じみた、陽が傾いて闇に溶けこむ寸前の、空の色の変化をいつも見ている。

ギリシャ以来、西洋彫刻の伝統は、ひとえに人体にあるようであって、世紀末ドイツの詩人で私が大好きなリルケも、「風景について」という卓抜なエッセイのなかで、古代ギリシャ人が、人間の肉体を、初めて風景として発見した、と書いている。[註2] そう考えると樋口健彦の彫刻も、人間の肉体という、彫刻の長い伝統が夢見てきたものの、そのまた影、のようにみえなくもない。またそう思わせるところが、彼の彫刻のユーモアの質の、底知れぬ凄《すご》み、不気味さでもあるだろう。

後日譚

その後、千鳥ヶ淵のギャラリー册において、私は「ゲーテの手、黒と黒」と「ゲーテの手、白と白」という二つの展観を企画した。現代工芸と美術の枠組みを越えたダイナミズム、その「越境と侵犯」について考えたかったのだ。ガラス工芸を中心にそれを模索してきた、稀有なコレクターであり、推進者だった北山ひとみに共感したからでもあった。二〇一九年のことであった。[註3]

樋口にまず打診して、徳丸鏡子との二人展を提案したが、同じ多摩美の同胞であり、巨匠中村錦平門下であるので、気乗りしないようで、鉄粒を溶かして溶接する特異な仕事でますます頭角を表す留守玲を彼は対局の相手に指名してきた。同じ多摩美出身ながら、この時に私は樋口の卓見に舌を巻いて、その果敢な挑戦精神に感心したものであった。徳丸だと与《くみ》し易い、という意味ではけっして無い。そうではないが、この時、樋口の中に、自分が変わりたい、という内的要請があったのは確かだろう。それでこそ作家である。

この時に樋口が出してきたのは、震災以来、新しい造形を模索してきたという彼が問うた、大きな半球体、しかも薄く焼いて、内部を大きな洞《ほこら》のように抉《えぐ》った(たしかに、私にはそれは「抉った」と見えた)異形の彫刻であった。大きく開いた貝のような、極薄に外に広がった形が生まれ、まるで中身を抜いた、ガンジスの太古の時間が産みだした丸石のような、無類の表情が顕れた。

いまだにというか、それはまた身体の一部に感じられる。臓器であって、肉体の表面的なスキーマ（見える表の形）の裏側に宿るもの、その影、モルフェ（見えない内なる形）を追っている。だから、触るとしっかりした焼き物の触感はあるのだが、見るだけでは動物の身体のように、肉体の腱や臓器のように、静かに撓《き》み、捻れて、このうえなく、侵し難いほどフラジャイルであった。

冗談半分に、「これを大きくしたら、アニッシュ・カプーアだな」と思わず失礼にも口に出しそうになった。だが彼の興味はたぶん、そんなところにはないだろう。むしろ、工芸を無限に彫刻に引っぱりよせたような、あえて言えば、東洋的な『陰翳礼讃』こそがあって、それが自然に成ったものだから、わざとらしさはまったく無い。そう思うと、たしかに、樋口の仕事には文学性は皆無だが、私のような文学的人間にとっては、無限の夢想を誘う、大きな余裕というか構えがあるのも、たしかであるだろう。一度、一般的にはミニマルに思われている樋口の彫刻をテーマに小説を書いてみたい、と思うのは私だけだろうか。

私はこの作品群に息をのんだ。「ホー、こう来たか！」。それは私にとって、嬉しい喜びでもあった。初期の肋骨の内部のような有機造形が、やがて環境的仕事に呼応するような中で、堅牢で、より悠久の時間の経過を思わせる、矩形に重ねた、碑のような、古代の呪術石のような建築的なものに変わって行ったのは、先にも述べた。

私はそこに、宇宙的といえば短絡的に過ぎるだろうが、一種、手作業と自分の肉体の時間を恬淡《てんたん》と見つめながら、そういう人間を超えた「非人間的なるもの」に近づこうとする、作家の肉声をみてきた。

そこの部分は、一貫して変わっていない。むしろ深化の度合いが激しいぐらいだ。だが、そこに「一皮剝けた」、スッキリした、あの樋口の人の良い、垢抜けた表情を私は見て、喜んだのである。

最近の新作も那須のアートビオトープ那須に出品してもらって知っているが、アルミニウムと組み合わせて、よりある種のモダニズム的ミニマルな彫刻、言い方が悪いが、ブランクーシのそれを日本の飄逸《ひょういつ》さから狙っているようなところもある。[註4]

今度はえぐらずに黒のマッスを、ごく細長い方錐形にして、矩形のアルミニウム台座で繋いで試行している。

彫刻家、陶芸家、樋口は、悩む人である。その悩み方が、正直で、嘘が無い。

私はもうすでに、樋口健彦とは長いつき合いになる。樋口に、いろいろな疑問や感想を投げかけたことがある

樋口健彦《Real Number 静かな中心を探して》2010年［画像提供：竹中工務店］

し、それが多くはお互い無類に好きな酒の場であったことも多い。その単純な投げかけに、樋口の答えが裏切ったことはない。樋口もまた、理よりも情二百倍という、直情径行型の男であって、決してその生き方が世俗的に上手なタイプの男ではない。だから、私は樋口の仕事を見ていながら、自分自身も奴のように、零から彫刻やら、陶芸を勉強している自分を好ましい、と感じるところがある。そういう正直さ、不器用さが、これからも樋口を見続けたい、と私に思わせるのだろうと、私はいつも納得する。

宇宙の咆哮に向かって

さらにさらに後日譚になるが、そのオープニングの翌々日の日曜、私は女房をともなって、久しぶりに渋谷のＮＨＫホールにおもむいた。Ｎ響定期、しかも夏前から楽しみにしていた、齢九十を超えて生気みなぎる巨匠ブロムシュテット指揮になる、ブルックナーの未完に終わった、第九交響楽であった。

余談だがウィーンにおける私の定宿、畏兄の美術史家ポール・アゼンバウムのアパート三階の窓からは、眼下にウィーン大学の植物園が見渡せる。生涯独身を通した、頑固で世俗的融通の効かなかった「生き下手」ブルックナー先生は、この園の一角でこの曲を中途に残して死んだときいた。

第一楽章のコーダが、今も耳には響いている。それは、宇宙の炸裂であり、宇宙そのものが人間を怒鳴りつけるような、すさまじい咆哮《ほうこう》だった。

やがてそれも、静かに、澄んだ、澄み渡った彼岸への橋掛かりで終わる。そういう静寂もまた、この樋口の宇宙的炸裂の果てに、私はどうしても味わっていたい、と心から願っている。

そして、その天空から地上を睥睨《へいげい》しながら、私は、樋口の個性に、また有り得べからざる「合わせ技」を考えてもいた。樋口健彦のあの黒いユーモアには、館長以下皆飲み仲間である、ウィーンの美術史美術館の中央展示室に鎮座する、あのブリューゲルの「バベルの塔」を並べてみようかと思案しているところである。

［註］

1 「あるようで無い、無いようである」というマラルメの箴言を、芸術的本質として、身体に染み込むように教えてくださったのは、仏文の恩師、立仙順朗先生。シュルレアリストは、私たちの世代が、神のごとく憧れた、美術評論家、瀧口修造のことである。

2 リルケ「風景について」『現代世界文学全集 六』（大山定一訳、新潮社、一九五三）

3 「ゲーテの手」―黒と黒―手技（アルス）の深層I 樋口健彦 vs 留守玲 二人展」（ギャラリー册、二〇一九）

4

コロナ禍が始まって、坂茂によるスイートヴィラの客室が完成、アートビオトープ那須が新規開業したのに合わせて、客室十五に現代作家の作品を設置するプロジェクトを、私は北山ひとみさん・実優さんに依頼されて行った。それは、各室二作家の「合わせ技」だったのだが、樋口だけは一人にした。「スイートヴィラ客室のための、十五の棚　ゲーテの目、あるいは舞踊する庭」(二〇二〇年七月一日—二〇二一年一月十五日)そこにこう書いた。

その十五(十五号室)

「黒と黒、クールな庭」樋口健彦(陶芸)

樋口は、「器」にこだわらず「焼きもの」にこだわるという意味で現代工芸の異端児。建築や環境へと開かれた、彫刻的な仕事で評価が高い、中堅実力作家。

見る者の観想を促す黒い小宇宙は、多彩で交響的なポリフォニーを感じさせ、「黒」の無限な光彩を信じる樋口の、ユーモアと諧謔《かいぎゃく》に満ちた、生讃歌を感じとっていただきたい。

＊本稿は、京橋のギャラリー川船での樋口健彦個展のパンフレットに書いた、「天から降るものの表情について——樋口健彦の彫刻に」(二〇〇八年三月十日—二十九日)のほぼ再録に、後日譚を加えたもの。「ゲーテの手」—黒と黒—手技(アルス)の深層I　樋口健彦vs留守玲　二人展」(ギャラリー冊、二〇一九年十月十二日—十一月三日)などに際して書いたものもある。口上には、こう書いている。

「シリーズの第一回は、黒と黒、生命の内部器官のような形象を、ミニマルで自省的な黒い焼きもので展開し続けて評価の高い、樋口健彦と、近年、鋳物の粒の焼き付けによって、驚くべき、『表面』の彫刻化を成し遂げつつある留守玲の、ダイナミックにぶつかる二人展。」

2-08

多面性としてのショスタコーヴィッチ
——中村錦平・中村洋子夫妻に

異形のものをぶつける、前衛というコラージュ走法

多面性などというと、ほとんどの作家がそういう側面をもっているわけで、当てはまらない作家が無いようなことを、ことさら誰かに当てはめる牽強付会《けんきょうふかい》と謗《そし》られるかも知れない。だが二十世紀ソヴィエトの政治的圧政の中で、理不尽な粛清で殺された仲間や友人をもち、まさに生命がけで創作し続けたショスタコーヴィッチに、その毀誉褒貶《きよほうへん》から逃れるカメレオン的変貌や変容は、また一方、生き延びる方便で誰の目にもそう映るものなのかも知れない。

アメリカ西海岸の、戦後の新しいオブジェ焼き陶芸運動の中から自らを見出した巨匠、中村錦平を語るのに、ロシアの作家に準《なぞ》えるのも憚《はばか》られるが、案外その戦後対立国の根が似ているという駄洒落より、その「前衛性」＝それをしも、ここでは、異質なもの同士を敢えて果敢にぶつけ合う勇猛ととるなら、それ

は私の言わんとしていることに近いだろう。

また、私がともに私淑し、個人的にも親炙《しんしゃ》しているこのおしどり夫妻が、ともに陶芸をやっておられる(昔は師弟の関係だったときくから、これはチェロの名匠カザルスと最愛の夫人のそれに近いか)から、同一エッセイに登場させるのも引業《いんごう》だな、と思われる方もおられようか。だが、そこにも、私見でそれぞれの作品やそれへのアプローチはむろん違うものの、意外にも、その獰猛《どうもう》なる前衛性は、近い、というのが、嘘偽らざる見解でもある。

これを私なりに、「コラージュ走法」と言い切ってしまおうと思うが、コラージュがその起源に一九一〇年代の一次大戦中、反芸術の闘志たち、ダダの作家たちが依《よ》った、コラージュ=世界の解体と再構築、をもっていたことをまず強調しておきたいものだ。マッチョで男性中心的なアカデミズムの理性「筆」の絵画を捨てて、反アカデミズム=家内制手芸の手段だった、両性具有的肉体「ハサミ」に依った。コラージュはだから知られるように、一次大戦の近代兵器の炸裂とインフルエンザ・パンデミックの、「世界崩壊の恐怖」に畏怖や、共鳴すらしながらそれをミメシス的になぞって自らも世界を解体し、さらに再構成したものであった。

そこをワザと「筆」=ファロス=男根、に対する、「ハサミ」=ヴァギナ=女陰、の氾濫だなどというと、錦平先生はその得意の金沢弁で「それ下品やなあ」と宣うこと請けあいだ。[註1]

ショスタコーヴィッチは、自らの過去をパッチワーク的に繰り返しながら(ということは、過去の自作をどう党のお抱え批評家たちが受け取ったかという政治判定を「揶揄しながら」という意味だが)それをもコラージュし、あまつさえアメリカ商業主義的ジャズを好んで挑戦的に挿入したことでも知られる。だからショスタコにとってもまた、コラージュとはダダとは違った、あるいは似たような意味で、生き残るための戦略だったわけだ。[註2] この辺りに、コラージュ走法の二重性、つまり現実からの反射投影(それをしも、いわれない創作への非難か)とそれをさらに創作にどう反射照射、反発吸収してさらには挑発するか、という正に「メタフィジカル」な創作を強いられてきた創造家の、見事にも悲しい宿命ではなかっただろうか。

だから「メタフィジカル」という言葉を既に自作に使った、錦平さん(これも、大きな意味では、日本の陶芸の歴史や環境への批判と、その、グローバルな問題解放への意志のことに違いないだろうし)や、中村夫妻のコラージュ走法、についても書いてみたいが、そう簡単ではない。お二人とも、極端にいうと、従来の工芸＝陶芸が一途にこだわって来たように見える、素材＝土＝物質を一見、ものともせずに、それを包みこむ環境、つまり空間という外側からいきなり出発したと言うと、大枠では外れてはいないだろう。むろん、土や釉薬の綿密な研究を怠らなかったのは、私の知る由ではないが想像に難くない。

錦平さんはアメリカから帰って早くから「食べるために」自らプレゼンして、建築家と組む方向に向かったことは有名だ。二世代上の、芦原義信など巨匠建築家の胸を借りて新しい建築装飾、としての陶芸オブジェに挑む姿には、やはり、前へ前へという、戦後高度経済成長期の気合いだけには止まらない、コラージュ走法、無謀な、それこそ今まで誰もやってないことをやってやろうという無手勝流を感じるのは私だけではないだろう。

一方の洋子さんは、メッシュという金属で編まれた「空間を孕《はら》む」素材に焼きものをぶつけて、果敢にインスタレーションに挑んだ。だから近作の青山学院の中庭での、樹木に大作をいくつも絡ませた仕事なども、大規模ながら自然の樹木と「共生＝強制」させているような、彼女独特の獰猛さに、快哉を叫んだものだった。

知られるように、お二人とも古都金沢のご出身、冬にあの得も言われぬ雅味セイコガニを上品にいただかれて育ったにしては獰猛なのである。あるいは、獰猛でも無ければ生き残れないような、古都の因襲やら規範にウンザリして育ったのか。その点でもショスタコーヴィッチに絡める小文の意図は案外、外れてはいないとも感じるものだ。

ショスタコの本心

伝説や逸話満載のショスタコーヴィッチの全貌を明かすのが、この小文の意図ではない。クラシックファンの定形通り、私は若い頃から交響曲五番に親

中村洋子《雲の声は柔らかい》「来るべき世界：科学技術、AIと人間性」
展示風景（青山学院大学青山キャンパス）、2019年［撮影：間庭裕基］

しんだ。当時は、「革命」とは呼んでなかっただろう。だがあのハレーションに咽《む》せ返る終楽章の大コーダが、今でも耳に甦り身震いすることがあるぐらい好きだ。レニングラード・フィルをあの、囁くような小さなタクトで指揮する「将軍」ムラヴィンスキーも好きだ。ロシアのある種の文化エリートの晦渋《かいじゅう》といか、決して笑わない、乾いて不機嫌でニヒルな表情に、世紀末の厭世哲学者、ソロヴィヨフやレーミゾフを想像したりした。やがて、ヴァイオリン協奏曲や、ピアノ協奏曲を聴くようになった。どの作品にも軍楽隊調ではないが戦場の音、それは軍靴か戦車の軋《きし》みかは知る由もないが、そんな二十世紀の殺人機械のリズムを聴いたのは、私だけではないだろう。あるいはそういう圧迫に屈しまいとする、命綱の上のギリギリの踊り、それはダンス・マカーブル(死の舞踊)だったのだろうか。

だがこの六月に、N響ジャナンドレア・ノセダ指揮で、八番を聴いて、もうあんまりショスタコの交響曲は聴きたくはないな、と独りごちた。千葉潤の曲目解説にこうある。「世界的な反ファシズム闘争の象徴となった交響曲第七番『レニングラード』(一九四一)から二年、第八番はスターリングラード戦の勝利を起点に、ソ連軍が攻勢に転じた一九四三年夏に約二ヶ月で完成された。出来栄えに満足したショスタコーヴィッチだったが、周囲が〝《第七番》の続編〟に寄せる期待からは大きく乖離していたようだ。初演は冷たい反応で迎えられたのみならず、戦後における冷戦の始まりを背景に、ソ連国内のイデオロギー統制を再開したジダーノフ批判では、悲観主義・形式主義ゆえに演奏禁止処分を受けてしまう。ショスタコーヴィッチの親友だった音楽学者ソレルチンスキーですら、〝印象は絶大だが、その音楽は《第五番》や《第七番》に比べて格段に難しく辛辣だ〟と語ったほどだった」。

前にも私はあるところで書いているが、作家は真に悲惨、凄惨《せいさん》なものは描写出来ない、芸術はそれには向いてはいない、というのが私の信条だ。「凶暴、狂騒、滑稽」的狂乱、という反語的表現もあるのだろうが……。むろんそういう時代に生き、好むと好まざるにかかわらず、その渦中に放り込まれたショスタコを非難するつもりもまた微塵《みじん》も私には無い。

だがまたある時に、如何にも映画音楽然とした、それこそ本物の「アンナ・カレーニナ」の舞踊風景のような、あのペーソス溢れる「ジャズ組曲」(管弦楽のための舞台音楽?というらしいが)を聴いてから、不思議に、もっとショスタコが好きになった。大衆受けを狙ったものだが、直裁で素直な作家の姿勢は、バッハは元よりモーツァルトでも、ベートーヴェンでも、そして孤独に自然に向かって内省の静やかさを追ったあのシューベルトでさえ、「世間や世俗に受ける」ものを狙う姿勢は、絶対に有るというと皆あるからだ。

今はずっと、一九五〇年代になって作曲した、ピアノ・ソロのための「二十四のプレリュードとフーガ」を名手タチアナ・ニコライエヴァで聴いている。バッハの平均律にオマージュしたものだが、やっとこの時代になって、純粋に音楽に向き合える?ようになったショスタコの幸福感に満ちている。本来、音楽も芸術も、自然というか宇宙の似姿を夢見て、それを観照する、手を使った哲学的営為だ。[註3] 死後その仕事全体を作家にどう感じるか、聞くことはむろん不可能な話しだが、彼自身はその時その時の音楽は、全て、それはそれで本心だ、というのじゃないだろうかと感じる。

社会批評精神としての造形

例えば、ヴァイオラ・フライとか、私も展覧会をやった巨匠ピーター・ヴォーコスなどの、あれは何と言ったらいいのか、西海岸の「新即物主義的肉体投企オブジェ焼き」の運動の渦の中で影響を受け、アメリカから帰って「東京焼」を錦平さんが標榜したのは、どういう心算だっただろうか。

金沢の焼きものの家の名家に生まれて、今さらそれに戻るわけには行かない、という単純な問題では無かっただろうことは想像に難くない。私見では、西海岸の美術家たちが濱田庄司などに触れて、陶芸の社会的広がりを逆に獲得して行ったように、錦平さんは、六〇年代的なビートニク文化の新しい「社会共同性」に目覚めてそういう、グローバルな共生と社会性を生涯の指針にしたのではないだろうか。だから建築との共同性や社会へのメッセージ発信は、あながち生き延びる術ばかりでは無い、作家の依って立つ信条として機能したのが分かる。

最も初期に錦平さんを論評したのが、かの戦後のインダストリアルの侍、剣持勇を「赤もの」と評した神代雄一郎であるのは興味をひかれるが、読んでいない。だが、七〇年代からその活動を的確に追って来た、亡き乾由明や後には北澤憲昭が、やはり錦平さんを焼きもの作家＝職人の対極にある、造形による社会思想家や、文明批評家の仕事と評しているのは、けだし卓見だろうと納得する。

センスなる趣味、と官能を超えて

瞠目すべきインタヴュー、講演録として『陶芸の存続を考える　君は超絶技巧派か』(二〇一二)があって、自著『東京焼　自作自論』とともに重要だが、ここではそこに分け入って語らない。[註4]やはりこれからは、自分との関係を語る番になったから、まずは、二〇一四年に坂茂設計の大分県立美術館のプレ・オープンで、大きなインスタレーション、展観をやってもらった、その事を書こう。[註5]

　坂茂の空間は、謂わば「空っぽ」の春日大社社殿であって、「現代アート、やれるもんなら、ドンと来い」の挑発であったから、私はこれは錦平先生以外には、無い、と当初から思って、頼み込んだものだった。坂の「白い折紙空間」に、錦兵さんの「ゴッゴツ、デロリ、極彩金蘭彫刻」をぶつけるしか無い、という発想。これは見事に功を奏して、「竹工芸以外、現代工芸がふるわない九州」へ「東京＝グローバル焼き」が殴り込んで、空間的にも、思想的にも、観客反応的にも、自作キュレーション・ナンバーワン（丸投げで、自分では何もしていないが）に入るものだっ

中村錦平「OPAM誕生祭　序曲、出会いと五感の交響楽＝大分　OPAM VS. 東京焼インスタレーション」展示風景（大分県立美術館）、2014年［撮影：内田亜里］

た。錦平さんは、それならばいう事で、「これ、最後の仕事やねえ」と、信楽の倉庫から二トントラック五台分を引っ張り出して、例の七メートルの超大作「東京焼・メタセラミックスで現在をさぐる」の一部再現をやってくださった。しかも恥ずかしいことに、巨大な輸送費を負担しかねるという県に、「昨晩洋子と相談してね、二百五十僕らが出してええ、という事になりました」と宣うた。結果はそうはならなくて胸を撫でおろしたが、私は涙が出そうになり、ああこの夫婦には生涯頭が上がらないな、と独りごちたものであった。

こちらが感謝しないとならないのに、有難いことに自作をいくつもいただいている。どれも好きだがぐい呑みが家宝なのと「石のカップ」がいつも座右で眺めていて、不思議な感懐を覚える。錦平さん独特の、金の取手やら極彩ゴツゴツが、小さな惑星のようで秀逸だが、何やら「物語る、疑問形の造形詩」のようだ。ショスタコでいうと、やはり「フーガとプレリュード」八番の、空の散歩のようだ。

「美術は、人を純粋にしてくれる」とある時、私が酔っ払って嘯《うそぶ》いたら、真顔で「けだし、名言やねえ」と言われたこともある。

畏友の彫刻家、広島の後輩Tが、いきなり自宅にやって来て、遠いから引っ張って行かないと行かないだろうからと、ある秋の日曜に、茨城の雨引に連れて行かれた。[註6]作家たちが手弁当で野外彫刻展を毎年やっている。筑波山を借景にしたTも見事だったが、そこに中村洋子さんの、蜘蛛のメッシュ彫刻が神社の森の茂みに宙づられてあった。大分県美「生の言祝ぎ」に出してもらったものに近いが、なかなかに、こういう土俗的な気配の土地に「挑む、妖怪」が流石だった。私見では、洋子さんの作品のインスタレーションは、屋外よりも、大分や千鳥ヶ淵のギャラリー册でやったもの（自分キュレーションだから、言うわけじゃないが）などのように、ある種の建築空間の素材の風合いの中の方が、その隠れた「土俗性」を発揮すると思う。だが、その「不思議な気配をもった」インターナショナルでグローバルな土俗性は、こういう土地でも不思議に生きるなあ、と感心したものであった。ショスタコーヴィッチの中にも、ごく少ないが、ロシアの民衆性を感じさせる土俗的風合いのある音楽がある。それは彼が、外に出てそれを売りものにしたストラヴィンスキーに反発もし、またそういうものを奨励する政治に対して、彼自身の矜持《きょうじ》から微妙にカモフラージュされたものが多かったからだろう。

だから、中村洋子さんのメッシュ彫刻オブジェもまた、その置かれる場所や空間によって、ある種の多面体の相貌を見せる。モダンな空間では土俗的空気を、自然に対してはモダンなシャープさを、対峙させるところが面白いと、感じる。

実は小品ではあるが、彼女のメッシュのブローチが好きだ。それもまた、宇宙とその細部である自然が相似形をなしているように、土俗＝モダンを、絢爛《けんらん》に「片身替わり」していて秀逸だ。いや、誰にも似合うとは言えませんが……。ある種の着こなしを要求することも、秀逸なジュエリーの証査であろうか、と。

［註］

1　これは持論であるんだが、ダダのコラージュとジェンダーの関係には、優れた名著がある。香川檀『ダダの性と身体――エルンスト・グロス・ヘーヒ』（ブリュッケ、一九九六）。読んでないが、香川さんには最近瞠目すべき、ハンナ・ヘッヒの単独モノグラフもある。

2　ショスタコーヴィッチについては、どこで聞いたか、読んだか忘れた。愛聴版は、"Dmitri Shostakovich: 24 Preludes and Fugues for solo piano Op 87, Tatiana Nikolayeva" (hyperion, 1990)。

3　同註2。

4　中村錦平・鈴木秀昭『陶芸の存続を考える　君は超絶技巧派か』（るるる阿房言論室、二〇二一）

5　「OPAM 誕生祭　序曲、出会いと五感の交響楽＝大分」（出展：中村錦平〈OPAM VS 東京焼インスタレーション〉、内田亜里〈写真で甦る　チェジュ、対馬、大分〉、安野太郎〈OPAMBIENT PNEUMA、OPAM から、風のあいさつ〉、髙山辰雄賞ジュニア美術展二〇一四選抜展、大分県立美術館、十一月二十三日―三十日）。盟友の兄貴分、楫義明さんに展示構成をお願いした。

6　Tこと、畏友彫刻家の戸田裕介氏。「雨引の里と彫刻　二〇一三」。

以下、中村錦平・洋子夫妻に出てもらった、あるいは文中の展覧会である。
「土に改まる　中村洋子と樋口健彦の新しい造形」（ギャラリー冊、二〇〇六）
「生への言祝ぎ――インスタレーション、十二の柱＋出会いのパフォーマンス」（大分県立美術館、二〇一六年六月十一日―七月十八日）
「来るべき世界：科学技術、AIと人間性」（青山学院大学青山キャンパス、青山学院大学シンギュラリティ研究所、二〇一九年十一月十六日―十二月十五日）

2-09

楽園への逃走
——真島直子の仕事

シュルレアリズム、あるいは作家の身辺

作家にとっては、自分や自分の仕事が、後になって、美術史の中にどう位置づけられるかなど、むしろどうでも良いことに属するのかも知れない。それを百も承知で、真島直子さんの、驚異的な鉛筆画「地ごく楽」群や、鯉やらお父さんのトランクに毛の生えたオブジェ、はたまた二〇〇〇年以降の、骸骨をカラフルな毛糸や糸でグルグル巻きにしたような奇体で可憐なオブジェ、さらには敬遠して？いた油絵にもどっての、黄泉の国かどこの景色かも判然しないような、面白い呪文やら書き文字も交錯する、未見の風景「脳内麻薬」などを、例えば、パリでは五十年後の二〇七三年に、ポンピドー現代美術センターでは、いったいどこに、常設展示するだろうか、と思い描いてみる。

むろん、それはそれらの作品群が、パリにおける二十世紀美術の殿堂、かのポンピドー・センターに収

蔵され（それをしもまあ、しごく当然だと感じるが）、その常設の展示ギャラリーのどの辺りに、飾られるだろうか、という私的想像である。根っからの学芸員癖ゆえの夢想と思ってもらって構わない。

私もふくめて美術館学芸員というのは、ふだん作品という「ブツ」に触れてその実感から仕事を出発させる肉体労働の宿命にあるにもかかわらず、時に脳のお勉強にかまけて？大きな勘違いや間違いをやらかす愚かな種族でもある。

そこでまあ、あの「シュルレアリズム宣言」の大御所アンドレ・ブルトン大先生の書斎インテリア再現のまわりに、ちょっと知られざる東欧作家、大好きなヴィクトル・ブラウナーの「大きな牛に小さな人間がたくさん住んでいる」、愉快な壁画のような絵の側、あのあたりかなあ、と独りごちてみる。ブルトン『魔術的芸術』は、かつて座右の書であった。いや、それならいっそ、ケ・ブランリ（国立民族美術館）の、ここは地域別展示だが、日本じゃなくて、オセアニアの、物騒なドでかい部族美術の木彫の下に置いておきたいものだ。現代美術を部族美術の一種に見立てて、画期的な展観をやった「大地の魔術師たち」も、ジャン・ユベール・マルタンが企画したものだが、ここポンピドーで一九八九年に見て、大いに刺激を受けた。さすが、良くも悪くも植民地支配の国だけのことはある。

だがシラク肝入りで、再出発オープンした、トロカデロの旧「人類博物館」（Musée d'Hommes、六八年のパリ革命時には、かのレヴィ＝ストロースが学芸員であって、その屋上から学生やら労働者のデモ隊に、声援を送っていたはず）が、ケ・ブランリ（セーヌの河岸名だ）という味気ない名前、味気ない建築（新橋の電通ビル同様、ジャン・ヌーヴェルの失敗作だ）で再生。収蔵の部族芸術を「世界人類の遺産」と叫ぶ、自画自賛シラクに、「なら、ルー

ヴルに展示してみろよ、出来んじゃろうが！」という正鵠《せいこく》を得た批判もあったらしいが。[註1]
いやさらには、もう時代を飛びこえて、オルセーの、大好きなマン・レイの「サド侯爵」の、あの奇怪で愉快な物語性満載の顔肖像の横か。それも何だか、真島さんの作品をシュルレアリスムの系譜に位置づける、情動のようにも感じる。いやはや、私もか、ブルータスよ。だが、「芸術の元は、呪術だ」という確信もあって、かの瀧口修造が、「巨大な他者に向けてつくられたもの」と喝破した、古代の埴輪や勾玉の気配が、真島さんの仕事に満ちていると感じるのは私だけではないだろう。[註2]

いっそルーヴルに持って行って、ルーヴルが、王と王妃を断頭台に送った革命政府ですら「ごちゃごちゃし過ぎてるから、整理整頓しなさいよ」として、フランス共和国人民美術館として開放された旧ブルボン家の財宝室を、さらには架空の廃墟（ぶっ壊された可能性もあったわけで）として描いたロベール・ユベールの絵の横かなあ。[註3]

そうこう思案して、やはり、一般常識的には、真島さんの仕事を二十世紀のシュルレアリスムの系譜、写真や素描をやった、かの放浪の作家ヴォルスや、人形作家のベルメー

真島直子《妖精》2012年
［撮影：宮島径　©Naoko Majima, Courtesy of Mizuma Art Gallery］

ルのモデルだった、異端中の異端のドローイングの鬼女性、ウニカ・ツルンなどに並べるのは、まあ、妥当と言えばいえそうな気がする。だから、かの瀧口修造が存命中に真島さんを知っていれば、熱狂したことも請け合いだ。真島さんの支援者や理解者として、かの『奇想の展覧会』の種村季弘御大がいたことも頷ける。

またここで、書き難いことだが、真島作品にかのネオ・ダダの巨人、工藤哲巳の影響を云々する人もいるようだが、私はそれに与《くみ》しない。私個人が工藤作品にさほど親炙《しんしゃ》していない事情にもよるが、はっきり言って、真島さんを間近によく知っているので、彼女の中には、作家として誰かに対して何かの「振《ふ》り」をして「受け」を狙うというような戦略?的な部分や、制作に具体的な記憶や思い出を入れるようなことは、皆無と言わざるを得ない。

「生まれてこの方、生きること、世間、社会、他者にもまた、自分自身にも曰《いわ》く言い難い違和感があって、その違和感というか、疎外感から逃れるためだけに、手を動かしてモノを作っているだけ」。作家としてしごく当たり前の述懐というとそれまでだが、真島さんの生き方やふだんの生活風情ほど、この言葉に相応しいものは稀有で少ないだろう。

「鯉は、歯が喉の奥にあって、何でも呑み込んでしまうんですよ。それから奥で噛むというか砕くわけ。牛を呑んだ鯉がいた、という伝説もあるぐらい。何か、そういうバケモノみたいな存在に魅かれた。生命

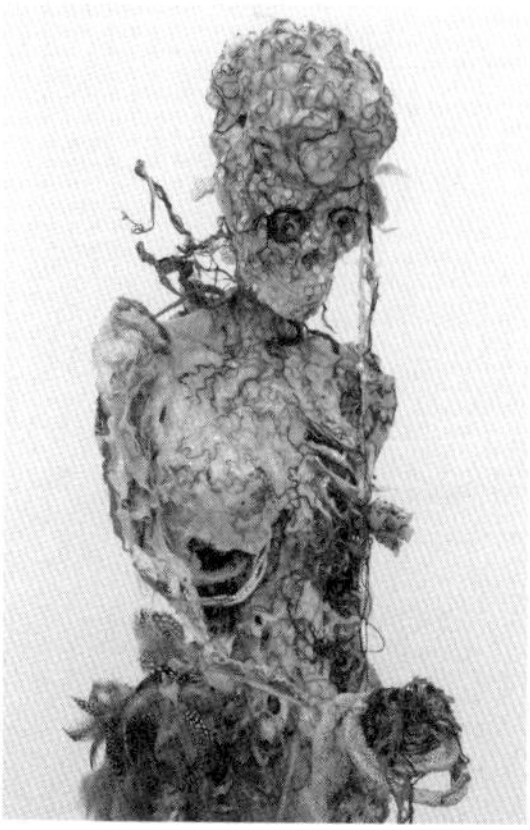

真島直子《妖精》(部分) 2012年
[撮影:宮島径 ©Naoko Majima, Courtesy of Mizuma Art Gallery]

力というか。可愛らしいじゃない、と思うわけ。」

「お金が無いから、家にあったもの、母親の洋服とか父のトランクとかを、弄《いじ》っていると、毛糸とかお米とかを糊で貼りつけるというか、そうやって何かしら出来ていく。」

「作っている時間は、とにかく、すべてから開放されて、救われている。」

「藝大の仲間が中年過ぎて言うのよね。お前まだ、美術やってるのか、よっぽど不幸なんだな、ってネ。他に楽しいことがある人は、皆、美術なんてやめちゃってるからね。」

名古屋出身の真島さんが、幼い頃にあった、伊勢湾台風で亡くなった人たちの亡骸を見た体験に傷というか、大きなショックを受けたことも有名だ。

ここら辺までは、年一回授業に来てくれて、造形やっている学生たちにアーティスト・トークをしてくれる内容だが、彼女は酒を飲んでいる時も、また普段でも何気ないような、いろいろな話しを自分の体験や知っている知識に拘泥《こうでい》せずに、恬淡《てんたん》と話す話術の名手でもある。

四柱推命の大家で（何故始めたのかには、また本当なのか?と耳を疑うような逸話があって、ご本人曰く、美人じゃないので男にモテなかったからその原因を探るために、占いを始めた?という）、占星術やら、血液型の文化論やら、フランスでの自分の逸話やら、愉快千万な話しには事欠かない。またそういう占いの大家であるのに（医者の不養生か?）、意外にも、本人が大きな事故で大怪我をしたり、意想外の大事件に巻き込まれたりして、ほうほうの体で生き延びているというか、個人的な事故や不幸が多い、可哀想な業界の人としても有名だ。

そういう面白哀シムズ的人生の大先輩だが、私はいつでも真島さんと話したり酒を飲みたくなる。美術界でもこんなに、実は人に好かれる作家も、数少ないのじゃないか、といつも感心する。その証拠といっては何だが、彼女の藝大の先輩に、ご本人もミラノやヴェネチアで大きなインスタレーションをやるガラスの作家、増田洋美さんがいて、増田さんは私財を投じて真島作品をたくさん蒐《あつ》めて支援している最大のパトロンでもある。

ちなみにまったく関係ない余談だが、私の自作人形をいちばんたくさん買ってくれているのも真島さんだ。私は謂わば似非《えせ》作家なので、作家に自作を買われるのは心底心苦しいのだが、彼女は「好きだから、買うだけ、家にいっぱい飾ってあるのよ」と笑って言う。滅多にうかがえないが、我が家と同じ武蔵野線沿線の南越谷の昭和の古いショッピング・センターの店?か、倉庫を改装した場所に、彼女のアトリエと家がある。いつも私は武蔵野線に乗ると、ああ、この先に真島さんの家があるなあ、と、あの明るい、何だか寂しいような、透明な光がさす家を想像して楽しんでいる。

楽園へ

かつて私は、真島さんについて、以下のように詩めいたものを書いたことがある。それは、優れて、彼女の仕事がつねに喚起する、ひとつの風景の絶対性について、考えていたからだ。畏敬する歌人、水原紫苑さんの、不思議な短詩に影響を受けていた頃で、そこからイメージを借りて、真島さんの描く反世界のリアリティーを、こうとしか言葉では表現できない、ぎりぎりの実感からだった。

「地への喝采」


世界が、ひとつの掌に倒れこむ。

世界ぜんたいが、いっしゅんにして身を縮め、ひとつの小さな、
可憐な掌に、静かに息を引きとられる。

いまだ誰も見たことのない、涅槃図のなかで。

そこはもう地上でない。

花の頭をした蝶が舞い、手足のある草木が、笑いさざめく。

母の白い身体をした大きな山から、蒼い水が滝のように流れてくる。

美しい花花は、みな不思議な音曲にあわせて揺らぎながら、悲しそうに笑う。

私はそれをどこから、見ているのか。

天空高く浮かんでいる、皺だらけの巨象のような、産まれたての赤ん坊。

遠い、大きな過去は、澄んだ湖のごとき未来と、よじれあっている。

そう思ったら、この掌に世界は吸いこまれ、一瞬のうちに、すべては消えてなくなった。


これらは、眩暈のしそうなほど遠い昔の、他の星の光景にはちがいない。だがそれでもかぎりなく、胸をつくように懐かしい。何故なら、私たちもかつて、そこに居たから。原初の光景とはこうしたものだろう。

世紀末の詩人リルケは、「風景について」というエッセイのなかで、古代ギリシャ人が、人間の肉体をひとつの風景として眺めていたことを、語っている。

真島直子は、現在の、全世界のアート地勢のなかの、希望の星だ。それは、遠い、私たちのいまだ知らぬ星からの、メッセージといって過言でない。

アートの奇跡こそ、見たことのない、そして見えない光景をあらわす秘儀だから。インテレクチュアルな彼女は、おそらくそれを知らないだろう。真島直子の世界に比肩できるものは、記憶のなかで、十九世紀ドイツ・ロマン派の画家、オットー・ルンゲの描いた、ハンブルグの祭壇画しか、思い浮かばない。あの、画家の遺言によって、九つに切り裂かれた絵。あそこにも、たしかに澄んだ、黄泉の空気が吹き込んでいた。

真島さんの仕事を、ロマン派の血脈に関係づけるのは、まちがってはいないと思う。すさまじく壮麗で、世界を裏返したような、真島図像学を目の当たりにして、私たちは、彼女にシャーマニスティックで呪術的なイメージを思い描く。岡部あおみさんは、恐山のイタコと言ったし、沖縄は斎場御嶽《セイファーウタキ》から祈る、女王聞得大君や、その先の久高島のノロたちも、浮かぶ。彼女がつき従えているというか、血脈は美術界にも多い。

シュールで、幻想的な無意識風景や、原アニミズム世界ということでは、人形作家ハンス・ベルメールのモデルだった、画家ウニカ・ツルン。狂気のうちに自死した彼女も、ヴォルスばりのペン画を、生涯描き続けた。草間彌生さんの初期の、コラージュ風のデッサンや、これもドイツの女性コラージュ神、ハンナ・ヘッヒ。穿っていけばスイスのアントン・ヴォルフリなど、アウト・サイダーの世界観にも近づく。だが、アウト・サイダーとは、いったい何だろうか？

人間そのもの、生きていることそのもの、そしてアートすることそのものが、そもそもアウト・サイダーなのではないか。アートは、見える世界を裏返すためにもある。彼女の血脈すべては、愛するものをけっして手放そうとしなかった、可憐な狂気に宿るものではなかっただろうか。だから真島さんの、オブジェと鉛筆画は、そのじつ、まったく表裏一体、ひとつの魂の、別の部位にすぎない。彼女じしんの想い出や、彼女さえを超える遠い想い出が、そうした別の部位を、産み結ぶのである。彼女がかかえている、そしてその仕事に顕わす、少女のように可憐な魂のロマンに、私も生涯、憧れ続けることだろう。

真島直子《脳内麻薬—2021 h》2021年［撮影：山本糾　©Naoko Majima, Courtesy of Hino Gallery］

後日譚

その後も私は、幾度も彼女の展観を見たが、衝撃の実感を言葉にするとしたら、こういうものになるだろうという内実は、変わってはいない。それは、真島さんが、外見上のスタイルを、それほど変えない作家だというのとも、あまり関係がない。スタイルが変わらないことと、がらりと変わるのは、言わばどっちでも同じで、人間はその日その一瞬かぎりにおいて生きているものだが、その人間の顔がどう変わったかは、じつは誰も知り得ないのだから。むしろ人が見るのは、顔そのものではなく、その日その一瞬であるという、生のリアリティーを証してくれる他の何かだろう。美術が本質的に孕《はら》む気というのも、同様なものだと思われる。

少しく種明かしをすると、世界じゅうで、どれか一枚、お前に絵をやると言われたら、迷わずこれにするだろうものが、ドイツ・ロマン派の画家、オットー・ルンゲが唯一残した、ハンブルグの祭壇画だ。死後遺言どうり、九つに切り刻まれたという、伝説の「朝」の印象を書いたもので、真島さんの風景から受けた衝撃は、ちょっとこれに近いものだったのである。だから先にもそう書いた。[註4]

何かを語るときに、他所から持ってきた何がしかの比喩でしか語れない、詩人の資格などない自分にもまた、愛想が尽きる気がしないでもないが、それはそれとして、ルンゲと真島さん、どちらにも似ているものは、無垢の甘やかさというか、極上の、この世のものでない非現実の、霊的なお菓子ような、すがすがしい甘味のことだ。[註5]

ルンゲのものも、冥府の風が絵の底を蒼い風のごとくに吹く、不気味で身の凍る世界でもあるのだが、それをいったん身体ごと通過すれば、そこに残るのはまた、天上の甘味である。だから、その時も書いたことで、あまり乱暴には言えないだろうが、真島芸術のエッセンスに、無垢なる少女性をみる者であって、たしかに、一個の生身の人格としても、彼女ほど、可愛らしくて、可憐な個性は他になかなか見つからない。真島さんには、もうどっちでもいいことだろうが、それが果たして母性なのか、その裏返しの、可憐な父性の狂気なのか、狂気の可憐さなのかは、これからじっくり、考えてみたいところである。まあ、すべからく存在は、両性具有的だ。どっちにしても、私はこれから、真島芸術の世界発信のために、自分の微力が役に立てたらいいな、と企んでいる。

目指すは美の都、パリでもいいんだろうが、世紀末に日本の美意識に共感した、クリムトやシーレを生んだウィーンか、はたまた、商業主義に浸りながらも、つねに新しい、真のエキセントリックを求める、マンハッタンでもいいんじゃなかろうか、とまだ実現もしてないのに、ほくそ笑んでいる次第。最後に、つい先日オープンした、横須賀市の、素晴らしい新美術館に行ってきて、「生きる――現代作家九人のリアリティ」という開館記念展に出品している真島さんの新作が、さらにまた一段、深い境地というか、深化をとげていることに驚嘆もし、大拍手を送ったことを報告したい。人体みたいな、人間のようなオブジェがふたつ出ていて、これがまた、いつものように、「おどろおどろしく」(と人はいうが僕はぜんぜんそうは思わない)着飾ってはいるが、そのぜんたいの空気の、生き生き溌剌とした可愛さ可憐さたるや、「オーッこりゃすごい、素敵だねえ」と思わず声が出たほどだった。また、普段の紙ではなく、キャンバスを使った鉛筆画の、空間を捩れるような、弾けるような躍動感もまた、いっそうのものだった。

コロナ禍ギリギリで、パリで開催した大きな展観にはギャラリー・トークを頼まれて行くつもりだったが、果たせなかった。そのオンライン・トークを英語でやった。真島さんの仕事をまたまた遠山一行先生をひいて、モーツァルトの音楽に準えた。「一瞬一瞬で、生まれ、また死ぬ」ことを繰り返している私どもの肉体をふくめての、自然の生起の驚異が、モーツァルトの音楽と同じに、彼女の仕事に現存している、という実感を書いた。

［註］

1 「政治性まとう?-異色美術館　シラク氏肝いり『ケ・ブランリ』」(冨永格、朝日新聞、二〇〇六年七月六日)から借りた。
2 瀧口修造「先史美術の現代的意義」『世界美術全集I』(角川書店、一九六〇)
3 松宮秀治『ミュージアムの思想』(白水社、二〇〇三)から借りたか。
4 ルンゲについては、アムステルダムのゴッホ美術館で見た、"Phillipp Otto Runge, Caspar David Friedrich: The Passage of Time" 展図録(一九九六)の、主筆、ハンナ・ホールの記述から借りた。
5 また、悪い癖で、すぐ人の影響を受けて、鶴田静『ベジタリアン宮沢賢治』(晶文社、一九九九)からの受け売り。

*本稿は、「αMプロジェクト二〇〇三　風景の奪還vol.1　真島直子「地ごく楽」(二〇〇三年五月十二日―三十一日)に書いた、「地への喝采――真島直子に」と、ギャラリー冊での「尾崎翠美術館」展(二〇〇七)のパンフレット「尾崎翠美術館」新聞に書いたものを元にしながら、大幅に加筆したもの。

2-10

沈黙の絵画、あるいは目の舞踊の石

──関根直子と「トゥーランガリラ」、長谷川さちとヴェーベルンの香り

沈黙する絵画

多くは鉛筆によるオール・オーヴァーの彼女の絵画を、「沈黙の絵画」と呼ぶ。関根直子の絵画は、私どもの絵画的思考の、前面へ「顕れる」のではなく、奥へ、より奥へと遠ざかり、消え去り続けるからだ。批評的言葉で関根の仕事を捉えることが、難しい、という訳ではない。画家そのものが物質である絵画に対して、他者としての批評的思考、つまり言語を持っていて、その物質との相互連関的な作業によって仕事をすすめているのはまた、言を俟《ま》たないだろう。だが関根の絵画的営為は、私には、その言語的思考の向こうへ、さらに「闇」へ、もっといえば「盲目」へと後ずさっているようにみえる。

誤解を恐れずにいえば、そういう、コミュニケーションの可能性の多様を、一種、厳粛に禁忌《きんき》している、絵画の、絵画ならざる原点への「遡行《そこう》」が、関根の情熱を支えているように思えてならないからだ。かつて「見

ないことの不可能性」をいったのは、不世出の批評家、宮川淳だったが、関根は「見ることの可能性」の拒絶へと、粛々《しゅくしゅく》とおもむいているように思える。

もっと分かりやすく言うと、沈黙の絵画とは、例えば、関根がパリ留学のおりに触れて、未だに決定的な事件として、彼女の仕事のなかにもその残像がありありと見受けられる、ラスコーの洞窟壁画である。洞窟壁画は、絵画ではない。それらは、意味と表象の謎を秘めているからではなくて、絵画の起源そのものだから、絵画ではあり得ない、といえば、今の私の気持ちに近いだろうか。絵画は、絵画ならざるものへと逆戻りすることは、出来ない。それが描くことの宿命であるが、関根はその原点へ遡行しようとする。その抗いがたい決意にも打たれるが、関根の絵画が沈黙の絵画である、というのもまた、そういう意味においてである。

＊　＊　＊

もう「鉛筆画の作家」という限定は要らないだろう、気鋭の画家、関根との付き合いは、長い。ムサビが若手作家の育成のためにやっている、αMのプロジェクトで出てもらって以来だから、もう二十年にはなる。その時から、いくつかの関根論を書いたし、「愛の抽象性について――関根直子の鉛筆画、あるいは『トリスタンとイゾルデ』」という珍奇な組み合わせもある。

思い出は、ゼミ生だったT君と、関根の木更津のアトリエ、その小さなアパートを訪ねたことだ。パンフレットには、三島由紀夫の『豊饒の海』に絡めて、文人画や現代の南画の、飄逸《ひょういつ》かつ超俗的な、「死に物狂い」

の酔狂、ユーモアを書いた。

関根の絵画に、音を聴いたこともある。それは、身体に木霊《こだま》し、宇宙的身震いを起こさせる、「冬の花火」だった。

たしかにパリ留学以降の関根は、圧倒的な絵画的深化をみせて、その評価も高まった。飄逸な南画に思えた時代は、「描く」ことに逃げるというか自適に遊んでいる風もあったが、さらに関根はより重ね描きに拘《こだわ》り、「前のめり」に絵画の中へ、その深奥へと没入していった。

決定的な傷痕を受けたものが、その傷を、目でなぞる、目で愛撫する、目で戦慄する、それらの悲しい行為を止められないように、である。

さらに、一年という短い留学でフランス語ものした進取の勉強家である関根は、初めてアメリカの地を踏んで、念願だったヒューストンの「ロスコ・チャペル」を訪れ、何日も何時間

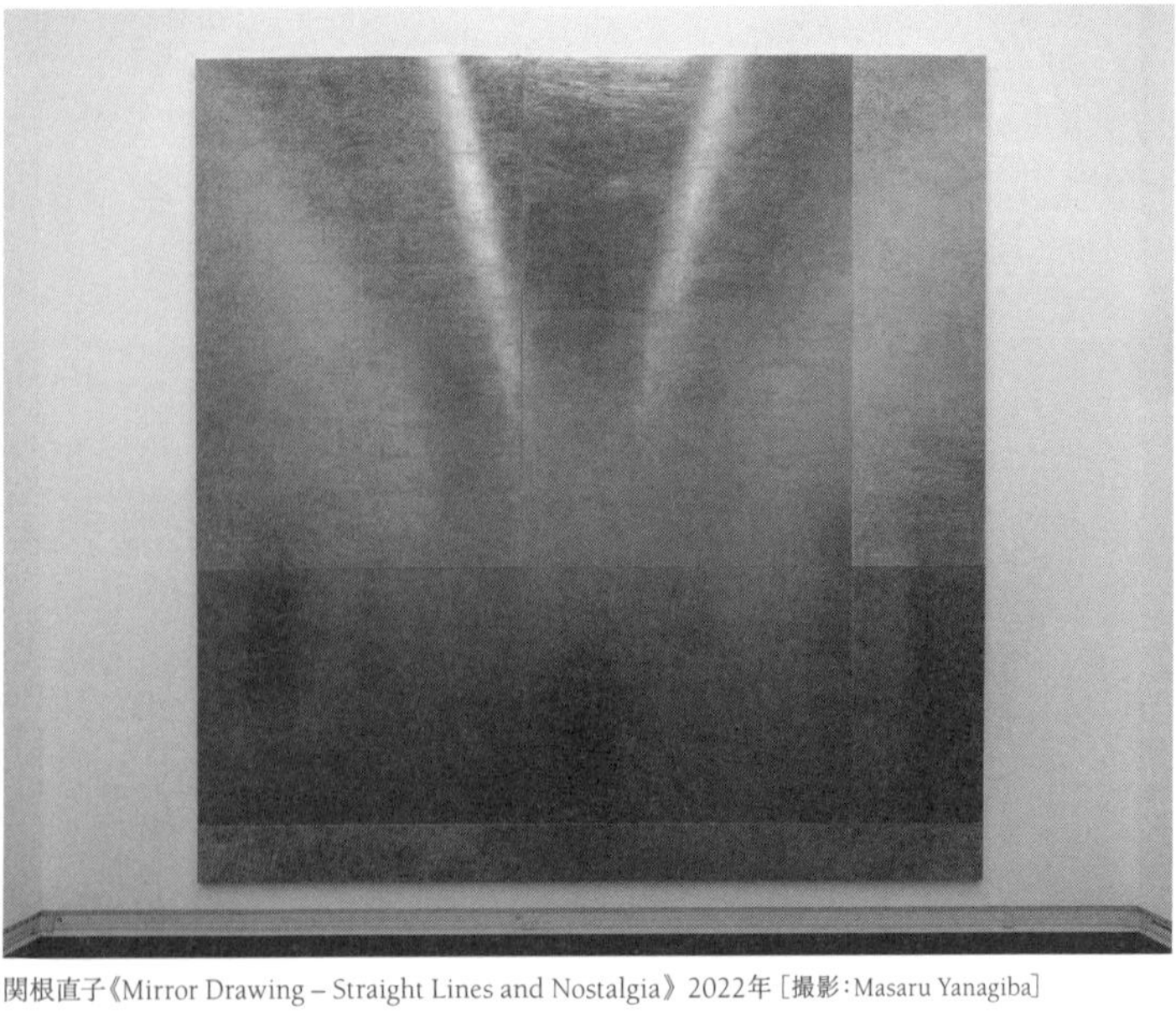

関根直子《Mirror Drawing – Straight Lines and Nostalgia》2022年［撮影：Masaru Yanagiba］

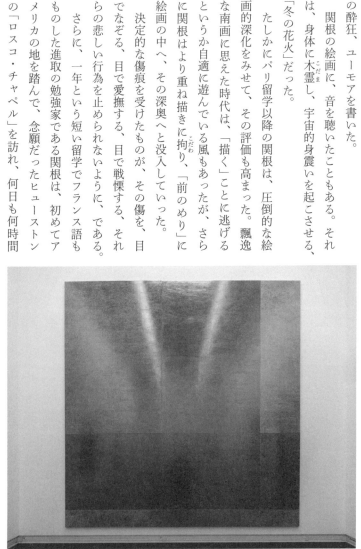

もロスコの前に佇んだ。

この経験は、画家を「絵画とは、光を受け取る器」であるという認識に導いた。文学的に言えば、「ラスコーの絵画＝傷を目で辿る」から、そこにさらに「ロスコ＝光の器をつくる」ことを、重ねていったことになる。その後立ち現れるのは、「目の軌跡のオール・オーヴァー」であって、それらの達成は、圧倒的な「目の鏡」、謂わば、私どもの「見る事」そのものへの、叛乱として顕現《エピファニー》した、また一つの驚異であった。

目が舞踊する、石の軌跡

だから、いっぽうで、長谷川さちの石彫は、鑿《のみ》によってハツる石の肌にまとわり、這《は》い回る「舞踊する目」の存在を現前させる。

それは、長谷川が思い描く、「虚の空気感、気配」の彫刻として、現れる。

その、自由闊達な舞踏する目によって、彫刻は細部から、全体へと生育されて、やがては、その逆転すら見る者に感じさせるような、眩暈《めまい》として現れる。

長谷川の仕事は、その「手」よりもむしろ、「目」を意識させるように仕掛けられた、高度なコンセプチュアル・アートとも、言い得る要素を持っているようだ。

またいっぽうその舞踊する目は、一種、世紀末ウィーンの黄金の装飾画家、かのグスタフ・クリムトが彼の描く、産業ブルジョワジーの夫人たちの、蝋石のようにすべすべした、寒天質の蒼い肌に纏《まと》わせた、古今東西の装飾や紋様（そこには、鱗のように肉体を覆う、日本の甲冑すらあったが）の幻影すら、私には思わせた。

石彫家が、まず大きく切り出す石のぜんたいと、大まかな成形、そして細かな手による鑿《のみ》のハツり、という段階を経た作業を行うのはまた、言を俟たないだろうが、長谷川の石彫の好ましい特徴は、その鑿の肌と、躯体との玄妙なる調和であって、それはあたかも、細部から掘りだされ、元あった架空の「虚の形」を、自然に恬淡《てんたん》に、生ぜしめているように感じられる。

そういう意味で関根の場合とは違うと言っても、ある種の、一般的通例的な造形からは遥かに遠い位置から長谷川が出発したことも自明であるような気がする。

浮きあがり、立ち現れるものは、そうした「仮設の虚、虚に向かう目の運動」ではないか？

＊　＊　＊

長谷川の仕事を知ったのも、ごく最近ではないが、青梅の美術館のホールに置かれたそれは、私には、やや重苦しい印象があって、初期の長谷川の良き理解者ではな

長谷川さち《nebula》「すべてのひとに石がひつよう」展示風景
（ヴァンジ彫刻庭園美術館）、2021年［撮影：山本糾］

かったかも知れない。

それが彼女の言う、家具、といっても、おそらくは幻影的な想念としての家具、あるいはそういう家のなかにあって、人間の身体の乗り移りというか、気配のようなものを知ったのも、後になってのことだった。だから当初から彼女が目指していたのは、「関係」を彫ることであったようだ。

重苦しいというのは、やはり石に纏《まつ》わる私どもの先入観なのだが、そういう身体感覚を持つのは致し方ないし、だからこそ石彫家や、重い鉄などの金属を使う作家に期待されるのは、その「重さ」を裏切るような、軽やかな、「無重力」的（というと単純だが）な彫刻の身振りであるはずだ。

二十世紀きっての彫刻家、晩年はあの未踏の自然石の抽象彫刻に挑んだ、イサム・ノグチのことを考え続け、そのことを私は十年かかってやがて一書にしたためた。その後、もう彫刻について書くことはあるまい、と思っていた矢先、再び、長谷川の彫刻に出会ったのである。

現代美術の硬派、最右翼の作家ばかりを扱うヒノギャラリーでのことである。

青梅の印象は、ずいぶん変わった。というのは、あの時のように大きな作品ではなかった事では決してない（「重苦しい」、と感じたのも、その大きさ故にでは、むろんないが）。「重苦しい」というのは、この作家の持っている、過剰で真面目過ぎる人間の発する暑苦しいたぶん「念」のようなものだろうし、良い意味での「おシャレ」さは、皆無だった（私は、基本的に、シャープで「モダンなもの」に魅かれる質《たち》である）。

ところがこの時の作品群が、少しく前とは変わっていて、雑駁《ざつばく》な言い方をすると、やけに「おシャレ」に「モダン」になって来ている。人が違ったみたいだ（むろん、この頃までに作家本人のことは、知らない。本人に会って近しく話したのも、ごく最近のことである）。ヒノの発表いらい、ちょっと気になる仕事だったが、まだ、その根の部分は、私には分からないでいた。彫刻を考えるのに疲れていたのだろうし、重過ぎる宿命の天才、ノグチ霊のお祓《はら》いもまだ、していなかった（じつは、これがちょうど、ノグチ本の出版された時期に起きた、我が家のもらい火火事消失で成されることになるのだが）。

「レイライン」と題した、個展インスタレーションが平塚市の美術館であり、駆け足ながら会期に間に合った。「レイライン」とは、古代とかの遺跡の石配置、その宇宙的軸線のことだ、と最近、本人からきいた。その時に、今までずっと頭の隅で考えて来た長谷川の変貌の謎が、少し解けた気がした。私のノグチ論の骨子は、彫刻を捨てて庭に向かった、未来的芸術家というものだが、むろん、ほんとうは、ノグチは彫刻を捨ててはいない。最後の何章かで、その「生命のゆらぎ」の根を、自分なりに、ノグチが捉えた宇宙的エロス、その実在としての舞踊、と書いた［註1］。

長谷川の目の舞踊としての「虚の空気を囲う」彫刻ということに、別の意味でノグチの「生の揺らぎ＝宇宙のエロス的舞踊」というのが、重なった。

この春から、私はウィーン学派の雄、アントン・ヴェーベルンの音楽、その研ぎ澄まされ、磨き込まれた硬玉のごとき音楽を聴き続けている。その音に、ミニマルに、規則だだしく、律儀に、熱狂的に恍惚的に打ち続けられている長谷川の鑿音が重なった。

「沈黙の絵画」関根、「虚の気配の舞踊」長谷川。

これが私にとっての、新しい絵画、新しい彫刻の、始まりになるだろう。

迷走する日日、それでも瞑想

ウィーンはベルヴェデーレ宮を見おろす畏兄ポール宅アパルトマンで起きがけ、朝飯にバッグンに美味いサラミに匂いたつ黒パン山羊チーズときて、彼がすかさず出してくれるホルンデン・ブルーテンという花のグラッパを、異端の建築家アドルフ・ロースがデザインした小振りのリキュールグラスでやっつける快感はこのうえない。

このグラス、シンプル極まりないが、底に細かい格子のカットが彫ってあって、この手触りを音に例えると、同じウィーンで活躍した、厳格主義の権化のような作曲家だが、ちょっとヴェーベルン的と言えばいえる。

芸術的法悦が酒の酩酊感とちがうかというと、それははっきり違う。美的官能はやはり、脳の後ろ、むしろ自分の体内の少しく外から「風の又三郎」のごとく飛来して瞬時に気づかず身体に侵入する。その不意の「精霊の来訪」は、アルコール酩酊の、身体じゅうの血管がフワッと浮いた感じになって顔が綻《ほころ》ぶのとは、別ものだ。呑んでも冴えるだけなので呑まないという御仁もあるようだが、私の場合、予定調和そのものというか、酒は必ずそれなりに日常的なる「ふつうの良い気持ち」にさせてくれるものだ。[註2]

というよりも、芸術的法悦はいつも期待した時にはやって来ないが、必ず不意打ちのように、未知の珍客のようにやって来るものだ。だから、招かれざる客の時もあるのが困ったことだが。下らない比喩を前振りとしながらも、私はここに、二つの種類の法悦、あるいは恍惚について書きたい、と思っている。いやむしろ、その、法悦の禁忌《きんき》についてだろうか。

＊　＊　＊

待望の、というのは実は個人的にどうしても見たかった「関根直子＋長谷川さち展」を開いてからも、少しく日日の喧噪のなかで、私はしばしぼんやりした、意識朦朧の酩酊のなかにあった。というか、この二つながらの才能、難物を荒技で「出会わせた」キュレーション功罪のしっぺ返しを受けたような、いっしゅ風邪の熱で身体じゅうがバラバラになって、膿《う》んでいる状態が続いたのかも知れない。

その酩酊感？恍惚感のなかで、私が暗中で探っていたのは、オープニングの前に謎かけのように二人に送ったメールの、自分にも見えない本心であって「メシアンを聴きながら関根を見たい、ヴェーベルンを聴きながら長谷川を見たい」という呪文的呪縛であった。言を俟たないだろうが、オリビエ・メシアンはフランスの、そしてアントン・ヴェーベルンはオーストリアが生んだ、二十世紀きっての現代音楽のパイオニアだ。

色を聴く、何故ならそれは、色は見えないからだ

元来「モノ」を言葉で深く考えず、「モノ」を感じてすぐ身体が動く単純な質で、その後私は、酩酊のなかでも何故だか呪文通りの日日を送って、メシアンとヴェーベルンを聴き続けた。それで分かったのは、それがすぐに関根の絵画と長谷川の彫刻に結びつくかどうかは分からないが、もしかしたら、私は関根直

子の絵画のなかに、音の色を、長谷川さちの彫刻のなかに、音の匂いを、錯綜複層、倒錯的？に求めていたのかもしれない、ということだった。

急遽企画したオープニング・トークで、関根は真面目にこの謎かけを受けとって、「メシアンは、共感覚というようなことを言っていて、自分の創作にも興味ある観点だ」とちょっと優等生然と話してくれたし、また関根とは別の意味で堅くて気真面目な長谷川は、私の文章にあった「舞踊」を受けて「彫刻の取り巻く空気の振動とか、波動ということに、今興味がある」と語ってくれた。

冗談半分に私は、関根はパリに留学していたし、それかあらぬか「ラテン的」でメシアン的、そして関西生まれなのにやけに律儀な長谷川を、「ゲルマン的」でヴェーベルン的と、ちょっといい加減に煙に巻いた。（かのヴォリンガー『抽象と感情移入』じゃないが、その伝をあまりに鵜呑みにすると、関根＝ラテン、南国的＝現世肯定で具象的、いっぽう、長谷川＝ゲルマン（オーストリア人であるヴェーベルンはほんとういうとラテン半分ゲルマン半分だが）、北国的＝現世否定で抽象的、となるが、これはもう、ちょっと駄洒落に近い）その責任もあって、私は聴き続けた訳だ。

今回の展観テーマは「ゲーテの目」で、絵画と彫刻に共通する、作家が世界をとらえる目（絵画の目、彫刻の目、と言い替えても良いが）の運動感、力動性、それを「舞踊」的という観点から見てみよう、感じてみよう、という試論でもあった。まあそれをしもシュタイナー的にいえば、ティンクトゥーラとして、大気そのものを渦巻いて、世界生成の粒子ともなっている「エーテル体」の運動、ということになるだろうか。言うまでもなく、そこには西洋文化の根底に息づく、古典的構成力、つまりアポロ的なものに対する、破壊的

な生の身体の揺らぎ、つまりディオニソス的な舞踊神のことを想定している。[註3]

オープニングの三日前、さらに私は偶然なことに、どうしても聴きたくて聴き逃した（今回の冊での二人展の展示で行けなかったので、もうそのことすら忘れていた）NHK交響楽団定期演奏会で演奏されたメシアン「トゥーランガリラ交響曲」の実況放送を自宅で聴く僥倖に恵まれた。指揮はパーヴォ・ヤルヴィであった。何と「トゥーランガリラ」だ！　そうか、今日だったんだよなあ、演奏会。忘れていたものだが、偶然スイッチをつけたFM放送から流れだした音の渦《うず》、炸裂《さくれつ》に自分でも吃驚した。関根と長谷川のぶつかり合い、溶け合い、ハレーションを身体に吸い取ったその夜のことだ。

じつはこの曲を聴くことを、私は昨年一年の心の支えにして来たのであった。

東京と大分を往復しながら狂ったような日日を過ごし、かつ火事騒動で一時避難中自宅再建中だった二〇一八年、何故だかこの音の歓喜、色の音響的ポリフォニーのまさしく乱舞する、インド・タントラ的なる性至上主義（メシアンにとっては、それは人間臭いものじゃなくて、むしろ星星の性交、宇宙的エロスをいうのだろうが）、異色の楽曲に入れあげていたのであった。[註4]

自作のエロティックな箱の作品を「トゥーランガリラ」にオマージュして幾つもつくっては東京の仮住まいのアパートに持ち帰って、妻に呆れられた。あの、蹉跌《さてつ》の日日が懐かしい。

その実況放送の解説をやっていたのが、メシアンに師事した作曲家、権代敦彦でその鋭い解説にも驚いた。実況後に放送された例の、戦時のドイツ収容所で作曲され演奏された「世の終わりのための四重奏」が「線的時間の楽曲」であるのに、「トゥーランガリラ」を「循環的時間の楽曲」とし、「さまざまな楽想のコラージュ的作品」と指摘した。「電子楽器オンド・マルトノの存在理由がやっと分かった」とか「ピアノが、音楽の行く先を見据えていて、全体を引っ張っているようだった」とか、作曲家らしいコメントにも唸らされた。その後に私が聴いているのは、パリ聖トリニテ（三位一体）教会オルガニストを生涯勤めたメシアンのオルガン曲だ。そこには、メシアンの「霊感の即興性」の謎が込められていると、思うからだ。[註5]

「星の血の歓喜―狂乱的な長い歓喜の踊りである。この曲のゆきすぎを理解するためには、ほんとうの恋人たちの結合は、彼らにとっては、宇宙的な規模による変容であるということを銘記すべきである。アンドレ・ブルトンは愛する者に自然のあらゆる元素を再発見している―『地・水・火・風（空気）の眼を持つ私の恋人』」（メシアンのプログラム・ノート、三浦淳史訳）[註6]

メシアン本人も言っているように、「トゥーランガリラ」は愛の物語であり、それは、ワグナーの「トリスタンとイゾルデ」に依っている。

前にも書いたが、私は関根の絵画の本質を「愛、その抽象性」にみて、それを「トリスタンとイゾルデ」の「愛の死」に準えて書いたことがある。

乱舞する色があるのだが、それは直接的には見えない。見る事は、禁忌されるか、ある決定的な障害が色と私どもの間にあって、結句不可能なのだ。だから、迂回してというか、変換されたかたちの、音でしか聴けない。世界は、裏側からしか見えないのだ。

跳梁跋扈する線もあるが、それもまた同断であって、関根の絵画は、音としてしか理解されない。それが前のエッセイで言った「沈黙」ということであった。

関根は今回、はっきりと画面を分割して異なる色のガッシュで上塗りし、さらに筆のストロークそのものの輝かせ、引っ掻きの鉛筆や鉛筆に重ねた顔料の線描に交差させて来た。というか、交錯の多重性は近来彼女のお家芸になって来ている。線は、さらに生きもののように、即興的な音になってきた。コラージュ行為は、そこで時間の循環に向かう、そういう関根の時間軸の揺れや運動を思わせて見飽きない。見えないけれど、見飽きないもの。そういうものを、私は初めて目にしたような気がするのであった。

匂いを聴く、それは、匂いは嗅ぐ事は禁じられているからだ

二人展だから、どうしてもこういう対比的な言い方になるのは致し方ない。

だからといって、私はこの二人の作家に、単純な二項対立をみているのでは実はない。むしろ、私にとって彼らは重なり合ってみえる。しかも、関根が前面に立って、その影のように、後ろ斜め向こうに長谷川が重なっていることもあれば、その逆もまたある。一人が動くと、一人は佇む。補完するようで、動きは独自に、ばらついて配置される。つねに転位する位相を、この二人の作品は、個々に、また連関的に不可思議に孕んでいる。それがまた、無限の感興を誘う。

長谷川の石彫に私が感じるのは、端的に匂いであるが、それもまた、作品の香気とかいう比喩的なものではなく、作品じたいが向かう先に、実際の官能的身体的な匂いが、待っているという私個人の微かな予兆、あるいは予感のようなものそのものであって、それもまた、「禁忌」され「抑止」されているからこそ、「封じ込められている」からこそ、別の変換、つまり作品が奏でる音からしか、やって来ない、感じ取れない

何ものかなのだ。

だからかどうか知らないが、大分に週の半分を過ごすために毎週往復通勤することを辞めて、アクロバットから解放されてスッキリ清清した私は、春から急に思い立って、現代音楽、しかも、そのなかでも珠玉のように凝縮されたウィーン学派の雄、アントン・ヴェーベルンを聴き始めた。

全作曲作品が三十あまりで、そのいずれもが長い大曲がなく、ブーレーズら指揮のCD全集にしてたった三枚、というコンパクトさもあるかも知れない。それに元もと、コーネルばりのアッサンブラージュ「箱」作品を長くつくっていたせいもあって、ミニアチュールや庭的世界模型嗜好は、否めない。だからといってあまり雑には言えないが、今回冊で頼んだのも、長谷川作品は、割り合いと、小さな作品に「ある種の、雰囲気や気配の振動性」が顕著であるように感じられたのも事実ではある。

振動は、ある仄《かす》かな匂いをその向こうに秘めている。

割り合い長く親しんで来た関根とはまた違って、長谷川作品の分かり難さ（私は基本的に分かる分からないでモノを判別しない質だが）面白さは、やはり、ある種の、位相の変換性、置換性であって、単純なユーモアにも収まり切らないものだった。それも偶然だが、示唆してくれたのは、ヴェーベルンだ。

ヴェーベルンは、香りや匂いの絶対信奉者であって、その音楽的置換、変換実現を自作の目的そのものとして追い求めていたようだ。

「［…］花々の香りは、神秘的だ。私には最も偉大な魔術に思える。そこに謎めいた意味が感じられるのだ。生涯にわたって、そこに感じたものを音楽へと還元して行くことを私は探求し続けてきたのだ――」（岡部

真一郎訳）[註7]

慶応義塾の同級、畏友で音楽学者、ヴェーベルン研究の第一人者岡部真一郎によると、ヴェーベルンはアメリカにいる友人ピアニストに、高山植物のハーブを送ったことがあるという。[註8]

作品二十六、「混成合唱とオーケストラための『目の光』」を聴く。

長谷川は今回、私には初めてのガラスを、石彫との複合で出してきた。ガラスだけのものもあった。そのガラスの要素が私には、それまで気づかなかった石彫の「見えない匂い」のようなものを私に暗示した。

夏の蝶の、聞こえるようで聞こえない羽ばたき……。

それは彼らが羽ばたくのが私に見えるから聞こえるように感じられているだけなのだろうか？あるいは、ほんとうにその身体から、あのささやかな身体いっぱいを使ってたった二三日で死に果てるまで生きる、その絞りだされるほどの生死の境の羽音を、私は、波動としてこの身体に実際に受け取っているのか？

ガラスを使ったきっかけは彼女がトークで話したかも知れないが、聞き漏らした。

私はコラージュ的営為が、作品創作の根っこにあらゆる作家にとってある、と考えている。だがそれを、無意識の海に解き放たれた、無垢なる奔放だとは、思ってはいない。それはむしろ、世界の裏側に置かれた、そうやって置き去りにされた何ものかを探って向こう側へと潜りゆき、また、こちら側へと無謀にも持って戻って来る、摩訶不思議で、かつもっとも危険な生命の試練、旅なのだと思われるのだ。

死の匂い、そういうものがいったい、あるのだろうか？

それはセイレーン、水の精の呼び声なのか。

そういうことを考えながら、長谷川さちの鎚音、その嗅ぐことの決して出来ない「匂い」、そういうものを見ている、あるいは聴いている私がいるような気がどうしてもするのである。

最後に、蛇足のように「香り」について

二十世紀ばかりか、西洋音楽の全歴史を照射するような鋭い結節点であったと思われる、ウィーン学派のアントン・ヴェーベルンについては、今日もまったく彼が理解されているようには私には思えない。前にさまざま借りて引用したように、畏友岡部真一郎の業績をもってしてもであろうか。それは多くの歴史家が言っていることだが、私は彼を二つの意味で、今後も自分にとって最重要な創造家であるだろうと感じる理由がある。一つは、その師かの十二音技法の開拓者、シェーンベルクの弟子であったから、その二人の関係の複雑さ。もう一つは、彼の音楽が、香りを志向しているからである。ならば、それを私がやるしかない、と最近とみに思うことである。何故なら、彼の音楽が如何に難解でも、その異常な圧縮力と、その凝集された苦しさや、悲しさ、喜びなどの、あらゆる人間の感情を超えて、宇宙に飛び出る気配は、何ものにも替え難いと感じるからだ。私はご承知のように、直情径行的な感情主体の人間で、過剰にロマン主義に傾くことがあるが、それだからこそ、そういういっさいを透明にしてくれる彼の音楽が好きだ。

だから今短絡的に言うと、私にとってモダニズムの作家たちが彼らにとっての自然をどう造形したかが究極の興味であるといっても、ヴェーベルンの場合はやはりその特殊解であろうと言わざるを得ない。何故なら、彼の音楽の現れの中には、彼が生身の人間として感じたあらゆる自然は、予め追い出されている。

追放されているからだ。「構造」のみが、骨組みのように屹立している。ある意味では、メタフィジカル、形而上的な自然、つまり圧縮され変形されたミニアチュール、世界模型としての自然であろうか。

ヴェーベルンの音楽は、彼の肉体から追いやられた自然、そしてその後に残った、残骸?祖型?としての自然が、微かに漂っているだけだ、というのが私の実感だ。自然の抽象化、というと話しは簡単に過ぎる。だが、それでは自然を解釈する記号なのか、といい、またそこに自然が無いかというと、それらもまた嘘になる。記号で表現出来るのなら、私どもは手や身体を使って造形する必要は無い。しかも、自然、それは有る、あるのである。

それが、彼と私どもを唯一つなぐ、狭い、ごく狭い回路としての香りである。

自然界の香りというと、私には三つのものが思い出される。秋始めの一瞬、夕暮れの街角に漂う、金木犀。桜の前に咲き誇る、あのハクモンクレンの、甘い、林檎のような風。そして、夏の灼熱に灼けて枯れ落ちる、桜の病葉であった。だが、香りは本当はそういうものでは無い。わかり易く説明すると、文学史上あまりにも有名になったあの、プルーストによる「心象の間歇《かんけつ》性」を思い出したら良いだろうか。マドレーヌ菓子を紅茶に浸すことで、幼い時代の空間に戻れる、ということ。つまり香りは、線的でなく螺旋的に私たちの肉体の中に時間とともに巣食っている。そういうと私が言わんとしていることと、さほど遠くは無いだろう。

だから、ヴェーベルンがシェーンベルクの十二音を引き継いだといっても、それは香りと同様、リネアで線的な継承ではない。それは無限の循環であって、音を彫るとは、それらの軌道を、惑星の軌道として調整する、預言的営為に他ならない。だから、最後にまた私は長谷川さちの石彫についてもまた、その香りと自然観そのものを、螺旋形をしている預言であろうか（視覚的にではなく、世界を受け取る思考、嗜好、志向のプロセスとしてである）と言い切って、この如何にも中途半端な断片を終わろうと思っている。

［註］

1　ノグチ彫刻の本質を「生の揺らぎ」と言ったのは詩人で彫刻家の飯田善國さん。

2　「精霊の来訪」は、ドイツロマン派のノヴァーリスだったか、誰かの有名な言葉だったろうが、失念した。

3　ルドルフ・シュタイナーとその思想、ティンクトゥーラ、エーテル体などの知見、ディオニソスについても、すべて泰斗、高橋巖先生からの借りもの。

4　私の愛聴版は、小沢征爾指揮トロント交響楽団による一九六九年録音のリマスタリング版（Sony Music Japan International, 2010）であって、そのライナー・ノートに、メシアン自身によるプログラム・ノートがあって、「Turangalila は、サンスクリット語で、「リラ」が遊び、「トゥーランガ」は時であって、宇宙に対する神聖な行為という意味における遊びであり、つまり創造の遊び、破壊と再建の遊び、生と死の遊びである。愛の歌を意味すると同時に、歓び・時・運動・リズム・生と死への讃歌でもある）」（三浦淳史訳、煩雑なのでそのままの引用でなく、分かり易いように、筆者が勝手にコラージュした）とあり、このあたりの文章や、権代敦彦の指摘から、借りてまとめた。

5　「霊感の即興性」というのも、権代の話しの受け売りで、メシアンが聖トリニテ教会のオルガニストとして、とりわけ「トゥーランガリラ」と同じ五十年代、ミサ中の聖体拝領時の伴奏演奏なども、その番組で聴かされて、圧倒されたものだった。

6　同註4。

7　ヴェーベルンについてや、その音楽の特性特徴も、すべて本文中の岡部真一郎『ヴェーベルン　西洋音楽史のプリズム』(春秋社、二〇〇四)から、学んで借りたもの。

8　同註7。愛聴は、"Pierre Boulez Conducts Anton Webern Complete Works Op.1–Op.31" (SONY Classical Masters, 2013)

＊本稿は、千鳥ケ淵のギャラリー冊での「『ゲーテの目』I　舞踊する眼差し　関根直子 vs 長谷川さち」(二〇一九年六月二十二日—七月二十日)に際して書いたものを元に修正・加筆したもの。その口上には、以下のように書いた。

新しい文化共同体「アート・ビオトープ那須」の、東京における拠点であるギャラリー冊では、二〇一八秋の「ゲーテの手」に続いて、気鋭の作家二人を紹介する。ギャラリー冊は北山ひとみが長く、ガラス作品を中心に現代工芸を展開して来たが、今回は、鉛筆画で深い新境地をみせ、高い評価を受けている関根直子と、石彫からガラス素材へ展開しつつある、新鋭長谷川さちの、「合わせ技」。

「目は手よりも物を云い……。」と冗談半分にいう訳ではないが、かの『ファウスト』によれば、「日常を静謐に凝視する」聖者ファウスト博士がおり、また「魔王のごとく、天空を飛んで、俗世を嘲笑する」悪魔メフィストフェレスが、いる。それは、単に、視覚を鳥瞰と接視に二分してのことではない。

南画を思わせる恬淡で精緻な鉛筆画から出発した関根は、ラスコー洞窟画やロスコ・チャペルの深い体験を昇華して、まさに「イメージ」を超えて、実在の像からのメタフィジカルな「眼差しとしての遠さ」を描こうと苦闘し、瞠目すべき境地を出現させつつある。

また長谷川は、日常目にする、あるいは自らの肉体が思い描いた幻の「家具」を彫ることから、やがて「目の速度」

やら「目の運動」が、日日の修道僧的鍛錬のなかで、グングンと彫れるようになって来た新鋭だ。
　この二人、おそらくは、今後の日本現代美術を背負うことになるだろう二人の、「目の舞踊」の顕現《エピファニー》をご覧いただきたい。

樋口健彦のところで紹介した、アートビオトープ那須における「スイートヴィラ客室のための、十五の棚　ゲーテの目、あるいは舞踊する庭」（二〇二〇年七月一日―二〇二一年一月十五日）に、冊での展観の「裏を返す」かたちで、関根＝長谷川の部屋をつくった。傾斜の下のせせらぎが心地良いその部屋に私も泊まって、至福の時を過ごした。彼女たちを泊めてやれなかったのが、心残りだ。そこにこう書いている。

　棚は、それぞれ二作家の作品の組み合わせ「合わせ技」から成り、テーマに沿って、表のギリシャ舞踊神「ディオニソス」と、裏のローマ舞踊神「バッカス」の二対の組み合わせが、別々の二部屋に配置されている。それらは互いに補完し合うが、一度に両方が見られることはない。全十五作家による、十五の棚。

その三（十一号室）
「音と香り――共感覚の向こう側」（ディオニソス、影）関根直子（平面、鉛筆）vs 長谷川さち（彫刻）

その四（十四号室）
「音と香り――共感覚の向こう側」（バッカス、影の裏側）長谷川さち（彫刻）vs 関根直子（平面、鉛筆）

　ラスコー洞窟画や、抽象表現の巨匠マーク・ロスコに触発され、ますます空間の重層や深化をみせる関根直子の鉛筆画の平面と、生活空間に感じられる「気配や香り」を恬淡と石に刻んできた異色の石彫家長谷川さち、気鋭の出会い。
　関根の、自然そのものが縦横に飛翔し呼吸するような軽快なコラージュは、走り去る時の音を聴かせ、長谷川の石の鑿音から薫るような、高い香気の交わりを感じてもらいたい、「音を嗅ぐ」共感覚的な趣向。

2-11

覚醒、または肉体の放棄

――古石紫織のドビュッシー青、そして「左手」

ドビュッシーは、嫌いか

はじめて見た古石紫織の絵画の、とりわけ青の洗練に、私は個人的にとうていついて行けなかったのだろうと思う。それは何故だろうか。理由は簡単だ。

私は謂わば旧態依然とした古典的な芸術史上主義・ロマン主義者であって、今日の二十一世紀的感受性にはトンとついて行っていない昭和の遺物である。だがそれが、古石のユニークな感受性から私を遠ざけたわけではないだろう。そういう意味でなら古石の絵画もまた、古典的で古臭い。その青の色を別にすれば、彼女の絵画はじゅうぶんに古典的であって、なおかつ、古臭いばかりではなく飽くまでも一見だが、定型的な凡庸にも映る。

だがその中に深く潜んだ、ある種の戦闘性に私が気づくのが遅かったと言わざるを得ない。

それは「これは目の絵画ではない」、むしろ「目」の拒絶から出発したものではないか?という発見、瞠目、覚醒であったようだ。

そういう謂わば貪純な私がいただけのこと。それは都会的な洗練に対してだ。都会的な洗練が私の中にない？ そんな馬鹿なことはあり得ない。私の中にもそれはあったはずなのだ。だから話しは複雑になってくる。この一見煌《きら》びやかに見える「装飾的=それが日本画の使命だから」な絵画は、実は、その肉体=装飾性を、拒絶したところから出発したものではないか?と私は気づいたのであった。

乱暴にいうならば彼女の絵画的性格と、私の持っているそれとは全く偶然にも同根であったもののような気さえする。それを考えるのがこの小論になるだろう。それはもっと短絡すると、ある種の高度に洗練された感覚はあるものの、器用貧乏的にその使い方に困っていたというと、言いたいこととはさほど離れてはいない気がする。だから、彼女は何かを捨てるしか無かったのだ。

余談だが、私が何故大学でフランス文学を専攻したか、その本当の根は自分でも分からないところだが、実はその理由は意外に簡単のようだ。けだし誰かが言っていたが、太宰にしろ倉橋由美子にしろ、日本近代でフランス文学を大学の専攻で選ぶのは、田舎者と決まっていたからだ。田舎=土着の者は、そうでない対極の洗練、そういう都会的結晶のような、文化の上澄みのようなものに憧れる。だがしかし、一方ではそ

古石紫織《夏待ち》2023年

の内実は如何だろうか。

たしか同じ広島県のどこかの島の出身、倉橋には申し訳ないが、私は東部の港町、尾道出身なので海を見て育ったが、生まれてこの方田んぼや畑を長く見た覚えはない。小さな、歴史の古い文化都市であって、大学に入って義塾慶応仏文の猛者たちに揉まれて育って、それこそ港区の外に小学校以来出たこと無いとか、浅草柳橋の三代続く生粋下町っ子とかいろいろご家族にお世話にもなり薫陶も受けたのだが、彼らに対しても、私は田舎者という引け目をいささかも感じたことは無い。シティー・ボーイどころじゃなく、前世はパリジャンだったぐらいの気持ちは、正直今でもある。

本題だが若年の作家、古石紫織の仕事に、私はかなり都会的なセンスと洗練と「粋《いき》」を感じていて、こういう個性がどういう伸び方をするのか、たいへん楽しみにしている。まあそれも本当はどうでもいいことながら、余り私生活や個人史もよく知らない彼女はたしか関西、奈良かどこかの出だと聞いたことはある。私が西の出だからという訳でもないが、関西の女性とは昔から妙に気が合うところがある。それはここでは詳述しないし出来ない。直情径行型の人が多く、雑種の典型である似非東京人の、嘘くさい気取りが無い。皆気風《きっぷ》が良いのだ。

ここのところ私のテーマはモダンな洗練と、それでもその作家の肉体が感じとった自然とか土着の風土の風合いとの関連だ。つまりその風土から滲《し》みだして来るような匂いを作品に感じとること。そういう作業に集中し熱中している。

恥ずかしいことに私がドビュッシーの音楽に親炙《しんしゃ》するようになったのはごく最近だが、今でもその晦渋《かいじゅう》の本当の意味を理解しているとは言い難い。ある種の過激なパッセージに、凄いなあと感心はするものの、いぜん、全体の印象でいうと曖昧模糊とした、旋律がハッキリ見えない内に、見えがくれするヴェールのような、ヴェルヴェットの風合いが苦手なのだ。彼が実は生粋の都会っ子パリ郊外の旧都出身であって、そういう、貴族階級だか古い土着の商人階級だかに染みついた民族の遠い残響、昏《くら》い情熱を秘めていることは、最近まで気づかなかった。だがそれを知ってそういう気持ちでドビュッシーを聴いたら、やはりそれは彼が憧れた「海」だけじゃなく、ピアノ曲すべてが、ある種の抑制の効いた過激な激情を秘めた、そうしてかなり鬱屈《うっくつ》した音楽の感情だということがわかってくる[註1]。

音色ということが、たぶん、ドビュッシーが私に教えたことだろうし、それを迂闊《うかつ》にもクラシックを漫然と聴き続けていたので、最近まで気がつかなかった。それを改めて意識させてくれたのも、古石の果敢な音色、色音と言ったらいいのか、そういう試みの中の青であったことも事実であった。そして繰り返しになるが、彼女は、一般的なように、色を表面上にああだこうだと弄《もてあそ》ばず、そういう煌《きら》びやかな夜の海の、匂いとも音ともいえない、彼方からの精霊の来訪のようなものを待ち続けている。禁欲的というのともちがうが、そういうスッキリした恬淡《てんたん》さが、古石の身上だろう。

海の色は、青ではない

おそらくは、海を見て育ってはいないドビュッシーが、長く海に憧れて、たしか本当に船乗りになりたかったそうだが、そうやって「海」の曲想をあたためていったのは、分かる。そして、なんだか牽強付会《けんきょうふかい》なようだが、古石の青がまた、これは海の青でないのも自明なようだが、似ているというと似ている。彼女に聞いたことは無いが、海を見て育ってはいないはずだ。それは彼女がこだわる青を見たら分かる。海を見て育ったら、それは青ではないはずだから。

古石の青は、一般的に言うと、庭や自然の草木の青だ。だが、それも一般的に過ぎる。どう言ったらいいのか、それは物質の色ではなくそれを見る彼女の目の色なのだ。もっというと、モノを見る目の作用を色にしたもの、と言ったらいいだろうか。何故なら、青は色としての青を主張し過ぎるほどの、色そのものだからだ。

十九世紀末にその固有色「青」が流行ったのは、さまざまな文化史本に詳しい。謂わば、まさしくロマン派以来の代表的な、象徴色が青だ。象徴派の固有色でもあった。だが、ここでもそれに深入りはしないでおきたい。またまた個人的な話しだが、私のように海を見て育ったら、その海の色は本当は黒だ。黒というのは、動きの動態そのもの、つまりとらえられないものの、

もうすでに色ではなく、その物質の動きと実在を含み込んだ、その全体の有様なのだから。

だがまた私は強引にも、古石紫織は、青を追い続けている、と感じる。それはこの場合、もはや色では無いだろう。絵を、彼女の絵を成り立たせる、唯一無二の要素、動的動態、その舞踊というか絵筆というか、そういう起源のあり方、そのものではないのだろうか。

では何故、彼女は青を使うのだろうか。

その答えはまたしても簡単だ。何故なら青が、そういう絵画を問う、絵画とは何かを彼女自身に問いかける色として、最適、というより唯一無二だからじゃないのか。だから、それは色であることを超えて、彼女自身の肉体の原型色、つまり、絵筆や紙と同じものなのだ。

だが、ここで敢えて私の直感を素直に言おう。

青とは色で無いもの、つまり彼女の肉体そのものを拒絶し、排除する、ある種の透明な何ものかになって働いているのではないだろうか、という疑問のことだ。ゲーテがその反ニュート

古石紫織《湖畔の休息》2023年

ン的色彩論で言っているように、青は元来、闇の色だ。つまり黒と同根なのだ。[註2]まあ性急に結論を急がず、もっとドビュッシー「海」と、古石の絵画の実相に私はゆっくりと、触れていたい。

筆触の激情、目の覚醒

古石の筆触には、私は彼女の用意周到な、そして、どんなに用意周到でもさらに気が済まない、そういうある種偏執的な逡巡《しゅんじゅん》やこだわりを感じる。それは実は造形家にとっては、必ずしも有効に働く要素だけでは無い。造形とはナマモノであって、高温度の飴玉細工であるガラス造形じゃないが、そういう一瞬の勘所を逃すと、その女神はどこかに消えて行ってしまうからそれを逃さない俊敏さも要請される。極めて理知的な古石は、その危うい狭間を綱渡りしようとする。そういう青をめぐる逡巡が彼女の、一見明るい青に隠されてある。

ドビュッシーの「海」に、蠢《うごめ》き、氾濫《はんらん》する感情は、そうしたものに近い。音に耽溺する作曲家と、それを醒めた耳で聞き逃すまいと集中する聴衆が、ドビュッシーの中にピッタリと重ね合わさって共存しているのが、「海」の眩暈《めまい》だろう。それをしも、北斎の富嶽三十六景の「神奈川沖裏図」にドビュッシーが打たれそれを音楽にした、そして現代日本画の一洗練の形としての古石の絵画があって、それが重ね合わさって私には見える、という駄洒落のような話しでもまた無い。

ドビュッシーを『フランス的な音楽家』からはおよそ遠い存在」と言ったのはブーレーズだが、また彼は「海」の革新性を、「この曲の三つの楽章をみれば、音の量塊性や、個々の楽器の特性を、実に巧みに、熟練の手際で処理していることがわかる。この手法は、楽器の音響的な相互関係に対する、ドビュッシーの限りなく柔軟な思考の跡をとどめていて、ベルリオーズやワグナーのオーケストレーションを超えた、音響が構築する非常に個性的な様式のはじまりを告げる作品であり、色彩的にも、変化の点からみても、この技法は、全く新しいものだった。」と指摘した。[註3]

私にとって、実はこの分かり難い「海」を、さらに混乱させ、錯乱させた作品が、ドビュッシーの弟子、ラヴェルのあの「左手のためのピアノ協奏曲」だ。ラヴェルは知られているように、カタルーニャ人であり、その出自を生涯大事にした。その、ある種辺境からやって来た異人の音楽は、やがてそのサラセン風、そしてジャズ風の狂乱と狂騒の混ぜ合わせをもってして、二十世紀きっての「フランス的」音楽の粋、と褒め称えられるような地位に登りつめた。[註4]

「左手」は、一楽章形式の短い曲で、一次大戦で右手を失った、ウィーンのピアニスト、かの論理哲学の異端哲学者を弟にもつ、ユダヤ財閥で名門の出、パウル・ヴィトゲンシュタインの為に作曲された。「演奏困難」という理由で、ヴィトゲンシュタインには文句を言われたらしい。[註5]

このデモニッシュな、世界を呪い殺すような殺気に満ちた曲が、私は大好きだ。「海」よりも好きだろう。何しろ好きな打楽器のピアノ曲だ。

無くなった左手を、呪詛によって呼び返すような凄《すご》みに満ちている。それは単に戦争の悲惨を訴える平和の讃歌などという簡単なものでもない。それこそが、自然、その失われた肉体の片方の叫びだ。その悪魔のような雄叫びが跳梁跋扈《ちょうりょうばっこ》する。そしてやがて、夜の平安や慰謝《いしゃ》が、あのラヴェル特有の多彩なオーケストレーションをともなってやって来る。

ドイツロマン派の異端画家、オットー・ルンゲは、私が畏敬する唯一無二の画家だが、彼は「夜の日没は、世界の闇への後退、消滅である」と言った。つまり、青を捨て去った後の、青のさらなる出現であろうか。それは青という固有色の宿命、失われたものの贖罪、贖《あがな》いの色の正体を明かすことのもなるだろう。[註6]

私は実は、これも海の音楽だと、聴いている。それも、だからある種の肉体の放棄にも、また聴こえる。放棄というより、失われたものへの郷愁か。

古石の庭の青には、そういう殺気や凄惨はいささかも感じられない。

だが、彼女が「見る」快楽を放棄してまで、青にこだわった事実を思いやる時、私にはどうしても、ラヴェルの「左手」が、そしてその、はるか向こうに、ドビュッシーの「海」が古石の青の向こうに、遠く混じり合って響いているのを感じざるを得ないのも、また偽りの無い感慨なのであった。

青を携《たずさ》えて困難な旅を歩む古石紫織の「青の音」に、私は今後もずっと耳傾けていたいと、心から願っている。

［註］

1　普段聴いているのは、ＮＨＫのＦＭ放送で、奥田佳道さんの「音楽の泉」や、満津岡信育さん「名演奏ライブラリー」や、貞平麻衣子・吉田愛梨「クラシックカフェ」などで、本書で作曲家について言っているのは、だいたいがそういう放送の解説耳学問的の受け売りである。ドビュッシーも、ラヴェルもそうだ。「現代の音楽」はかつての西村朗、今は畏敬する白石美雪さんから学んで借りている。

2　ゲーテについては、ゲーテ『色彩論』（木村直司訳、ちくま学芸文庫、二〇〇一）やその訳者解説によった。

3　愛聴版である、"Boulez Conducts Debussy" (Sony Classical, 2012/1969) における、ピエール・ブーレーズによる「指揮者によるノート」、「交響詩《海》」［解説］（ともに栗田亮訳）からも借りた。

4　同註1。

5　同註1。

6　"Philipp Otto Runge, Caspar David Friedrich: The Passage of Time" 展図録（アムステルダム、ゴッホ美術館、一九九六）の主筆、ハンナ・ホールによった。

ピアノ曲の愛聴版は、"Arturo Benedetti Michelangeli: Debussy Préludes Images Children's Corner" (Deutsche Grammophon, 2020/1971, 78, 88)

2-12

風景の故郷喪失《ディアスポラ》

——内田亜里、あるいは写真の始原への問い

写真とは、「見る」ことである

ついこのあいだの晴れた師走の土曜の午後、私は学生たちと内田亜里が主催した写真ワークショップに参加するため、千鳥ヶ淵のギャラリー冊を訪れた。冬の陽光のなかを千鳥ヶ淵のまわりに出て、土手にしげる桜並木やら戦没者墓苑の緑やら、堀の水辺をアイフォンで撮影して、それを皆で映写して見てみよう、という趣向である。

ちょうどギャラリーでは、内田の写真展「風景のディアスポラを撮る——済州島、壱岐・対馬、そして長崎、内田亜里」が開催中であった。[註1] まず、出品中の内田の写真を参加者に見てもらったわけだが、それら西海の離島を参加者も、学生も見知っているわけではない。学生たちは、自前の地図を用意した。雁皮《がんぴ》紙《し》に焼き込んだ、モノクローム写真の、独特の質感に皆はまず、惹《ひ》かれる。ある種の光沢があって、吸い

つくように、てかりが手肌をはねつける、しっかりした紙だ。内田はサンプル断片を用意して皆に触らせた。コウゾ、ミツマタと並んで、古来より絵や書の支持体になってきた、世界でもその抜群の保存性を誇る、堅牢な日本の和紙である。

おそらくは写真についての基礎的知識を持たないだろう参加者に、内田は専門的な話し方でなく、何らかの本質的な体験、を伝えようとする。それはまた無理にそう仕向けるのではない、内田独特の、柔らかな自然体においてであった。

「みな写真を好きで、いろいろ撮るんですけど、案外、撮った写真をその後でじっくり見たりすることが少ないんですよね」。「今日は、そういう意味で、皆さんの撮ったものを見るのが楽しみ」。

その言葉どおり、温かいお茶を飲みながらの鑑賞会?は、それぞれ本人の気の入った喋りもあって、和気藹々《あいあい》に進む。その都度、内田は撮されたもの、写真を隈なく自在に見ながら、楽しんで「面白いですね」、「こんな場所があったんですね」、「私もこれは気になりました」、「これはなかなか撮れない」などと、お世辞ではない自在なコメントをする。最後は、自分の撮ったものも映して、やや構図に固まった嫌いがあるのを、照れ臭そうにコメントした。

写真は、等価なもの。それは、目そのものだから。いや、どうやって自分の目にするか、自分の目とはいったい何か。難しくいうと、そういうすべての疑問やそれを問うプロセスそのものが、写真という行為、制作、表現である、と自らの肉体で知っている者だけが発せられる、豊かな気配がそこにあった。それは私にとっては、ある種の慰謝《いしゃ》、真の優しさに対する安心感でもあった。

内田の言葉の一つひとつは、彼女の人間的柔らかさ、そして写真への姿勢そのものであった。

誰かの眼差しが突出しているわけではなく、それぞれが目であり、その肉眼で見たものは皆、同じようでちがう、またちがうようで似ている、という表現において当たり前の真実、そしてまた、見るという機能を他者であるカメラに託した写真、その他者が撮った写真をまた再び自らの肉体に受け入れる、二重の認識的、理性─感受性の往還、を宿命づけられた写真の、深い本質を突いているように私には思われて、驚愕したものであった。

「写真は、そんなに難しいものじゃないです。見て、シャッターを押して、印画紙に焼けばできあがるものですから」。

それは単に謙遜しているわけではなく、内田自身の体験を伝えるまなざしなのだろう。

「光が無いなら、モノは写らないですから、光をしっかり確かめる、というか、光がモノのどこに当たっているか、見てみましょうか」。

これらは、写真を撮る、ということの行為の前に、あるいは写真とは何か、という実在についての内田の体験であって、それは写真とはまず「見る」ことなのだ、という信念以外のものではないだろう。

これは後に、学生たちに内田は、東京造形大においての、高梨豊教室の教えであった、と語ったものであり、私にとっては、そこから輩出した、内田の先輩たちの俊英写真家の一群が、思い浮かんだ。パリにいるオノデラユキや、新宿のフォトグラファーズ・ギャラリーに依っている、笹岡啓子などである。それを写真がド素人の私が、「ネオ原理主義、モノ＝リアリズムの系譜」と下手に名づけても何ともいた仕方が無い事ながら、それでも内田の写真が、それら有力の先輩たちとも、ある種特異なのは自然に感じられたものだ。それは、内田に固有の柔らかさ、写真というものへの問いかけの、本質的な柔軟さ、であるような気が私にはする。

済州島、対馬、長崎

私は長く写真家内田を知っているのだが、若い頃から、一種シュルレアリズム的手法というような感じで、身辺のコンストラクティッド・フォトをやっていた時代から、内田がいっきょに変わったのは、本人の言うように、在日の作家、金石範との出会いだろう。

済州島事件に題材をとった、壮大な人間絵巻『火山島』の巨人的作家と出会い、二人で歩いた済州島の写真と金のポートレイトを載せた『金石範〝火山島〟小説世界を語る！——済州島四・三事件／在日と日本人／政治と文学をめぐる物語』（右文書院）が出たのが、二〇一〇年であった。

済州島を舞台にした四・三事件は、凄惨・陰湿を極める、言語を絶する謎の多い不可解なものであって、私ども日本人のとうてい理解を超える部分が多い。だが、反共を掲げた軍やそれに後押しされた人々に、同じ韓国人であった地元民をふくむ、万単位の人間が無惨・無意味に虐殺された事実がある、その舞台となった土地である。その後、済州島は、一時期の戦後日本の宮崎のように新婚ハネムーナーの旅行するリゾートのようになった時代もあったようだが、また、日本における沖縄の位置づけを思わせるような、「民族的、土俗信仰の原点」のような場所であったことを伝える本なども多い。なぜなら、そこは辺境の離島であり、また、朝鮮にとっての、「南」であったからだ。

沖縄の御嶽《うたき》が、われわれ日本的風土の原形的信仰形態を持ち、イザイホーなどで知られるノロの存在や、聞得大君など女性を原型とする祭祀女王の役割などがあることに、酷似しているようでもある。

現在の韓国人がいったいどう思っているかは判然としないが、朝鮮半島の文化的ルーツの一つにも考えられる、そういう場で、この凄惨な事件は起こり、また世界で唯一（ドイツもだが）政治によって祖国を分断された朝鮮の、負のシンボルのような土地にもなったのであった。金石範もまた、その島から生死をまたいで逃避してきた、在日の人であった。

二〇一五年に新装オープンした、大分県立美術館（OPAM）の立ち上げを館長として指揮していた頃、プレ・オープンに内田を招聘して、大分県内を歩いてもらい、三十枚余りの撮影を依頼したことがあった。

真面目で実直な内田は、約束通り、何回かに分けて県内を隈なく歩き、ユニークな写真群を撮ってくれ、私はそれを新装なったOPAMに自らの手で展示した。

それはすべてモノクロームで、祭りもあれば、山間のダムやら、打ち捨てられた廃墟やら、さまざまであったが、当然のことながら、すべてはある種の「内田流」であった。「凄いね」と私が言うと、「狙ってませんからね」、「なんとなく歩いたり、見たりしていると、風景が向こうから、「撮ってね」と言って来ますから、それを撮るだけ」。

先にも述べた、写真＝見ること＝待つこと、という風景に対する信仰がここにも貫かれていることに、私は瞠目した。正直に告白すれば、それら唯一無二の仕事群がいまだ県立美術館の所蔵になってないのは、キュレーターとしての私の恥でもあり、また大分県文化の恥でもあるのであった。

内田を正真正銘、本物の写真家と私が確信したのは、むろん先の『金石範本』であるが、もう一つは、畏敬していた亡き美術評論家、鷹見明彦が企画した表参道画廊における、内田の写真展であった。そこには、済州島や、長崎、対馬、などの、山間や川場、森などの風景があって、少しパノラマのように幅広く、大きな焼きつけの大作が、とりわけ印象に残ったのであった。

その時思ったのは、月並みだが、「生きて躍動している」写真の印象だった。それはとりも直さず、私の肉体が、内田の目、その出会い拾いあげて来た風景に、感応したことの証左であろうと考えている。

だから今更のように、建築用語である、ゲニウス・ロキ（地霊）を持ち出して、内田の土地招魂の技法を云々するつもりもない。そこが、キリシタン殉教の地、長崎の離島であろうが、元寇以来、どちらにもつけず、恐らくは人間の野蛮な思惑によって通過され、また当然のように踏みにじられ、蹂躙《じゅうりん》された負の歴史を背負った対馬で

内田亜里《葬る山、斎く島》2022年

あれ、内田には、ことさらそういう土地を求める、あざとさは皆無だろう。

内田は、ただ自然体で、写真＝見ること、そのルーツや原点に、ゆっくりと歩み寄って行くのが自分に課せられた仕事＝宿命、であるという一作家の自覚があるだけだろう。

内田にとっては、風景はいまだ手に入れられていないもの、つまり、写真＝見ること、と等価に、ディアスポラ＝故郷喪失、であるだけのことだから。自然体でそれを拾いあげてゆくのが、楽しいのだろう。私はそこにも、内田の真正の写真家としての姿をみる。

写真、というディアスポラ、の起源へ

内田の写真家としての作業や、その姿勢のなかに、民俗学、文化人類学的素養やそのフィールドワークがあることもまた、言うまでもないだろう。

「葬る山、斎く島」という、対馬で撮った作品に内田は、こう書いている。

「対馬は、まだ国境の線引きが曖昧であった頃、マージナルな世界が海を舞台に繰り広げられていたという。その中心地が対馬でもあった。また、朝鮮で作られたかつての地図には、対馬が大きくそして無数の湾が詳細に克明に記されていたことは、いかに両者が親密であり、緊張と弛緩を繰り返しながら交流を続けてきたのかがよくわかる。国境の線引きが明確になるにつれ、そのマージナルな世界は排除されていったが、そのような親密な歴史を経た今の対馬に、多分に日本的なものと朝鮮的なも

のが内包されていると感じている。済州島での経験から対馬へ通うようになったことは私の中で非常に大きな一つの動きとなって、私自身がマージナルな視点を持ち今の対馬の風景を捉えていきたいと考えている。今では目には見えないものとしてある歴史の残像が放つ僅かな光によって、一瞬に立ち上がる風景をネガに感光させ、印画したい。そう願いながら、私は作品を作っている。[註2]」

対象である、こうした風土と歴史のもっている「境界」性への注視はまた、その境界の「両義性」と曖昧さへの興味であることは言を俟たないだろう。だがそれもまた、私にとっては、内田の注視が、「写真」そのものへの洞察、その両義的曖昧さへの厳格な観察と注視に、二重に重なっていることに驚きを隠せない。

　私はまた文化人類学的視点や、そのフィールドワークの延長で写真を撮っている写真家をいく人も見てきたが、それらの写真が写真にはまだ成っていない

内田亜里《葬る山、斎く島》2022年

「資料」の枠組みを出ていないのに対して、内田のそれが当然のように写真と成って、一線を画していることも、また驚きであった。

至極単純なことながら、内田は「写真」（とは何か、という問い）から出発し、「写真」（とは何か、という問い）そのものを、恬淡と果敢に追い続けて来たからであった。

プラチナパラジウムプリントという、原点的な焼きつけ方法にこだわり始めて、雁皮紙に焼き付け、膠《にかわ》などを使い始めたのが、二年ほど前であっただろうか。写真に昏《くら》い私は、普通の印画紙より焼きがややぼやけて、内田特有の躍動感、舞踊感が、薄れてくるのじゃないか、と訝《いぶか》ったけれど、それは見事に杞憂《きゆう》であった。

今となっては、単に表層的な試みではなく、それは起源の技法的手作業に迫ってみようとする、写真の持つ「時間」の問題、＝それも私にとっては、優れて「見ること」の問題に、内田がより深く踏み入ったことではないか、と高く評価している。

内田はそうやって、またも、「写真という他者が見た」風景を、時間の経過、写真の歴史のプロセス、素材、それらの時間もふくめて、もう一度自分で「見よう」、「見たい」と感じ、その肉体の要請に忠実に従っただけであったのだ。再び、私は瞠目したことであった。

今、内田はやはり自然体で、撮って、また「じっくり、見ながら」写真という時間を、味わっているのだろう。

私は、さあ、内田の人物ポートレイトを早く、見てみたいものだと、ひとりごちている。

［註］

1　「内田亜里　風景のディアスポラを撮る――済州島、壱岐・対馬、そして長崎」（二〇二二年十一月十一日―十二月九日）に、私は口上として、こう書いた。

ゲニウス・ロキ（土地の魂）という建築用語は、今も廃れてはいないようだ。私たちは、それぞれの場所や土地で固有の風や匂いを、身体中で感じてそれを持ち帰るから。

新進気鋭の写真作家である内田亜里は、韓国の南端の島、原始的信仰の残る済州島や、朝鮮と日本のどちらでも無いどちらでも有る、不可思議な歴史を生きてきた壱岐や対馬、さらには、各地にキリシタンの殉教地があった長崎の離島を歩いた、そして、撮って来た。

ディアスポラ（故郷喪失）とは、人間だけのことでなく、土地、その生き物そのものの有り様でもあった。また、内田は昨今、日本の雁皮紙に焼きつけをやりながら、写真の起源へと遡《さかのぼ》り、その起源を問いながら仕事している。

「初めにあったものは何か？」「いちばん初めの風景とは何だったのか？」

そうしたなかにこそ、今日の私たちの風景への彷徨が、内田の写真の中で、それぞれの土地と写真の起源に交わるような、スリリングな気がするのである。

そしてそれに続いて、内田は先に引用した文の前に、以下のように語っている。

「葬る山、斎く島」　内田亜里

韓国の済州島での撮影をきっかけに、古代から他国とのさまざまな交流の十字路として存在した長崎県対馬の撮影をここ十二年ほど続けている。対馬は、九州と韓国の間の対馬海峡に位置し、韓国までは四十九・五キロと距離的にとても近い位置にある。島は細長く、周囲の海岸に切り立った崖はまるで人の往来を拒むかのように続いている。

今回の作品タイトル「葬る山、斎く島」は、対馬にある木坂という集落での物語から着想を得た。木坂集落は、海沿いに面したとても小さな集落である。そこには「イヅ山」と呼ばれる神々の世界の象徴である聖地の山と、「ホリ山」と呼ばれる死後の冥土とされる葬られる山、そしてその二つの山に挟まれるかのように人々の生前の現し世が存在している。かつて木坂はこの三分観の世界で構成されていたという。イヅとはイックことであり、神を斎き沈める意で、ホリとは「葬り（はふり）」の意である。イヅ山もホリ山もどちらも勝手には入ってはならない聖地であるのだ。ホリ山は葬地であり、ここに喪家を営む風習もあったという。現在では、人家から一山超えた朝鮮海峡を望む岬に住民たちの墓地が静かに存在している。

　人間が生まれ、生き、救済を求めてイヅ山の神々に願い、死後にホリ山に葬られるという世界がとても小さな集落の中で完璧な物語として存在したことは、私が対馬を長い間撮影し続けていた一つの、そして後押ししてくれた大切な物語となった。

2　出典は、https://www.satsu.jp/aliuchida

2-13

小動物になった惑星
――留守玲とバルトーク

「ミクロコスモス」

作家というのは、やはりその独自な世界観をもっていないと、本物の魅力にはならない。それはしごく当たり前なことにも思えるが、意外にも世に膾炙《かいしゃ》しているとはなかなか言い難いようだ。老婆心か、伝統的なる芸術史上主義者の駄弁か、どちらでもいいが最近とみにそう感じる。感覚的なものや、その場の思いつきで作品空間をつくる仕事が横行している気がして仕方ない。骨がすわっていない。それは、世代や時代のせいでもあるだろうし、還暦を過ぎて現代の社会に責任のある私たちの世代が、次世代や子供たちに、確固とした歴史観を教え与えてこなかった反省もある。

やはり、若い頃からものづくりをやって、それを身近に育っているといっても、本物の作家になる際の境目は、四十代ということになるだろう。だから、私にも、この世代の稀有な才能に出会うのが、自分自身への鼓舞のためにも、最高最大の妙薬ということになる。ここでも肝要は思いつきでモノをつくるのではない、作家の重心の如何、その重量感、世界観の重さだろう。

鉄の作家、たぶん、器やジュエリーもやっているから工芸家、と言ってもまちがいはないだろうが、留守玲に会ったのはそういう工芸ジャンルや付き合いの中であった。亡き工芸評論家、奥野憲一が発見した才能、であった。だが、二十年ほど前の当初、面白い個性だな、とは感じたがまだ叩きのばした薄い鉢や、茶杓のようなスプーン、煌《きら》びやかでユニークではあるがジュエリーなどを見ていたうちは、さほど注目はしていなかったかもしれない。素材や工法に、自分でやるのじゃない領域にはあまり興味をもたない質《たち》で、彼女を鍛金《たんきん》の作家だと間違えて（そういう事もできるわけだが）長く思っていたこともあるくらいだ。

だが、ある時点から、私は彼女が鍛金ではなく、鉄の破片や粒を溶接して造形する、異形のオブジェ作家＝彫刻家、であると気づいて、その注目度は一変した。

そして留守の作家としての成長も、この三十代初めからいっきょに盛りあがり、吹き出し、まさに傑作の森を成し始める時期に重なっていたようだ。重要な受賞なども続いた。それは別にして展観の度に、私は大きな驚き、刺激を受けて興奮し、その全体像を自らの身体に吸いとろうと努めた。

その頃、私が日がな家できいていたのは、ハンガリーの作曲家、二十世紀の前衛音楽の異端として屹立する、バルトーク・ベラのピアノの練習曲集「ミクロコスモス」であった。［註1］

知られているように、この小さな曲の集まったまさにミクロコスモスは、彼自身の自然のスケッチでもあった。

惑星のあり方

私のような素人がその本質を理解しているとは思えないが、バルトークの音楽の特徴、本質は、「脱臼」、「衝突」、「摩擦」、肉体がまわりの空気環境と衝突するときに顕現する、そうした意外性の炸裂である。「ミクロコスモス」に展開する、一見可愛らしい佳品の数々も、微細に眺めれば、すべて、昆虫や植物、小さなすべての自然が宇宙を呼吸し、それを吞み込み、身体に取り込んで変容させて、排出する、そういう驚異の機能の、機械の綿密な仕組みの作動する音、その工場内部の作業音であると言っていい。その見えない部品、一つひとつは、おそらく人間のそれと同じで、円滑に機能しているスムーズな平滑だけではなく、軋《きし》み、歪み、擦れ合って、つねに崩壊の悲鳴すらあげている。それがバルトークという稀有な個性によって、聴きとられた自然の実相であろう。そしてすべてを直裁に虚飾なく受けとろうとするその慈愛は、それらをユーモラスにすら受け容れているようだ。

さらに言うと正確ではないかも知れないが、ここにも、バルトークが民族音楽を渉猟《しょうりょう》して、自らの糧とした、トランシルバニアの山間部の民衆の踊るさまが見受けられる。その小さな小さな音楽構造に、虫と植物の嘆きや悲しみと、乾いた土地を踏みしめて踊る、バルトーク本人の舞踊感の交わるダイナミズムが沸騰しているというのが、私の嘘偽らざる感懐なのである。

それをここで唐突に、惑星の音楽、と呼んでいいだろうか。

それは私どもには、例えば文化の上澄みのようなフランスのドビュッシーやら、そういうヨーロッパ中央的なる結晶のようなものではなく、もっとゴツゴツざわざわした、辺境の手触り、遠い僻地の音楽の土臭さと受け取ってもらってもいいし、異形異体の、物質感を備えている面白さ、と思ってもらってもいい。

その惑星のような、世俗や世間にソッポを向いた無手勝流を、私は、大きく羽ばたく時期の、留守の作品の呼吸にも見たものであった。

非日本的な、惑星劇場

「こりゃあ、化けたな」と思ったのは、すでに中堅作家としての盛名を高めた、菊池寛実賞をもらってのそのお披露目展からだった。けれどまず、館・游彩、という私にとって初めての画廊で、床柱の作品を見たことの衝撃は、ことのほか大きいものだった。

さほど大きいスペースでもないこの複合的な画廊の二階に、ひじょうに上手に茶室がしつらえてあって、その随所には、聚楽壁ではない薄い鉄板や、天井の擦《す》りガラスやらが貼りめぐらされ、独特の工夫がしてあってたいへん感心した。だが圧巻はその床柱が、そのまま留守の大きな作

留守玲《カノペ》2020年、各・個人蔵［撮影：斎城卓］

品であることであった。

杉の一枚板の床そのものに突き刺さり、それは枯れた木の幹のように、伸びて、その朽ちた腹を裂いてみせながら、木の表皮をブッブツ、ごつごつと呼吸し、なぞり?・厚みのある皮を自ら剥ぎ取りながら、大きくささくれて、天井のカマチに噛みついていた。

立っている生木のように見えるようにはつくってあるものの、それはまさしく留守がやっている、鉄の粒をさまざまな表情で溶接した、生きて這いまわりよじ登る大きな大蛇そのものであって、まさしく「天に登る竜」にみえた。その床の間ぜんたいを、自らの寝床にして生息する、異星からやってきた大蛇のように感じて、私はしごく感興をそそられて、かつ興奮した。

今でも私は、この惑星＝大蛇＝床柱を、留守の最高傑作の一つと思っている。

施主の意図やら、その環境的しつらいが成功して大いに手助けしているとはいえるが、ここで十全に発揮されているのは、それまで私の感じて来なかった、留守の野生、野獣の吐息のような、異形の「脱臼」、「骨折」、「摩擦」でもあったのだ。だがここに展開するのは、ある不思議で見たことの無い、そう言って良ければ、「世界への冷徹な提案」でもあることに、私はさらなる驚きを隠せなかった。それは、いっぽうで、極めて知的な作業を随伴しているのは、見るものが見たら、一目瞭然であったからだ。

「この木は、ただここに居るのじゃない、異界から来て戸惑い、このもう一つの異世界を驚きながら感じているだけじゃなく、何かをじっと、ただ、ただ、じっと考えている!」そう、私は、自らの身体で理解したのであった。

その大蛇の生息する床の間は、もはや日本をも、ヨーロッパ近代をも思わせはせず、惑星、あえていうならば、どこにも存在しない、世界の果ての伝説の生き物たちが跋扈《ばっこ》する、劇場であったのである。

伝説の生き物の、跋扈する

その前のことであったか、今は移転した国立近代美術館の旧工芸館で、留守の個展、というか、常設の中でのテーマ紹介があって見に行った。夏の盛りで、黒々として、時に蒼く銀光する、それらの生物たちの跋扈は、私には、一展覧会を超えた、大きな動物劇場のようで、楽しさこの上もない至上のものであった。留守の作品が、ほとんど私にとって、色を内側から擦りだし、絞りだすような、惑星の青みを帯びていて、その色の粒子の躍動感を留守が狙っていることも、また自明のような気がした。

本人もよく知っている留守が、詩人であるのは、これも言うまでもないことだが、文学的なタイトルと作品の本質がまた遠い隔たりがあるのもまた、明瞭であると私には思われる。また、個人的な嗜好趣味でいうと、「カノペ」などのような、如何にも小動物や、昆虫然とした、見えない「巣箱」を纏《まと》ったユーモラスな作品群が好きだ。

作品をそういう見た目の系統で分類するのは、さして意味の無いことだが、細い棒状の線、小さな角ばった板状、塊状の（表皮のようなものの）重なり、そして、平滑な曲面の、それぞれの肉体を主題として、それらの無限のヴァリエーションで、留守は仕事をしている。そう考えると、やはり、比喩的な言い方は別にして、留守の仕事は極めて、絵画的な訴えを狙っている彫刻である、とも言えそうである。

今の私には、最大の作品？そして、最大の問題作と思う、大作「アンバー」がひじょうに気にかかる。そこには、森の腐植土か、朽ちた大木か、そうした留守の肉体に、もう一つの、人体＝これも惑星から来たのだろうけれど、が、埋め込まれている。それは埋め込まれたのか、這《は》いだそうとするのか、判然としない。まあ、どちらでもそれはよかろう。

だがそれは、見た目に分かり易い、ということではなく、留守本人の肉体が、自らの彫刻の本質を、「宇宙、あるいは、自然の脱臼」と自覚した、その高らかな宣言であるように、私は感じるからである。それはもしかしたら、留守と宇宙が共鳴した、ある遁走曲《フーガ》であったのかも知れない。

＊　＊　＊

まったくの余談だが、かつて私は、バーゼルの高名な現代音楽アーカイヴである、パウル・ザッハー財団でそこの館長に、

留守玲《アンバー》2019年、個人蔵

バルトーク「ピアノと打楽器、チェレスタ、オーケストラのための協奏曲」の総譜の自筆現版《オリジナル》、をみせてもらったことがある。自らの楽団も持って、当時の名だたる作曲家に新作を委嘱し、演奏した、ザッハーの遺産である。

素人の私に、その総譜の分析が出来るわけではない。ただ、細かい、神経質なその筆致に、ミクロコスモスに通じる、優れた、あるいは異常な自然観察者であり（民俗音楽の渉猟も含めて）博物学者であった、バルトークの息遣いを感じただけだ。そこには、病に至るような過度の神経の緊張と、そうまでして世界をつかみとろうとする、惑星的熱情の暗示があったように感じたのであった。

バルトークは知られるように、亡命した新天地アメリカで失意の中、病で亡くなった。今の私と同じ歳だった。

いつか、留守にバルトークを聴いてみろ、お前に似てるからと言ってみようか、とふと思っている。

［註］

1 愛聴版は、“Takashi Yamazaki: Béla Bartók Mikrokosmos”(fontec)。曲やバルトークについては、中河原理「バルトーク「ミクロコスモス」について」から借りた。好きなピアニストの一人である、廻のCDもよく聴く。「廻由美子（ピアノソロ）／バルトーク!」（LIVENOTES、一九九八）。安原顯、柴田龍一の解説からも借りた。

＊アートビオトープ那須の新規開業に際しての、「スイートヴィラ客室のための、十五の棚　ゲーテの目、あるいは舞踊する庭」（二〇二〇年七月一日―二〇二一年一月十五日）では、私は留守をさかぎしと組ませて、二人に二部屋の「合わせ技」展示を頼んだ。それはそれは、秀逸で忘れ難いものになったが、詳述しない。私は以下のように書いた。

その七（十二号室）

「宇宙霊、成長する庭」（ディオニソス、影）さかぎしよしおう（立体）vs留守玲（鉄溶接）

その八（十六号室）

「宇宙霊、成長する庭」（バッカス、影の裏側）留守玲（鉄溶接）vsさかぎしよしおう（立体）

留守は工芸、さかぎしは現代美術、という領域の違いがありながら、ともに複雑で独特な、鉄の粒を溶かした溶接、磁土の垂らし混みと積層、乾燥、焼成、と、素材の限界に向き合う、実力作家の出会い。「成る」こと、「生まれる」ことへ、直向《ひたむ》きに対峙して評価の高い二人の、「造形」を超えた、見えない「宇宙芸術霊」への信頼を嗅ぎとっていただきたい。

2-14

卵形の供物

——徳丸鏡子を、ストラヴィンスキーからみると

土俗的なるもの

ここ数年、私は専門であるモダニズム造形、それらにおける土着性ということを考え続け、そういうことどもを書いている。簡単にいうと、いくらアヴァンギャルドといっても、空中楼閣やら普遍不朽なものばかりではなくて、それはその作家の肉体、その生まれ育った風土や環境から自由であり得るわけもなく、畢竟《ひっきょう》、そうした土地の空気や自らの肉体、その五感を背負っているものだ、というのが話しの筋だ。

だがじっさいには、私は土着とか、もっと言うならば、土俗といえるような仕事を日本の現代陶芸にみること、感じることはほとんど無かったといっていい。陶器や磁器はいうまでもなく、その土地土地のまさしく足下からの陶土、磁土を掘って使うので、そして釉薬すらもそうであるから、すべてが地面の下から生まれたものなのは当然、だが何故それを土俗とは感じないのか、そのことが長く、不思議でならなかっ

た。如何に理屈で近代人である私どもが、自然から乖離《かいり》した肉体に追いやられ、危うい環境の危機にあるといってもなお、である。徳丸の仕事に出会うまでは、たしかに情けないことに、そうであった。

その時以来、私は、徳丸鏡子の仕事に、ひたすら土俗を求め続け、今もそうなのだが、それを彼女に裏切られたことはいっさい無い。それを何故だろう、と考えてみるのがこの小論の骨子だが、それはまた、彼女の仕事が無骨で、人柄が野獣のように粗野で、洗練とはほど遠いから、という話しでは全くない。むしろ逆だ。敢えて比喩的にいうならば、そこには、太古の民衆であった私ども自身の共同的叫び、「無意識の大きな他者」の呼び声、あの土偶たちのような生な実在があるからだ、といえば、やや私の感じていることに近い気がする。それはもっと、民衆の歌、あの祝祭、古代にはあったと伝えられる、あの歌を踊りながらかけ合う歌垣、の気配のようなものだとも思っている。[註1]

かつて彼女がある会で、「工芸＝ものづくり、は我が日本では、人間の生の営みを言祝《ことほ》ぐ、祝祭の行為だった」と言ったことがあるが、そういう意味合い、においてである。

だからその本人の人間的感じや、空気感をよくよく私も知っている徳丸の仕事を、短絡的に

徳丸鏡子《麗泉島》2019年、個人蔵

表面的に、土着的土俗的と、言うわけにもいかないだろう。下世話にいうと、彼女は地方、田舎辺境の生まれ育ちではなく、下町の、生粋の東京っ子である。言い方次第では、その出自の職人的なる小粋な洗練ををも、身につけている。

だが一般の人にとってやはり徳丸の造形は、一風変わった、異形のものに映るのはある意味いた仕方ないかも知れない。それを私も否定はしない。

音楽で土俗的、というと、人はやはり、あのゴジラの作曲家、伊福部昭の、狂乱する「シンフォニア・タプカーラ」とか、戦後の新生日本がヨーロッパに殴り込んだ時に、N響のコンサートのアンコールに常に演奏され、異常な喝采《かっさい》を受けたという外山雄三「管弦楽のためのラプソディー」を思い出すだろう。

私もたしかにそれを否定はしないし、八木節の調子にのって、身体の底からわいてくる疼《うず》く共感、それは徳丸の造形に私が感じるものとたしかに同種のもののはずだが、ここであえて、ストラヴィンスキー(Igor Stravinsky, 1882–1971)を持ちだしてみたい、と思う。それは何も、彼が二十世紀で屈指の原始主義者、だったからではない。知られているように、ストラヴィンスキーがディアギレフに委嘱されてロシア・バレエ団でやった、三大バレエ音楽は、どれもが新しい舞踊のための、音楽による稀有な肉体讃歌であったことに間違いはない。そしてそれは、高度な洗練の十九世紀的精華のパリに襲いかかった、野蛮で凶暴な嵐であったことにも変わりはない。だが、話しはさらにそれらを知った上でのことである。

そこでまた唐突なようだが、音楽における装飾的なるもの、というテーマをストラヴィンスキーについて、考えてみたいのである。

装飾と祈り

「カンディンスキーの晩年の絵は、ロシアの風景や風俗を描いたものではない。もっとはるかに抽象的な構図のなかにおかれた一見とらえがたい形をもつ記号のようなものである。虫のようにも見え、あるいはまた、さまざまな動物たちの胎児や、子宮の形のようにも見える。いずれにしても、何かが描かれているというよりも、描かれたもの自体が、見る人の心のなかで巻きおこす象徴の機能こそが大切なのである。」(「カンディンスキー——ロシアの象徴と、象徴としてのロシア」[註2])

こう、畏敬する遠山一行先生が書かれておられ、初めて読んだ時のハッとした共鳴は今も、変わらない。むろん土俗も風土も、十九世紀の国民学派の知性を考えるまでもなく、フランス語やドイツ語を流暢にしゃべり、ブラームスなどロマン派の音楽構造を熟知して身につけ、西欧近代的知性を駆使した彼らが再発見した、懐古されるべき、自己の故郷的風土への回帰であったことにも変わりない。だが、それでも、土俗はやはり土俗であったのではないだろうか。

そこで私は、祈りの形をとった装飾=他者への仮託する造形、それはまさしく、民俗造形としての絵馬のようなものではないだろうか、と考えてみる。たしかに、晩年のカンディンスキーの、一種東洋的造形は、絵馬のようにみえる。それは、イコンなのである。

「それは、神社仏閣にそなえられた絵馬が、そこに描かれている絵の内容によってではなく、それを神仏にささげるという行為そのものによって意味をもつというのに似ている。ロシアが描かれているからではなく、記号のもつ象徴の機能のなかにロシアが在る。ロシアのイメージではなく、象徴の働きをもつロシアがカンディンスキーの絵のなかに生きているのである。［註3］」

これはまさに、ストラヴィンスキーの中期以降の音楽、とりわけ二十年代からの、新古典主義の音楽群と、さらに、あれだけ彼が忌み嫌っていた宿敵シェーンベルクの発明物、十二音技法のセリエリズムに完璧に「改宗」した後の彼の音楽の構造そのものだったとも言えるものだろう。

一九二〇年「詩編交響曲」は、短い圧縮した曲造形ながら、そこには声楽だけではない、さまざまな構成要素が散りばめられ、躍動するリズムのなかに嵌《は》め込まれ、そのリズムという骨格をより上へ上へと押しあげている。そこには、転調も、というより、過激な緩急を故意に意識させる批評的でシニカルな表情すら散見される。道具、物体となった音やフレーズが、コラージュ的に、振りまかれる。地面に投げつけられる。地面に投げられ、砕け散った鏡の破片が、その一つひとつでもまた、世界全体を映しだすように。そこには相似と全体の、ある種の原理的神秘がある。後半では、あの「春の祭典」の身体に染み込み、揺さぶるようなリズム波動も登場する。自らの過去もそうやって複製され、コラージュされて、工場生産されてゆく、象徴の、自動音楽工場である。

その一見無意識な操作が、過剰で悪いと言っているわけではない。それらは作家の自意識の範疇に制御されたものではなく、外へ放り投げられた即物的供物、であるからだ。「モノ」は、全体＝供物する＝音楽する、という行為のために総動員された、「他者無き他者」なのだ。だから、これを彼は自らも新古典主義と呼び、また人もそう呼んだ。

ここで私は、そうやって、徳丸の仕事を、もう一度、土俗、という観点から理解しようとする。

供物=他者=装飾

「近年私は無釉の磁器で過剰にデコラティブな立体を作っている。私の作品の過剰な装飾性は主にアジアの祭礼の供物やアレンジメント、寺社建築の装飾から影響を受けている。私は芸術の出発点は聖なるものへの供物や祭器から始まったと考えている。古代の人々はあらゆる自然の事象に表立った、または秘められた力を感じていた。そして彼らはそれらを写し取ったり単純化して文様化したりして身にまとったり飾ったりすることで、それらの力にあやかろうとした。私にとって装飾とは、『美しく飾り立てること』などではなく、古来からの人々の真剣な願いと祈りとまじないの結晶なのだ。私の作品で『○○島』とタイトルされているものはアジアの祭礼の供物の成り立ちに影響を受けている。アジアのそのような供物は神々が集まる聖なる伝説の山や島を模して高く山状に形作られている。私の作品も聖なる存在に呼びかけ、聖なる存在を招くためのそのような供物のような道具でありたい。[註4]」

私は造形作家の、自作解説をほとんど信用していないので、普通は使わないのだが、徳丸のこうした言葉だけは、他者の解説を必要としないぐらい、的を得ているので感心する。ここで語られているのは、仕事のモチベーション的由来ではなく、その造形の基本構造のことであるからだ。

二〇二二年の年末から年始にかけて、徳丸は集中的に新作をつくるために、信楽の陶芸の森にレジデンス作家として、長期滞在した。その仔細を知っているわけではないが、彼女がSNSにアップする映像や報告を楽しく、ワクワクしながら見ていた。

　大きなあり方は変わっていない。例の、白い無釉の、筒、花びら、蛇、鳳凰のような鳥、萼や雄蕊雌蕊などの、花芯、葉、龍の髭のようなもの、葉、柊のようなギザギザ、なめらかなギザギザ、そういった、架空の楽園の、架空の大きな生きている花束、そのコラージュ造形である。

徳丸鏡子《芽吹く人》「徳丸鏡子展」展示風景（ギャラリー目黒陶芸館）、2023年

　ただ今回はそういうほとんどが、卵形を大きくしたような塊に、人間の下半身を生やして、立てたものになった。実見はしていないが、おそらくは人体より大きな大作になった。これには、私は微笑んだ、と

いうより「快哉」を叫んで、喝采を送ったものであった。人体部分のディテールにも興味あるが、どうも、それは筋骨隆々のスポーツ選手のそれであるようであった。

それを今回、四日市の目黒陶芸館の蔵の土間の大空間で、お披露目した。

徳丸によると、次はそれらを、那須の森に林立させたいそうである。

その雰囲気ぜんたいからいうと、私には徳丸の仕事は、やはり南方を向いているような気がする。そこには、久高島のノロたちや、レスボス島の詩の女神、サッフォーなどか見えがくれするようだ。そういう匂いを、私は徳丸の仕事に嗅いできた。

だがこう言いながらも、彼女の造形に私が嗅ぐのは実は土の匂いだけではない。それは本心からそう言っているのだが、もっと未来に向けて飛翔するような、誤解を恐れずに言うと、UFOのようなメタリックに輝く、まさしく「未確認飛行物体」である。それはむしろ、あらゆる物質感を払拭して、もはや光にだけなった、未生・未見の非物質のようなもののような気がして仕方ない。

だが、最後にまた、遠山先生の言をひこう。

徳丸の仕事もまた、卵形の供物であろう。

「彼は晩年の対話のなかで、ある種の音程は卵の形をしているといっているが、その音楽は、そうした音程をモールス符号のように組み合わせてつくり上げられている。音程は記号であり、その記号は、何物かの象徴なのではなくて、象徴の機能そのものであることによってロシア的なのである。[註5]」

［註］

1　かつて九〇年代初頭、私は開祖出口なおの「お筆先」や、出口王仁三郎のあの、驚異的な「耀碗」を展覧会に借りるために、亀岡の大本教をしばしば訪れていた。その時に、教団教（導？）師の方に教えられたのが、年一回行われるという「歌垣」の行事のことだ。だがその後、それに参加する幸いを未だ得ていない。「大きな他者」は瀧口修造の言。

2　遠山一行「カンディンスキーと音楽――ロシアの象徴と象徴としてもロシア」『世界美術全集三十四　ミロ／カンディンスキー』（小学館、一九七七）、『遠山一行著作集第三巻』（新潮社、一九八五）

3　同註2。

4　徳丸鏡子の作家ホームページから。https://www.kyokotokumaru.com

5　同註2。

＊ストラヴィンスキーの管弦楽曲は、普段ブーレーズ版で聴いている。管弦楽団は、さまざま。"Pierre Boulez Conducts Stravinsky" (Deutsche Grammophon, 2010)。訳者は忘れたが、私の作家・音楽解釈もほとんどブーレーズの受け売りだ。

2-15

哲学するトタン
——吉雄介のバッハ風彫刻

トタンの生き物

吉雄介はずっとトタンで、すっきりした、見たことの無い、一個一個は、家のような宇宙船のような、不思議な幾何学彫刻をつくってきた。建築積み木に見えなくもないが、空間の波動のなかに息づくと、生き物や人間の、ユーモラスな体臭さえ映しているものだ。

本人も言っているように、鉄道や工場のような機械重機、橋やらそういう近代的な建築・構造物・工業環境に触発されるというか、イメージの滋養を裏からはもらっている部分もあるだろうが、彼のつくっているのは、やはり飽くまで彫刻である。私もかつてBT（美術手帖）の短い展評で、吉の個展をとりあげ、「彫刻とは、そのまわりの空気を絡みとって、そうやりながら世界全体を震動させ、震撼させる物体である」というようなことを書いたことがあり、吉雄介の表情豊かな、クールでユーモラスなトタンは、それにもっともふさわしい気がいつもしている。

スケッチというと、下絵ではないが、自作のトタンを「描いて」版画にしたり、一時は木のブロックに黒板塗料を塗ったりもしていたが、まあ終始一貫トタンに魅せられ、トタンを相手にした（だから、ハンダ付けもお手のものである）作家といえる。

鉄板に亜鉛メッキしたトタンというと、昔はその町その通りにトタン屋があって、路地にはりだした板場の仕事場で、職人が各家の雨どいや風呂の煙突とかを、胡座《あぐら》をかいて木槌で叩きながら上手につくっていた。昔懐かしい郷愁を呼び起こされるだけでなく、吉の、一見ユーモラスで楽しげな彫刻を見ると、心はいろいろなファンタジーへ誘われる。

思い浮かべるのは、イタリアきっての現代小説の大家、イタロ・カルヴィーノの書いた、素敵なファンタジー小説『見えない都市』だ。マルコ・ポーロが、長安の宮廷で、フビライ汗を相手に、見たこともない西方の街や空想の都市の様子を語りだす、大人のメルヘンである。知らない町の街路はまた、慣れ親しんだが長く忘れていた、生まれ故郷を思い出す。その小さな路地の匂いや小道の奥の井戸の気配にどこかで通じていることに気づいて、誰しも驚愕《きょうがく》する。

じっと見ていると、吉の彫刻は、静かに動き出しそうで、空間のなかに並べられたいくつもの彫刻は、それぞれが関係し合い、寄り集まって、不思議で精妙な、一枚の壮大な物語の織物＝タピスリーを語り始める。

展示する──空間を編む

彫刻家吉雄介を知ったのは、セゾン美術館時代の同僚だった、今は、鎌倉の近代美術館の学芸員をやっているKの紹介だ。彼は「歌って踊れる」学芸員を標榜して、絵なんか描いているのだが、なかなか、味わいのある、知的で精妙な絵を描くので有名である。このKが、自分の企画したグループ展で吉に出てもらった時、ワークショップをするんだという、しかも、吉の小さな彫刻を並べるワークショップだというので私もがぜん、興味がわいた。［註1］

旅して調査も大好きだが、何より展示が飯より好き、という現場学芸員だった私は、三十年近く現場で展示をやっていた現役時代の最後ころには、自分で言うのも気がひけるが、もう神業級で、「物＝作品」をジーッっと見たら、それが「どこの壁の、どのへんに、掛けてほしい

吉雄介「哲学するトタン─吉雄介彫刻展」展示風景（松屋銀座デザインギャラリー 1953）、2020年
［撮影：ナカサアンドパートナーズ］

のか」すぐ分り、その「ブッ」が、すうーっと、もうそっちの方向へ浮かんで飛んでいくのが、テレパシー的に見える、などという域まで達していた。自分で言ったわけではなく、人には幾度も「ゴッドハンド」と、褒《ほ》められもした。

展示は、畢竟《ひっきょう》、活気が無いと駄目だ。すべての作品がいっせいにこちらを向いて、「見てね、私を！」と、着飾って立ちあがっていないと駄目。けれども、当たり前のことながら、ごちゃごちゃして、緊張感が無いものも、また落第だ。

人を教えて導くのは、実際たいへんに難しい。山本五十六じゃないが、「やってみせ、説いて聞かせ、やらせて褒めて、初めて育つ」わけである。だから、やってみせるのはもちろんだが、しばしば、その理論的支柱（?）のつもりで、私は昭和初期、伝統論争の三大名著の一つ、九鬼周造『「いき」の構造』を持ち出したりする。谷

吉雄介「哲学するトタン―吉雄介彫刻展」展示風景（松屋銀座デザインギャラリー 1953）、2020年
［撮影：ナカサアンドパートナーズ］

崎潤一郎『陰翳礼讃』と並んで、もしかしたら和辻哲郎『風土』とあわせて、美大生の必読書だろう。今はさほど読まれていないにしても。[註2]

ヨーロッパで近代哲学を学んだ九鬼が、日本の美意識、それも江戸後期の文化・文政期の、「いき」＝オシャレ＝SIC、を分析した、名著、奇書である。そこには、「いき」の三大要素が、廓《くるわ》での大夫とお大尽たちの恋愛関係「媚態」、武士や職人の痩せ我慢「意気地」、そして、こだわるようで最終的には何ものにも拘泥しない自在、つまり仏教的「諦念」、であると説いている。

その三つの関係の真ん中に、見えない「いき」が存する、と。

いやはや。何度考えても、これは学芸員の信条たるに余りあるものの展示に限らない、含蓄に富んだ金科玉条であると、感服するものだ。それは、生涯一キュレーター、学芸員生活四十年余の、私自身の身体の底からの実感であろうか。

ある作品＝彼女があるとする。彼女は、どこか蓮っ葉で、世俗に交わらないが、時に吃驚するような、蠱惑《こわく》的な表情でまわりを吃驚させる。だがやはり、人には媚びずに狷介《けんかい》で人を寄せつけ無い。それにあの、虚空を仰ぐような淋しげな絶望の表情は、いったい何だ。それを見る時、人は男女にかかわり無く、彼女の為に生命を捨てても構わない、と思う。彼女じしんは、依然孤独だが、彼女が居るところには、必ず、ポッと光が輝いてまわりを灯す。

いやー、やっぱり上手くは言えねえやね、これはネ。

館長時代、学芸員にしばしば、「収蔵庫にしまってある名品はナ、皆さん、寝ていて、お寝《やす》みになっているワケヨ。それをギャラリーに引っ張り出して来てナ、さあ起きな出番だぜ、女王さんよト、飾って壁のいちばん良い場所にかけてやるのが、お前らの仕事でナ、それ出来んなら、給料なんかもらうんじゃネエよ」と啖呵《たんか》を切っていたものだ。

吉雄介も、画廊やスペースの特性を上手く読みこんで、オシャレで巧みな展示をするので知られていて、謂《い》わば「展示バカ（と本人も述懐）一代」であって、学生に、展示とは畢竟、空間を身体で触知する体験だということを教えるには、もってこいの人材だったわけだ。

そこで私がやっている展示の授業、展覧会を企画するキュレーターの初歩トレーニングに来てもらって、彼の彫刻を並べる、というワークショップを毎年やってもらっている。学生が広い空間に、彼の彫刻をあでもない、こうでもないと悩みながらいかにも物知り気に議論しながら配置してゆく。間隔や、形の見え方、全体の雰囲気。空間が生き物であることを学ぶ。そこへ、哲学者か詩人のごとき、吉の叱咤《しった》というか、呟《つぶや》きが聞こえる。

アートには、正解というものはない

吉語録曰く。

「関係ないようで、あるんだなこれが。」「それは、見えているようで、見えない。」

「好きなものばっかり集めても、上手くは行かないさ。」

「斜に構えるのは駄目、はじめは、直球あるのみ。」「後で、ちょっとずつ崩していくわけなんだよ。」
「盛りつけは料理だよ、料理。真ん中がこんもりしてなくちゃ、美味くは見えねえや。」
「時間かけたらいいってもんじゃない。正解はないからな、アートにはな。動けば、自分も彫刻だよ。」

こう書いていたらキリが無い、興味は尽きない。

彫刻は、空気に触れる振動そのものであって、表面や押しのけた空気の波動と交感しあいながら、虚実のはざまを行き来するように宿命づけられている。それは私どもじしんの肉体そのものが変換された、未知の姿でもある。だから、優れた彫刻は私たちに、肉体の儚《はかな》さすら悟らせる。

バッハのフーガのように、単純なものの積み重ね、関係づけで、宇宙のハーモニーをあらわすものだ。

勅使河原蒼風伝える、イサム・ノグチの言葉に、「花を生けて、花に見えたらだめでしょう」というのがたしかあったが、吉雄介の彫刻もまた、そうやって、無限の感興をそそる[註3]。

爽快なまでの緊張感を生んでいるのは、吉本人の哲学者さながら、世界を今までに無い方角から眺める、ユニークな人柄であって、吉のトタンは、考える彫刻だ。

哲学の果て

哲学といっても、何も小難しいことではなく、日常の延長にある、生活の眼差しである。

彼は、中浦和で美術教室の講師を長くやっていて、私は行ったことはないが、娘が一時期お世話になっていたことがあった。その講師生活何十年を記念する展観を一昨年やって、私もそれをはじめて見に行って、驚いたのだが、生徒たちの作品と吉のトタンが、見事に混在して並べてある。

「こりゃあ、ひょっこりひょうたん島の世界だな」と驚愕した。上手い比喩ではないだろうが、どこにも無いようで、実は誰もが一度は経験している「懐かしい空間」が、見事に出来《しゅったい》しているのであった。あとで聞いたら、それらは各課題を説明する時に彼が事前に作った、サンプルであるのだった。課題を説明する、吉の説明書きもあって、これが無味乾燥の正反対、それそのものでアートと言える、味わい深い手書きのものだった。だから誰かの名言、「人が触れるもの、その手になるものは、すべてその人の人格の刻印である」を持ち出すまでもないだろう。

私は時に、角刈りに四角い顎《あご》で、顎髭《あごひげ》を生やして、ゴムサンダル、ジーパン・Tシャツで現れる吉を学生に、「アート界ではつとに有名な、男前の吉。お父さんは、遠洋漁業のマグロ船の船長で、今はスペイン領、カナリア諸島で暮らしている」と、戯《おど》けて紹介する。今の学生にこのジョークが通じるかは、定かではないが。そのお父さんもご高齢で、先般亡くなったそうだ。

精悍《せいかん》なこの男は、その風情のままに、ある種さっぱりした気質があって、いつかも「美術や美術館、展覧会などと言っても、何も国民皆がこぞって押し寄せて来ることもない。見たい者が見たいように、来たらいい。美術なんて、そんな、世間の隅っこにあるもんだ」と、恬淡《てんたん》ともらしたことがあって、その時の吉の表情を、私は何か眩《まぶ》しいもののように、見ていた覚えがある。

最後に、彫刻生活三十年を記念して彼がやった一連の展観の図録の、本人の言葉をひいてこの小文を終わろうと思う。

「言葉も単純なものでありながら、組み合わせ次第ではどんどん雄弁になるように自分の作品もどんどん雄弁に、おしゃべりになっていきました。自分の考えた作りたい形ばかりを追いかけているうちに命が吹き込まれていない作品ばかりがみるみる増えていきました。

素直に自分の彫刻の世界と向き合い、頭の中で考えた形ではなく、何もない空間をじっと見るように、本当に見えるようになるまで待って、自然と浮かんできた形を作るように心がけました。

［…］彫刻の答えは、彫刻そのものが知っている。自分はそれを探し出し、見つけ出すだけだと思って作っているうちに、いつしか職人のようになっていました。

学生時代に『彫刻家は職人にならなければならない』と言われ、若い頃はものすごく抵抗をおぼえた自分が、です。奇妙な感覚になるのですが、日々職人の仕事を発注し、僕に作らせる施主は、彫刻作品そのものなのでは？」［註4］

ここには、既に一家を成しながら、悩み？愉快に反省し、飄逸《ひょういつ》に生きる、あの角刈りの哲学者がいる、と思うのは私だけではないだろう。

最後に、バッハ風に？

取って付けたように書く気はさらさら無いが、最後に、バッハ（Johann Sebastian Bach, 1685–1750）歴を簡単に、書いておこう。無理矢理に吉のトタン彫刻をバッハに結びつけたいわけではない。だがやはり、吉の彫刻はその単純で明快な飄逸さ、その無類のヴァリエーション展開を考えるとバッハを思い出さざるを得ない。

バッハ狂では無い私は、その音楽も日常の演歌（世俗カンタータでは無く）のように、気楽に、ユーモアたっぷりの西洋音楽の典型として聴いている。[註5]たしか、どこかで聞いたが、バッハ大先生も、宮廷楽隊長に就任するのに苦労したり、その薄給に困らされたりしたから、というわけだけじゃないが。子供のころから「ロ短調ミサ曲」が好きで、こういう抹香《まっこう》くさい曲を日常聴いていた昔が、懐かしく思い出される。最近では、「マタイ受難曲」か「ヨハネ」だが、これもTPOかかわらず、毎日聴きたい時に聴く。終曲はむろん、キリストの十字架上の死だから、厳粛極まり無いわけだが、静かに、舞台全体が無人になって、地の底の方へ、ズーッと、さらにズーッと沈んでゆくさま（音の景色？）は、吉の彫刻が、スックと、ただ何も言わずに居並ぶさまに似ていなくもない。愛聴版は、やはり先年亡くなった、アーノンクール率いる「ウィーン・コンツェントゥス・ムジクス」だ。十年ほど前に、アムステルダムのコンセルトヘボウで、ブルックナーの五番を聴いた。ホール全体が地鳴りで動いていたか。いちばん前の席で、その息遣いすら聴こえた。聴衆ももはや生前最後の演奏か、と感じていて観客総立ちの喝采だった。そのさらに五年後、家内とウィーンの学友協会でバッハを聴いた。素晴らしい、透明な演奏だったが、アーノンクールは病気で代役を立てた。そのパンフレットに挟まれた自筆の詫び状は、家宝にしている。

いちばん好きなのは、ピアノ協奏曲やチェンバロ協奏曲だ。これは鈴木雅明や鈴木優人の弾く「バッハ・コレギウム・ジャパン」だ。ホグウッドより好きだな。

吉の彫刻の飄逸、転換、転移、その哀愁にいちばん近いのは、「ゴールドベルク」や、「フランス組曲」だろうか。転調にともなう、感情・感傷の変化はモーツァルトのそれとはまったくちがって「人間的な香り」はしない。「ブッ＝モノ＝作品」が勝手に動いて、劇のドラマをつくっている。宇宙的というと大袈裟だが、目の前の、大きな人工の小庭で、惑星たちが楽しそうに遊んでいる風情だ。

吉の最近の展示で出色と感じたのは、二〇一九年にギャラリーなつかでやったものだが、これは、吉が水槽のような木製で、足がついた巨大なテーブルをつくって、その中に、自作を泳がせるように、配置した傑作な演出だった。その時にも、私は「こりゃあ、音＝彫刻が並んでいる楽譜だな」と思ったものだった。

むろん子供の頃から聴いていたのは、グレン・グールドによるもの。他は聴いたことがないし、たぶんもう聴かないだろう。ヴァルヒャのオルガンは別にして。

［註］

1 畏友、是枝開のこと。彼は現在、武蔵野美大の同僚となった。

2 いずれも一九三〇年代に出た、伝統論争三書については、詳述しない。『陰影』は中公文庫、他は岩波文庫に入っている。

3　勅使河原蒼風『私の花』（講談社インターナショナル、一九六六）

4　「一九九二板金考――板金工二〇二二　彫刻家・吉雄介　トタンと歩んだ三十年」展図録（武蔵野美術大学芸術文化学科、二〇二二）

5　「ヨハン・セバスティアン・バッハ　マタイ受難曲　ニコラウス・アーノンクール指揮　ウィーン・コンツェントゥス・ムジクス他」（Warner Classics、一九七〇）。

「J・S・バッハ　マタイ受難曲 BWV.244　鈴木雅明指揮　バッハ・コレギウム・ジャパン他」（Romanesca, King Record、一九九九）。

“Johann Sebastian Bach Concertos for Two Harpsichords – Masaaki Suzuki, Masato Suzuki - Bach Collegium Japan” (Super Audio CD, 2014)

“J.S. Bach: Harpsichord Concertos,Christophe Rousset, Christopher Hogwood, The Academy of Ancient Music” (DECCA MUSIC GROUP, 1995)

“Johann Sebastian Bach　The Complete harpsichord concertos – Trevor Pinnock, Kenneth Gilbert, Lars Ulrik Mortensen, Nicholas Kraemer - The English Concert” (A Universal Music Company, 1981, Archiv Production)

“J.S. Bach ORGAN WORKS by Helmut Walcha” (The Intense Media, 1947, 1950–52)

あまりにも有名な、グールド録音については、詳述しない。

＊本稿は、ギャラリー冊での「尾崎翠美術館」展（二〇〇七）のパンフレット「尾崎翠美術館」新聞に書いたものを元にしながら、大幅に加筆したものである。あるいはそのCD所収のウォルフガング・スターによる論や、遠山一行「ストラヴィンスキー」『著作集』第一巻（新潮社、一九八六）から借りた。

2-16

自然の怒りについて
——内田あぐり、あるいはベルクの表現主義

現代における表現主義

肉体に叛乱される、あるいは自然に反駁《はんばく》されるという現象を、現代の私どもはあまりに多く体験してきているようだ。例えば、ベートーヴェンの「田園交響楽」を聴くと、私どもは、自然には自然なりの、意志があるのではないかと心底感じるだろう。それをしも擬人化されるようなものではないにしても、そうとしか言えないモノの実在を信じるようになるのではないだろうか。

長らく、人体表現を追求してきた日本画家、内田あぐりの軌跡を見てきて、それが現代的であるとかないとか、あるいはもっと穿《うが》って、現代における肉体とは何か、そういう小難しい議論をしたいわけではない。

それが古かろうが、新しかろうが、作家は自らのやりたいことを、やりたいようにやるが良かろうし、それしか出来ない種族であろう。ましてや、それが他人にとって新しいか古いか、そういう話しはもとよ

り、作家本人の知ったことではないだろうし、それで良いのである。だが私は個人的に、自ら手を動かして人形（＝彫刻、なのだが）、それらを日々つくっているからではないが、肉体の問題は現代で終わってはいず、むしろ今まさに始まろうとしているように感じている。またそれが、近代以来、それこそボードレールが警鐘したように、「コレスポンデンス＝万物照応」、そういう中世まではたしかに在った、人間の生身の肉体と宇宙自然との一体感が失われた、その危機感が今、まさに世界を包んでいる、からだけではない。むろん、それは現代の我々の感覚として、逃れられないものでもあるだろうが。

　むしろ私はそういう肉体への、一種忘れられた郷愁というか、そういうものへの憧れが再び、私どもの周りを包んでいるのではないか、と感じる者だ。かつて中世末期、ヨーロッパで、とりわけスイス人傭兵たちの間で、ある種の記憶喪失、むしろ「あらがい難い望郷のために、逆にすべてを忘れようとする」疾《しっ》患《かん》、望郷病が流行ったという。今私どももまたそうなっているのではないか、と思うのは私だけなのだろうか。[註1]

　内田さんの肉体への固執は、一見もっと、もっとはるかに宿痾《しゅくあ》のようなもの、そういう物苦しいものにもみえる。それは造形するうえでの、さまざまな感触を含んでのことだろうが、私には、短絡するとそれは絵画が成立する場への、一途な探求にすぎないともみえる。そう考えると、もはや、具象だからどうとか、抽象だからどうとかの問題でも無い。絵画という形而上的な存在、あるというなら「物質として在るし」、無いと言えば、「精神の彼方に消えて、走り去ってゆくもの」への肉迫にしか見えないからだ。その内田あぐり、という稀有な現前を見ているだけだ。

それは、内田さんの苦闘?に反して、私ども鑑賞者には、無類の心地よい、肉体を風景として再び見るような感興を誘う。かつて世紀末ドイツの詩人リルケが、「古代ギリシャ人は、自らの肉体を初めての風景として発見した」と言っているような意味である。[註2]

だが彼女はあれだけの、スケッチを力技として描き続け、さらには、最近は日本画の原材料としての「膠《にかわ》」に、これもまた学術的、というより、肉体的に迫っている。

だがここで私は、それを、ある種の現代における表現主義の問題として、少しく駄弁を弄《ろう》してみたい。

表皮=自然という、見えないものへ

幾度も彼女の大規模な展観を見てきたが、あれはいつだったか、平塚市美術館であった大きな展観に行ったとき、私は後にも長く心に残る、ある種の深

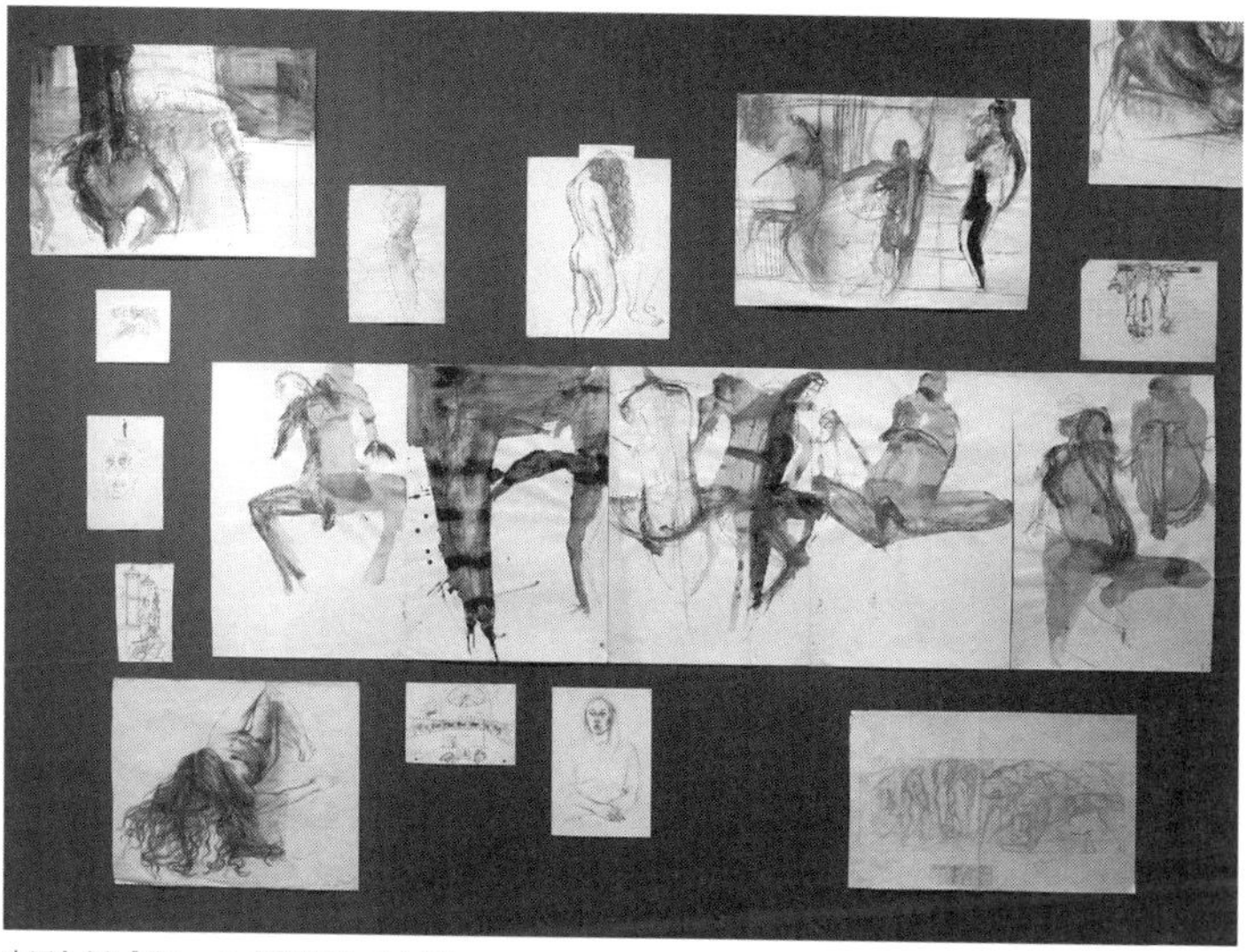

内田あぐり《ドローイング》[撮影:山本糾]

い感銘を受けた。[註3]

うまくは表現できないが、それは大きな、女性人体が入り乱れる、一大絵巻のようなものだった。顔はほとんど現れず、まるでコラージュされたように見える織物の柄が、皮膚のように絡み、入り乱れる。それは、色の帯というか流れのようなものを生んで?帯びて、より大きな運動感を生じている。類例の無い、運動感だ。こういう謂わば、危ない「合わせ技」の荒技は、真の描写力がないとともすると失敗して、表層的な試みに終わるものだが、流石にそうはなっていない。私は「おお、こりゃあ凄《すご》い、上手く行っている」と、歓声をあげたものだ。未見のものに出会った深い感慨があった。

それは私の幻覚なのだろうが、一匹の大きな女神の竜が、全身の鱗《うろこ》を見せ、翻《ひるがえ》り自らをなびかせながら、のたうちまわっているように見えた。またその時感じたのは、この竜には、肉の内も外も無いようだ、という事だった。それはそのままで私には彼女の絵画空間の内と、外も無い、ことを意味した。

それはある種のわかり易い言い方で短絡すると、それまで伝統的に、あるいは宿命的に、日本画の命題であった装飾性を、そこから一歩も逃げずに、超克する力技であった。「良くやったなあ」それが、次の私の嘆息であった。

表現されたものには、表現されなかった影のようなものがつきまとっていて、観客が絵画を「見る」とはその影を暴くことだ、と長く思ってきた。それは生涯一学芸員である私の場合には、多く、作品同士を「出合わせる」ことによって生じる、ハレーションのようなものだが、そのハレーションが、「見える」互いの裏に隠れていた、「見えない」影を引っ張り出して、暴く= Exposeする、「秘められたものが、露出」する

ことだと信じてきたのである。[註4]

内田さんの絵は、それを予《あらかじ》め自分自身で、自家中毒?的にやっている、稀有な絵だというと、私の言いたいことからはさほど遠くない。

それは自然そのものの、風景化であったような気がした。その場合の自然とは何だったか、恐らくはそれは私にとっての自然以外のものでは無いだろうが、上手く表現出来ないでいた。

だからもうどれが肉体で、どの部分が装飾的平面などという有り来たりの峻別《しゅんべつ》などものともしない、ある種の舞踊的、ディオニュソス的エネルギーが渦巻いていて、画面全体に無類の一体感がある。

そこでは、後に彼女の画面にしきりに現れる、赤紫色の、あの八弁花とそれに続く蔓《つる》模様すら、のたうつ女神竜の鱗にしか見えないから、それもまた肉体の一部なのであった。

そういう深い、忘れ難い印象があったので、その後それについて書きたい、と思いながら怠けていた。そのお詫びというわけではないが、開館を率いた大分県立美術館の開館記念展にも、出てもらった。そこでは、いつもの私の「出合わせ癖」で、藤田嗣治の傑作群と、内田さんの絵が並ぶように、展示した。[註5]

藤田の、あの卵色の蝋石《ろうせき》のような、透ける肌と、装飾性を超克した内田さんを対決させたかったわけでもことさらない。まあ、そんな語呂合わせのような、悪戯《いたずら》キュレーションの心意気は、多少あったかも知れないが。さらには、また「合わせ技」キュレーターの悪戯心で、ギャラリー中央の展示台には、黒田辰秋の初期の傑作、「三國荘」のための、赤漆化粧台と、李朝ゴシック紋の円卓を配した。

それらが、内田さんの、颯爽としたディオニュソス舞踊絵画に、如何に呼吸を同じうしたかを知るのは、私だけではなかっただろう。もっと初期の、七〇年代のデロリとした女性像や、九〇年代の、ヨーロッパの中世画を狙ったような、厚塗りの画面では、互いに喧嘩して合わなかっただろう。

内田あぐり《私の前にいる、目を閉じている》2007年、平塚市美術館寄託

「開館記念展vol.1 モダン百花繚乱『大分世界美術館』」展示風景（大分県立美術館）、2015年
左から：藤田嗣治《五人の裸婦》、内田あぐり《私の前にいる、目を閉じている》、黒田辰秋《朱漆三面鏡》、《朱漆透彫円卓》

「ある天使の思い出に」

新ウィーン学派の領宰、十二音技法の開拓者、シェーンベルクの後を継いだのが、アルバン・ベルクだが、彼の佳品に、ヴァイオリン協奏曲がある。これは、「ある天使の思い出に」という副題がつけられていて、難曲であった大曲オペラ「ルル」の作曲途中に急遽つくられた。可愛がっていた、マーラー未亡人だった、アルマ・マーラー（建築家グロピウスと再婚）の娘が二十歳ほどで急死したので、彼女のために作曲したものだ。ベルクは、異端的実験的で大胆奇抜なるオペラ群とは別に、実に包括的で広範囲な管弦楽の曲をつくっている。これらを綿密に解析したのが、アドルノだ。それらの、多くの開発をいったん横に置いておいて、ベルクは、極めて静謐だが、極めて現代的な「多種の音楽的要素のパッチワーク＝コラージュ」のような、この佳品を書いた。それは、簡単にいうと、いろいろな絡み合った土俗的＝肉体的要素が、奏でられ、演じられるプロセスで、より透明なもの、より、天上的なものに昇華されてゆくようなものだった。最後には、それらは天国の野原のささやく風になって終わる。

私は、平塚で見た、あの内田あぐりの、重厚な空間の重層と錯綜がありながら、最後には、見る者に、ある種の清々しい爽快さを残して消え去る、そういう絵画の達成に、近いものだと感じたものであった。ベルクのこの名品、不協和すら不協和に感じさせない絶品もまた、彼女の死に際してベルクが感じた感情の起伏というより、はるかに、亡くなった彼女が生前感じた宇宙感や自然感の、起伏に富んだ宝石のような激情ではないか、と私は感じている。

その激情そのものの質が私には、長く問題として残った。激情と言ってもそれは単なる人間的感情、怒り、憤怒や憤り《いきどお》ではない。無い、というと嘘になるが、それは一人間の等身大の人生を超えてある。ヴェルディの有名な「レクイエム」で冒頭の、地がひっくり返るような、叩きつける「ディアス・イレ（神の怒り）」でもない。ベルクがバッハのコラールの旋律を使ったのはよく知られたことだが、それは宇宙の振動、怒り、その創世記的激動のように私には感じられる。だからアドルノが、ベルクのリズム感覚を、ワグナーのあの無限旋律の展開のように言うのが、分かる。

「ヴァーグナーとの差異がもっとも明らかに認められるのは、勿論それはそうした範疇になお聴く耳をもつかぎりにおいてだが、ほかでもない、ベルクの音調である——ちなみに、音調とは、ベルクがくりかえしその音楽的判断の上位にすえたところの、彼の鍾愛してやまぬ概念であった。この音調とは、何にもましてヴァーグナーの音調を特徴づけるもの、すなわち自己陶酔を知らない。よしひとがベルクに『トリスタン』の名残りをかぎつけようとも、『マイスタージンガー』の痕跡は、まったくみあたらない。彼の音楽は、本来決して主題を設定しないように、そもそも自己自身を措定するということがないのである。」[註6]

長々とアドルノを引用したが、やはりここでは二つの重要なことが語られていると、私には思える。それは音調といい、ワグナーの影響でもそれは飽くまで主題的自己陶酔でなく、他者的客体的「物体」の問題なのだ、ということだ。これは近代以降を考えるときに、それが自我の病、言うなれば、「愛の自己許容」の誤謬《ごびゅう》だったことを考えれば、すこぶる面白い、例外的現象として映る。それは内田あぐりの、肉体を風景として見ることでもって超克された、日本画の装飾的宿命であり、ベルクの、自己陶酔の外に意識を追いやることによって獲得された他者、つまり音調だ、ということになる。[註7]

それをベルクは、あの、あたかも肉体への、肉体という社会と欲望が一つながらに坩堝《るつぼ》に叩き込まれた一大オペラ実験「ルル」の最中に、「ある天使の思い出に」というかたちで、自己投企の音調として発見したことだ。

後日譚

私ももうかなり長く個人的に知っている内田さんを、個性としてどう表現して良いか分からない部分がある。大柄でスラリとした体躯や、かなり柔らかな物腰、歌うような鷹揚な語り口調などを思い出すと、それは他人には一般的に、大らかな女性性、いや母性すら云々されるだろうが、私には、もっとそれが豊かな両性具有の気配に思われる。

ちゃめっ気もあり、可憐でもあり、チャーミング限り無い彼女と、一方彼女の描き続ける、二〇〇〇年以降の、顔の登場しない肉体、だいたいは女体だが――それもまたもう性的意味を超えている――そういうものを見るとき、私はここにも、人性みたいなものに収まらない地母神性をみることがある。だがその仕事は、いとも軽やかではないものの、多くの現代日本画家、いや洋画を問わず、いかにも蔓延している、自己への拘泥を見事に断ち切って、絵画への純粋な問いを続けている仕事だ。

それがある種恐るべきかたちで出現したのが、母校武蔵野美大の退任展の、あの「残丘」だろう。伽藍というべきか、それは絵画という行為そのものが舞踊する、大きな、一つの自然の風景だった。縦長い画面上部に、やはり背中向きの女体半身があって、それが下部に向かう、流れ、澱《よど》み、震え、のたうつ、そ

ういう肉体への眼差しと目そのものの流れが相まって、抱擁しながら滑落してゆく、滝の絵だった。[註8]［口絵15頁］

それはもう、自然の怒りを昇華した、宇宙の果ての、大きな一人の人間にもなっていた。大きな巨人と、大きな海の丘の思い出。そしてこの頃からずっと、彼女が連れ歩いてきた、緑の大きな流れの帯、つまり「残丘」があった。凄絶で、しかも清々しいもの。

ふと、私が思ったのは、ゴヤの「巨人」だった。まあ、それはそれとしよう。

湘南に越して、日々見ている近所の小さな川の流れを描いた、と聞いた。

そこに在ったのは、やはり、現代における表現主義の最も深い形だとしか、私には思えなかったことだ。

［註］

1　四方田犬彦さんの言葉、出典は忘れた。オリエンス宗教研究所『聖書と典礼』でも読んだ話し。

2　「風景について」『リルケ選集』（大山定一訳、新潮社、一九五四）

3　「内田あぐり展」（平塚市美術館、二〇〇六年十月十四日—十二月三日）

4　かつての武蔵野美術大学の芸術文化政策コースの修士課程修了生、中嶋健人君はその優秀な修士論文「日常と作品が交歓する――美術館で鑑賞者が創造的になるための『言葉』」で、文化史家ベンヤミンの「事物の魔術的共同性」を基本にした。該当論文から借りたが、私は長い学芸員生活の体験でその信憑性を身体で知っていることを指導の過程で彼に伝えた。ヴァルター・ベンヤミン「言語一般および人間の言語について」『ベンヤミン・コレクション①近代の意味』（浅井健二郎編訳、久保哲司訳、筑摩書房、一九九五）。Expose 云々は、松宮秀治『ミュージアムの思想』（白水社、二〇〇九）から借りた。

5　「開館記念展vol.1 モダン百花繚乱『大分世界美術館』――大分が世界に出会う、世界が大分に驚く『傑作名品二百選』」（二〇一五年四月二十四日―七月二十日）

6　テーオドール・W・アドルノ『アルバン・ベルク』（平野嘉彦訳、叢書・ウニベルシタス一二五、法政大学出版会、一九八三）、また、ベルクについては、訳者あとがき、からも借りた。

7　同註6。

8　「内田あぐり――化身、あるいは残丘」展（武蔵野美術大学美術館・図書館、二〇一九年五月二十日―六月十六日）

＊ベルクの愛聴版は“Alban Berg Collection”(Deutsche Grammophon, 2003)で、‘Violin Concerto, To the Memory of an Angel’(Anne-Sophie Mutter, Chicago Symphony Orchestra, James Levine, 1935/ 1996)。

2-17

デュシャンの星のもとに
――音の作家、藤本由紀夫

コンセプチュアルは、風土か否か

偉大な音の美術家、藤本由紀夫との付き合いは、長い。

何しろ大阪は江戸堀にあった伝説の現代美術の画廊、児玉画廊で、私は一時期、同じ画廊の作家仲間でもあったからだ。今考えると、畏《おそ》れ多いことではある。その機縁になったのが、関西美術界では知らぬ人のない美術評論家「ヨッちゃん」こと加藤義夫、現在の宝塚市芸術センターの館長である。加藤さんがオーナー児玉氏の全幅の信頼を受けて、このユニーク無二の画廊のディレクターとして活躍していたからだ。美術界では異端(その経歴も)の加藤さんのことを書くと、これでもう一章になってしまうから詳述はしない。一言だけいうと、私は世間世俗の見解には耳を貸さない偏屈な男で、自分で見たもの聞いたことの身体の実感しか信じない。しばしば大美術館で大作家の大個展など見て、「つまらないなあ」と慨嘆《がいたん》することがあり世間的評価と余りにもちがう時に、加藤さんに電話する。「パクリがすごく多い人だねえ、どう思う?」「ああ、前からやで。今はけっこう巧《うも》うはなっとるけどな」。一刀両断である。私は彼の見識眼、それに一目二目、三目もおいている。彼もくまなく精密に美術、実作品を見て、他人の意見に惑わされず、独自に行動する「目」の人。

その加藤さんが見出したというか、育て随伴した作家が藤本由紀夫である。昔、藤本さんが大阪の画廊を一通り案内してくれて、最後に「やはり児玉が如何に傑出しているかが分かったでしょう」と、静かに宣うたことがある。

ご出身は名古屋らしいが、学校も大阪その後の活動の基盤も、大阪や京都や神戸だから、関西の作家と言っていいだろうし、この人の感受性には、やはり関西という風土を感じる。現代の利休と言ってもさほど外れてはいないぐらいだ。いつでも静謐で、知的な落ち着きがある。

人柄も静かで温厚だが、時に鋭く、言いたいことはズバリと言うのは、やはり関西人だな、という感じがするし、知的で感性に訴えるセンス抜群の彼には、東京の持っている、ある種の猥雑な雑種性はとうてい似合わない。茶人ではないが、常に世間や世俗に目を光らせ、それに迎合せずにその上澄みから極めて面白いものを拾い出してくるという、現代の茶(新しい革命という意味で、たしか利休の弟子だった山上宗二は、「山ヲ谷、西ヲ東ト、[…]自由セラレ」と無茶苦茶な利休の褒《ほ》め方をしているが)をやっている現代作家が他にいるか、と問われれば、やはりこの人以外には見当たらない。[註1]

デュシャンの星のもとに

現存の現代作家を、過去の誰それの再来とか、似ているとか言うのはえてして失礼なことになるが、まあ、デュシャンなら構わないだろう。なぜなら、たしかに作品＝ブツは残したものの、彼がやったことのほとんどは「脳内価値転換」であって、それこそコンセプチュアル・アートの元祖とされる資格十分だからだ。だから誰が真似したって構わないし、是非真似してね、という世俗を揶揄《やゆ》する広告宣伝文的謳《うた》い文句も、デュシャンのお家芸だったわけだから。

藤本さんと気が合ったのは、僕は根っからの浪漫的フェティシズム（物神）芸術至上主義なのに、一方卒論にデュシャンを書いたりして、「モノ否定的潔癖コンセプチュアル」に憧れたりした事情もある。

藤本さんに最初に出てもらったのは、セゾン時代にやった伝説の？「二十一世紀・的・空間」という、現代作家と、土器やら埴輪や民具を並べた奇想天外のグループ展。[註2] 出してもらったのは、彼の名を有名にした、例の「一歯折り」のオルゴールを埋め込んだ、緑いろの縦長の楽器状の作品だ。その前に長い通路をつくって、観客がネジを回して、その細い回廊を行ったり来たりする仕掛け。

これには数台を重ねてやる大空間のインスタレーションもあって、この藤本節満載のユニットは、韓国ソウルの国立現代美術館でやった「現代デザインの一相貌」という展観にも、建築家デザイナーに混じって出てもらった。この時は、数台いやもっとズラリと横一列に並べて、壮観インスタレーションだった。

周知のようにこの藤本節の根っこにあるのは、観客自らに操作させて音の空間をつくって、それをまた観客に聴かせる、という、単純だが不思議な広がりがある二重メタ展示手法だ。今日では「インタラクティヴ」やら、「観客参加」ともて囃《はや》されているが、彼は九〇年代以前から、そういう手法を自家薬籠中にしていた。七〇年代に電子音楽をやっていて、それに飽き足らず小杉武久の追っかけをやった、と聞いた。

当時から環境音楽の可能性の広がりに注目していたのだろうし、根っからの作家としての体質に、やはり利休＝もてなし、＋デュシャン＝観客巻き込み型、と言えばいえる、を結合させた稀有な作家であったわけだ。

藤本由紀夫《SCULPTURE (DECANTER)》1996年

大阪の画廊でやった、バニラ・エッセンスの瓶をいろいろなところに置いた「香り」の空間は滅法素敵だったし、例の卓球台の周りに枯葉を敷いてそこを歩かせる作品に至っては、かつてゼミ生に校庭中を拾って来させて真似して遊んだりもしたものだ。「香り」というと、千鳥ヶ淵のギャラリー冊でやった「尾崎翠美術館」には、コンセプトを面白がってくれて、ガラスのフラスコに閉じ込めた、「匂いのしない」バニラの枝、を自ら抱えて東京まで来てくれた。まるでまるでデュシャン風だが、デュシャンもやらなかった「匂いの封じ込め」をやった訳で、異次元の写像化というデュシャン流をさらにさらに「第七官界」風に捻った、スーパー見事なお手並みに恐れ入ったものだ。

偶然を楽しむというか、チャンス・オペレーション的な試行、それから妙にアナログ的な単純さの中に潜む「知的なゲーム性」への嗜好なども、藤本節を構成する主要素にも感じる。

『方丈記』の男にもまた似て

いちばん最近では、豊後高田の長崎鼻に、「silent/listen」と鏡面版に刷り込んだ、岬から瀬戸内を眺めるベンチ作品を設置した。私たち委員会が頼んだから、設置してくれたというべきか。

コロナ前で、偶然にもその挨拶で、彼は「ここで波の音、風、虫の声など自然に包まれて、五感でそういうものを感じて、しばしゆっくり時間を過ごして欲しい。今は、天変地異やら世情の混乱があって、ちょうど十三世紀に似ている。鴨長明のように、ここからじっくり、世界や世間を睥睨《へいげい》して欲しい」と、宣うた。私は、堀田善衛『方丈記私記』が座右の書であったので、この偶然にも吃驚した。

その翌年コロナ禍が始まって、彼の予感は的中したわけであった。

「あかあかやあかあかあかやあかあかやあかあかあかやあかあかや月」。彼はこうかの、夢日記で知られる同時代人、明恵上人の歌を冒頭で誦《そらん》じたものであった。

藤本さんが単なるインテリと違うのは、作家だから当たり前と言えばいえるのだが、自分の興味で直裁に対象にぶち当たってゆくその素直さだ。一昨年か、千鳥ヶ淵のギャラリー冊でオンラインでやっていた読書会のゲストに彼を招いたことがあって、自分の著作で『二十世紀の音の遠足』などという面白い話し満載のものを取り上げるのだと思っていたら、意外にも、アタナシウス・キルヒャーだった。彼によると、デュシャンから現代音楽の発明から何から、すべて、このルネサンス期のイエズス会の奇人発明家から、来ているという。綿密な図版（これは現在では、キルヒャーの正式アーカイヴからすべて誰でもダウンロード出来るという）満載の瞠目すべきレクチャーだった。

また、那須のアートビオトープ那須に呼んで、石上純也設計の「水庭」に何か設置してくれないか、と頼んだ時には、あの「屋上の耳」を持って来てくれて、「水庭」と、その後ろの源流の早瀬の音を二つながら聴く、すごい工夫をやってくれた。「水庭」自体が、私は自然を使ったコンセプチュアル・アートと思っていたので、藤本さんと合わせるとどうなるか興味津々だったが、ここにも「聴く空間をつくる」という反転の妙技があった。［口絵16頁］

「『水庭』で思ったのは、モネの睡蓮もそうなんですが、樹々が反対に写っている鏡の役割なんですよね」と、またしても「鏡面」現象的デュシャン的洞察が出現していたのであった。

だから彼のメタ手法とは、長明みたいに「世俗をじっと睥睨する」点と、利休のように「離れた場所で、それを遠隔操作して裏返す」というやり方が二重に重なっている妙技とも言えるものだ。

シュタイナー派ではない？社会共同家

時に会ったら結構話し込む彼に、シュタイナー、をどう思うか、聞いたことはない。

ああいう恬淡《てんたん》、孤高の作家に、あからさまな社会参加的アクティヴィストの側面は、まず窺《うかが》えない。けれど、その実、長明である以上、藤本さんの中に社会への興味は深いと言わざるを得ない。

前に川崎市岡本太郎美術館で、亡き村田慶之輔館長から「震災をテーマにやれ」と無茶な依頼を受けてやった展観では、彼はキューブのブロック積み木をつくって、それを高く積み重ねて、やがて、カッチャーン、と崩れ落ちる（何分かごとに、自然？とそうなる、らしい）作品を考えてくれた。

その時に、地下鉄サリン事件が、美術や文化に与えた影響が限りなく大きい、ということも言っていた。それから阪神淡路沖地震だ。この時は、児玉画廊もオーナーの西宮の邸宅の崩壊やらがあって、やがてその伝説の画廊を閉めることにもなった。

藤本さんの活動では、十年も続いた、たった一日の展覧会、西宮市大谷記念美術館における「美術館の遠足」を触れないわけにはいかないだろう。かの、震災の時には収蔵庫の前の廊下が、遺骸置き場にもなっ

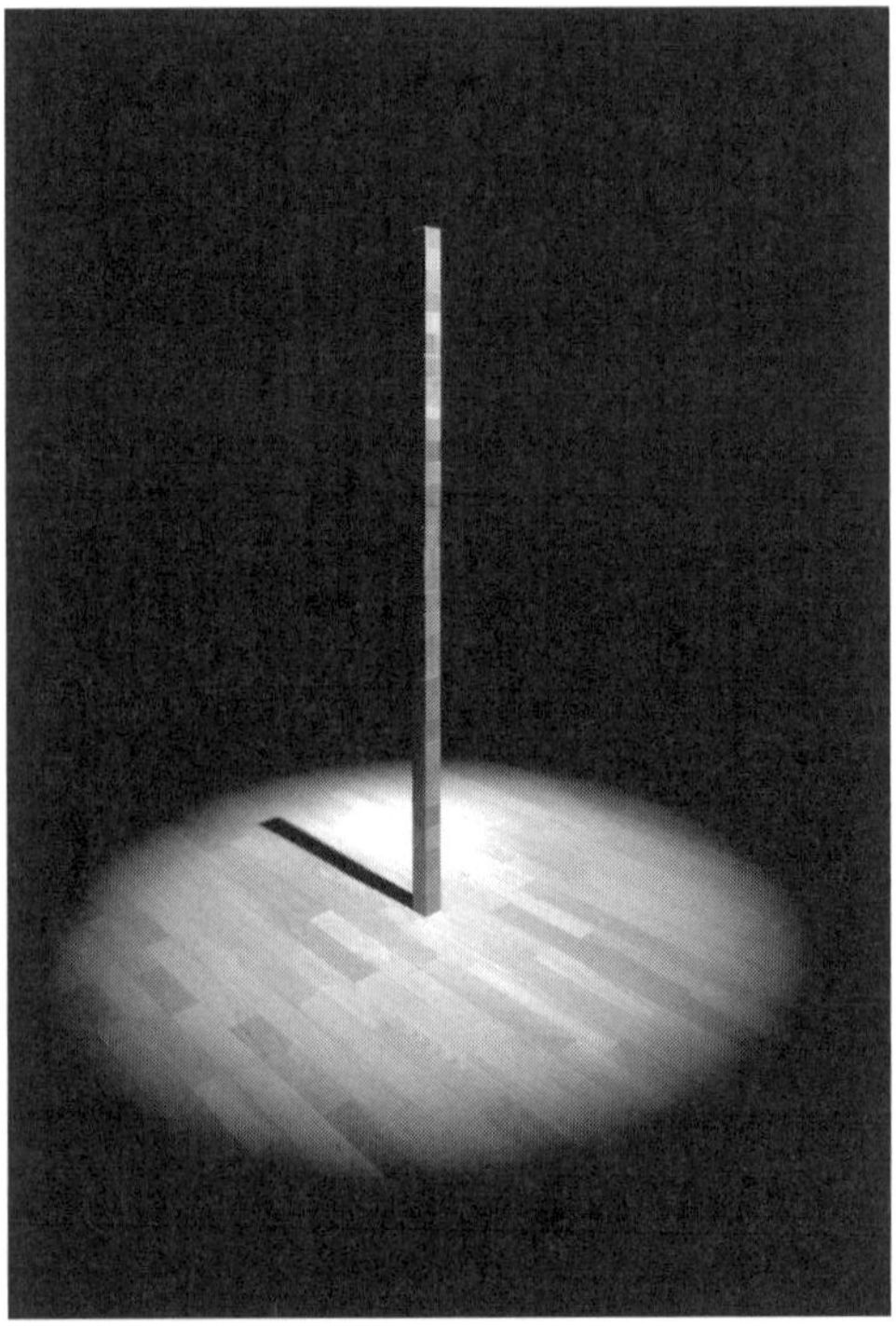

藤本由紀夫《ON THE EARTH》2000年

藤本由紀夫《美術館の遠足 5/10》2001年

た、曰く付きの美術館であった。だが、私はこの、まさに「伝説の展観」を見てはいない。最初の展覧会の図録を藤本さんがくれて、これは今だに座右の家宝だし、その後いつくかの図録や映像記録、ドキュメントなどで、私は勝手にその多くに参加したつもりになっているだけだ。友人の多くは行っていて逸話はゴマンと聞いたし、たしか最後の年には、一日に三千人もの参加者があったそうで驚異的な出来事だった。私は、そこで図録に記載されている担当者のノートから、「その準備に藤本さんが誠心誠意付き合った挙句、もう二度とやりたくない、と漏らすほど疲労困憊であった」という記載をひきたい。[註3]

それを読みながら、私は彼の瘦躯《そうく》の長身が傾《かし》いでいるのを想像した。ふだんの飄々《ひょうひょう》とした彼からは想像もつかないことだが、やはり彼は行動の人（肉体のフィールドワーカー）＝長明は、火事の現場にまでわざわざ足を運んでいる＝である藤本由紀夫を思った。展観で呼ばれたコペンハーゲンは、くまなく歩いて路地裏まで知り尽くした、と言っていたし、こういう肉体の観察眼が、彼の作品の、一見はクールだがその実徹底してセンシュアル（官能的？というより、どう言ったら良いのか分からないが、文字通り、五感共感的？）なその性質に通底すると思うのは、私だけではないだろう。

飄逸なワークショップがお得意であることも知っていたが、彼は、実はとことん「人間が好き」なんだな、その心情というか実践が、彼の、あのメタ手法を支えているんだな、と私なりに納得したこともある。人間嫌いで狷介なミザントロフの私とは、それだけは正反対になる。

やはり、シュタイナー派だな。「魂の秘密を知りたければ、世界の果てに行って人々が如何に生きているかを見よ。宇宙の果てを知りたければ、自らの魂の底の井戸に降りてゆけ」[註4]。

［註］

1　熊倉功夫『名宝日本の美術 十六 利休・織部・遠州』（小学館、一九八三）の主論から借りた。

2　私が企画して、藤本由紀夫さんに出てもらった展観を列挙する。
「二十一世紀・的・空間」現代美術と民俗的空間の出会い　日本の眼と空間Ⅲ（セゾン美術館、一九九四）
「現代デザインの一相貌」（ソウル国立現代美術館、一九九九）
「震災・記憶・芸術」展（川崎市岡本太郎美術館、二〇〇〇）
「尾崎翠美術館」展（ギャラリー册、二〇〇八）
「虚舟『私たちは、何処から来て、何処へ行くのか』芸術と科学の婚姻」展（川崎市岡本太郎美術館、二〇一一）
「生の言祝ぎ――インスタレーション、十二の柱＋出会いのパフォーマンス」（大分県立美術館、二〇一六）
「花とアートの岬づくりプロジェクト二〇一八」（長崎鼻アートフェスタ、二〇一八）、作品「on the border ―海を望む、海に臨む―」設置

3　アートビオトープ那須「水庭」での、作品「WATER here and there」の設置と、「水庭」設計者、石上純也との対談（二〇二二）（北山ひとみさん、実優さん企画）

4　塚村真美「十年間、毎年たった一日だけの「学習」――西宮市大谷記念美術館《美術館の遠足》」『by f about f』（藤本由紀夫、西宮市大谷記念美術館編、二〇〇二）
シュタイナーについては、高橋巖先生の『神秘学入門』（ちくまプリマーブックス、一九九九）から借りた。

2-18

Yell

——さかぎしよしおう、あるいは、いきものがかり

透きとおった、柔らかい夢

美術家さかぎしよしおうの仕事を、「時間」に絡めていう人や、書いたものをいくつか聞いたり見たりした記憶がある。むろん、それは言うまでもなく、彼の仕事が磁土をスポイト状のもので一滴ずつ垂らして乾かしながら堆積させ、さらに完全に乾燥させて素焼き、本焼きを経ての、長い時間のかかる仕事であるという、プロセスの事実に触れてのことだけでは無いだろう。

単純にいえば、それは悠久とか、悠久の時が、人間の時間を超えてそこに感じられる、という意味だろう。私は、そういう見解にいちがいに反対しない。物理的には、ごく小さな掌《てのひら》にのるようなその作品が、人類全体の悠久の時を超えて「在る」というイメージは気持ちの良い、ある種の爽快さを感じるものの、私の気持ちにさほど近くはない。

かつて二十世紀を代表する石の抽象彫刻家、イサム・ノグチについても、こういう意見を聞いたことがある。ノグチの場合には、これはもう、地球が生んだそれこそ悠久の歴史の産物である硬い石を相手にするからだろう。これにも私は反対はしないが、自分の気持ちに近いものとは言えない。

極端にいうならば「では、悠久の時を感じないような、優れた作品はあるのか」ということになって、ならばすべての逸品にあてはまることを言ったって仕方なかろう、ということになるからだ。直截にいうと、私がさかぎしよしおうの仕事に普段から感じているものは、「透明感」と、「柔軟性」であろうかと思う。

生涯一学芸員だから、これを「わかりやすく」観客に説明せねばならないが、ならばもっと的確明快に、「透きとおった」感じ、と、「柔らかな」感じ、だと言おうと思う。それをしもむろん「見た目」の形状や質感とかとは関係が無い。あえて言うならば、その仕事、作品が向かおうとする、その先に垣間見られるものの気配や空気、といったらさほど言いたいこととは離れていないだろう。

ことさらノグチと対比したいわけではないが、わかり易く短絡的に説明すると、ノグチの石彫は徹頭徹尾、ギリシャ以来の人体美を石から彫りだすマッチョな西洋彫刻の延長線上にあったものだ。それは「人間以前にあった壮大、巨大な物質に、人間が切り込んで戦いを挑むような」、西洋彫刻のマッチョさだ。それから逃れる？それを脱構築する？ためにノグチが依ったものが、東洋的で母なる抱擁の「庭」、その寛容だったというのが、簡単に言うと私のノグチ観である。

さかぎしの仕事も、抽象ということでは、そして作品が形状と質感で出来ていてそれ以外を表明していない（？というある批評家の言葉では）という意味では、戦後アメリカのミニマルでコンクリートな、還元主義的で自己反省的な、フォーマリズム（形式が形式のみで成り立つ）の系譜に入れようと思えば入るだろう。それが絵画ではなくても、また彼本人がそれに肯《がえ》んじようといまいとである。

だが私は彼の仕事を東洋的（？か、どうかはここでもいちがいに言えないが）な、私どもが学んだ西洋彫刻の伝統を脱構築するような、両義的で中性的、両性具有的でフレキシブルな、自由さ自在さに見ている者だ。洋の東西を問わず、本来、規範や因襲や規律などのあらゆる社会的束縛からの自由が、美術の原義であったはずである。だがそれすらも、原義から逸脱してとらわれの対象になるのが、人間の原罪、つまり性《さが》であろうか。そのとらわれからの解放、美術を徹底して原義に押しもどそうという、ある種の頑迷《がんめい》で狷介《けんかい》な、純粋な態度ゆえに獲得された、この融通《ゆうずう》無碍《むげ》。それこそが、第一級の作品に不可欠な透明度を与えている、というのが私見である。その純度の結晶としてのみ、作品が残る。香気と言い換えてもいい。

それは予《あらかじ》めあった既存の何かに依《よ》りかかろうというような、教義に闇雲に忠実なマッチョさではない。自由への、自在さへの、未知で未生の美術の原義への、苛烈な頑迷と狷介さでもって、誠実に担保され護持された楽園であろうと、私は想像する。

また私ども日本の美意識では、この自由で自在な透明感のことを、雅味、と古来言っていた。

それは工芸ともむろんちがうのだが、例えば西洋でいうと、美術や工芸の範疇にすらも入れられなかった、刺繍や編み物、家庭内手芸として、婦人たちが生活の中で日向ぼっこしながら、お喋りしながら、寡黙に楽しくやっていたそういう時間、空間から「生まれた」ものにも酷似しているように感じるのは、私だけだろうか。（あの苛烈な一次世界大戦中に、マッチョなアカデミズムの「筆」＝ファロスを捨てて、「ハサミ」＝ヴァ

ギナ、の自在さで世界を刻んだのは、コラージュに依ったダダの作家たちだった）

またさらに短絡すると「柔らかさ」とは、これもまた磁土が元は土であって、悠久の旧約創世記的な「塵芥《ちりあくた》」、日本的「すべての元」から来て、今、こういう状態になりました、という作品プロセス上の事情とも関係はない。いや、もうそこまで言うならば、それを含めてそうなんだ、とあるいは言い切っても良いのかも知れない。

あらゆる優れた美術家は、すべからく、外部としての自然を相手にしている、というのが私の美術観である。それを他者、と言い換えてもいい。他者との隔たりも、また無限であろう。

さかぎしの「純度」の日々、その「美術を美術の原像に押しもどそうという」日々の苦闘の日録としての作品が、かくして私たちの前にある。

自然はその時、初めて美術という「透きとおった」「柔らかい」夢の姿に似る。[註1]

そうして、あの既に忘れられた前世のごとく、また輪廻転生する未見のもののごとく、また再び無限遠の彼方から、私ども人間の元に奇跡的に帰還してくる。

それがさかぎしよしおうという稀有な芸術家が求め、また私どもすべてが、あの秘められた謎の中に垣間見た、美術の原像であったのではなかっただろうか。

生のエロス、不敵な笑い

孤高の作家、さかぎしよしおうとの付き合いは、長い。ここで、孤高とは何を意味するのか説明が要るだろうが、それは小文を読んでいただければ、自然に分かるだろう。

彼とは同世代（大雑把にいえばで、去年だか還暦になった彼は私よりほんの少し下）だが、同じ美術を至上のものとして生きてきたのに、その生涯・軌跡はかなりちがう。

駆け出し学芸員の頃、その当時から日本やヨーロッパの近代、とくにデザインや建築、工芸の展覧会をやっていたが「お前、現代美術知らんやろ」と揶揄？されたことがあって、持ち前の広島ヤクザ的反骨心で、「知らんわけ無かろうが、おどれ。同世代を守るのが、学芸員の使命じゃろうが、やらいでか」と心中叫んで、急遽、現代作家のグループ展をやることにした。しかも、「日本的なものとはなんぞや」と謳《うた》ってそれまでやって来た、工芸・建築展シリーズの最後の締めに、だ。

「二十一世紀・的・空間」と銘打った展観は、現代作家十二人と、土器や埴輪やら、民具を並べて「芸術」を、「ただ今現在生まれている、未だ海のもの山のものとも判然しない＝現代美術」と、「元から、美術や芸術＝鑑賞して楽しむ？ものとはちがった用途・役割から生まれたもの」で挟み打ちにして、いったい美とはなんぞやという問いを、真っ向勝負的メッセージにしたものであった。

自分では展観の中身、メッセージ性、空間、すべて抜群の出来栄え、で、生涯キュレーションの三指に入る自信作であったのだが、客入りは館始まって以来の最悪。意地悪い上司が冗談で（本気で責めるような馬鹿はこの館には居なかった、偉大な堤さんのお陰で）、「経費回収率、ほぼ一パーセント」とか言って笑っていた。

そこでさかぎしに頼んだのは、彼が当時やっていた、溶いた石膏のスポイト状のものでの垂れ流し？を積み重ねた、小さなレリーフ状の作品であった。彼が夕方近く、おっとり刀で野球帽かぶってバイクでやって来て（予定より大幅に遅刻）、自分で、ストンストン、とまわりをキョロキョロ見回しながら、あんばい良く壁に設置してくれた。同じ空間には、北関東の農具や漁具が白くて低い展示台の上に、置かれていた。

この頃から、パンクロックのDJ然とした父ちゃん坊やさかぎしに、私は不敵な笑いと、その正反対の、恥じらいに満ちたはにかみ、含羞《がんしゅう》をみるようになった。その笑いを見るたび、私は妙な話しを思い出す。

それはある宗教会議で有名なお坊さんが演説したという「現代社会における、宗教の役割」というもの

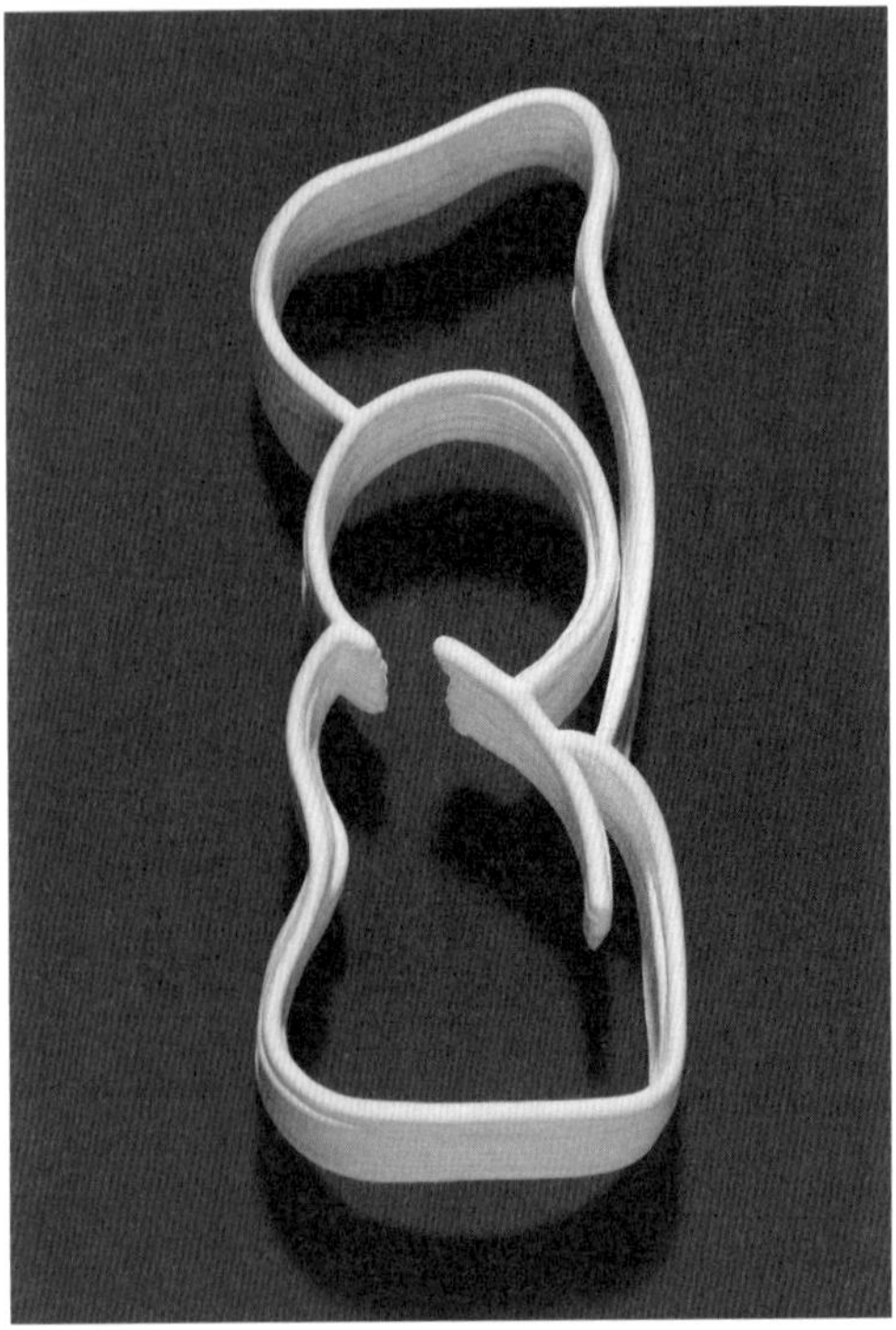

さかぎしよしおう《93124》1993年、個人蔵

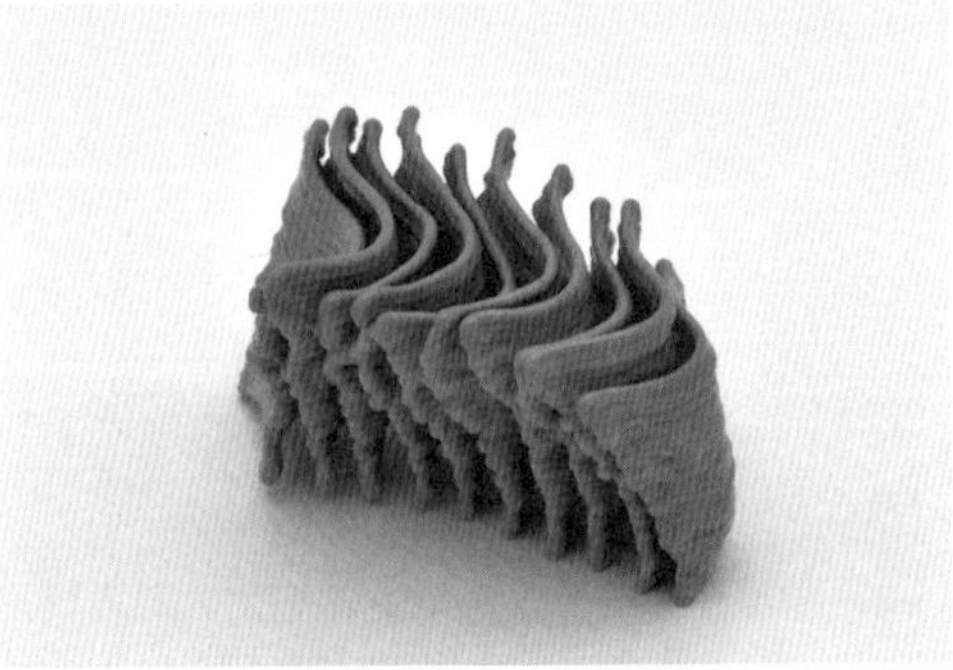

さかぎしよしおう《19016》2019年、個人蔵

であった。伝え聞くところによれば、このお坊さんは「それは、社会を馬鹿にすることです」と、言い切ったという。

無限遠の彼方

その後、作家さかぎしよしおうに小さな展観に参加してくれるよう頼んだ。断らず承諾はしてくれ、実際にいくつかの作品を出してくれたのだが、まあ実際は断られたのと同じだった。それは「尾崎翠美術館」というタイトルで、私の偏愛するこの作家のほとんど唯一の小説、日本近代きってのシュールレアリズム小説『第七官界彷徨』に、現代作家、それも私の偏愛し信頼する作家たちに、オマージュを捧げてもらうという趣向。

「うーん、ちょっと、どうかなあ。作品は、自分のなかからしか、出てこないからなあ」(つまり、他からの刺激で何かやるのは、本当は嫌だという意味)。最初私が、尾崎翠をテーマにしてグループ展やりたいから出てくれないかと打診したら、開口一番そう言ってちょっと渋ってたのを無理やり連れ出して「いいんだよ、尾崎テーマでつくらなくても。出してくれりゃ、見る人は勝手に見るんだから」。「あんたの作品は尾崎翠に似てるから」とか、いったいどういう意味なんだ?と思われながら、「俺が並べてみたいわけだよ。イメージというか観念としての『第七官界彷徨』世界のなかに、あんたの作品をさ」。

「まあじゃあ勝手にして、それは。わたくしは自分の作品、持って行けばいいわけね近作を」という感じで最終的には、納得していただいたようで、その後企画書送ってからは「他の作家たちはすごく興味のあるいい作家ばかりなので、それなら、やってやろうじゃないか」とムクムク沸いてきた、さかぎしのポジティヴ精神に救われたようだ。

彼は、今の子供たちの危機に対して、何がいったい自分でできるだろうかと考えに考えた末に、「美術だけは、点数がないから、自信をもって、自分だけの世界をつくれ！」、「人と自分を比べずに、ただただ、やりたい、面白いと自分が思うことをやれば人間良いのだ」という、無手勝原理主義的美術教室を自宅で始めちゃったぐらいで、世のなかをより良く変えたいと思う義士的姿勢は、どんどん高揚しているようだ。

その時図録というか、小さなパンフレット代わりに、「尾崎翠新聞」なるものをつくって、私は以下のような小文をさかぎしのページに載せた。

「夢の変容物――さかぎしよしおうに」

僕がさかぎしと会ったのは、セゾンで展覧会をした「二十一世紀・的・空間」に出てもらった時。かれこれもう十三年も前。当時彼は、例の、石膏を垂らしこんで、細く積み重ねるというか、レリーフ状の作品をつくっていた。

きちんきちんと、定期的につくって個展をして、作品ばかりか丁寧に箱もつくって、自作にお金を出して買ってくれるコレクターを大事にして、ちゃんと適正な値段で買ってもらう努力も惜しまない、そういう真面目な態度に感心する画商さんも多かったと記憶する。

彼のことを書くと、何か彼の声音とか（自分でたしか、声の高い人は頭が良いとか、何か変な理屈を、僕の学生たちにも講釈していた。「日本でも稀有な、真っ当なアーティスト、斯く在れり」と思っているので、年一回、うちの学科に来てもらって、二年の必修で、自分の作家としての生きかたを語ってほしいと、講義をやってもらってる）、生で聞こえてくるようだ。彼は、生身の動物というか、生命体として、ディテールまで、どうしてか、仕草とかが記憶に残る男で……。

根気のいる仕事がはたして好きなのかどうかはまだ聞いたことがないが、作品をつくるのが飯より好きなのは歴然で、無理にこじつける気はないけど『第七官界彷徨』に出てくる、蛍光灯のしたで日夜、苔の培養をやっている小野二助に似ている、という気がしないでもない。

彼はそのすばらしい講義で、「待っていると、まじめに、真剣に待っていると、あっ、これそうじゃないか、と美術が向こうからやって来てくれるとこが、必ずある。必ず、あるんだよ」といつも、力説してくれている。

ご承知のように、じっくりゆっくり、苛烈で緻密でていねいな時間のなかで醸成された彼の作品、その真骨頂は、凝集力の中にある、独特の豊かな伸びやかさというか、人を萎縮させない明るさだな、と僕はふだんから感じている。今の時代にはめったに出会わない、いっしゅ優雅でエレガントな感覚もある。以下、かつてBTに書いた展評、読んでいただいた人は少ないだろうし、愛着ある小文なので、再録。

「二〇〇〇年十一月、ギャラリエ・アンドウにおける『さかぎしよしおう』展」

かつてさかぎしは、作家は一万点つくってなんぼだ、とうそぶいていた。それを目標に、日々制作三昧の生活を送っていた。作品の他に生きる糧を求めぬこと、じつに苦行僧のごとく、清貧にして壮絶だった。そのさかぎしが、四年の沈黙を破って再び姿を現した。

案内状からして、かつてのさかぎしをはるかに圧縮したような、微細で、濃密なものが窺《うかが》われた。うかつにも、磁土を焼いた焼きものだったとは気がつかなかった。溶かした石膏をたらすやり方はたしかに変わってはいないのだが。

まことに小さな掌《てのひら》にのるぐらいのものでありながら、壮麗にして堅固、大地から生き物のごとく立ちあがる未生の怪物、その幾百千が重なり合い、蠢《うごめ》き合い、あたかも生成消滅を繰り返す、無数の生き物による一大伽藍だった。

私の脳裡に閃《ひらめ》いたのは、未だ見たことはない、長く憧れ続けている十九世紀フランスの片田舎の郵便配達夫だったシュヴァル翁が、三十数年かかって日々三十キロも歩くすがら拾った石で築いたかの神殿、「理想宮」であった。

さかぎしはまた、「生まれるアート」とも言った。ケレンなコンセプトや、作品のダイナミックな見栄えや、受けを狙った意図などに見向きもせず、ただ「宇宙の果てに漂う」美術という未見・未生のイデアに殉《じゅん》ずること。その声に耳傾けて、ひたすらその微《ひそ》かな、軽やかな声に寄り添うてその声の手助けだけをすることが、作家の使命である、と信じる男がいる。

「芸術の媒体性」、それを作家の媒体性、と言ってもいい、という。

リルケがその『ロダン論』二部で、「美の降りてくる祭壇を整える者を、芸術家と言う」と喝破したことだ。

西欧近代の考えに毒された日本の芸術家たちに対する、義士さかぎし一流の警鐘だ。

鍾乳洞のように、それを反転させたように聳《そび》える、壺中の天を私は仰ぎ見ながら、その美しい肌合いに、不敵にエロティックに笑うさかぎしを思った。


優れた芸術とは、必ず、社会の最も底辺で苦悶する民衆の怨念を代弁するものである

こういうある種の殺し文句を、私は良い加減なことに、記憶で、畏敬する高橋巖先生の名著『神秘学入門』からの曖昧な印象で書いている。
だがいずれにしても、私の美術に対する信条、そのままと言っても良い言葉だ。
それは私が駆け出し学芸員の頃、生意気な小僧を手取り足取り教えてくれた、大先輩Nさんにふと言われた「ニイミよ、作家って何で作品作ってるんだと思う?」、対して「美しいもののため、自己満足? 癒《いや》し?」と答えた愚直に、「すべてちがうねえ、作家がモノを作るのはなあニイミ、皆彼らは今の社会がこれじゃ駄目だ、と思うからなんだよ」、「つまり世直し、だ」、と宣《のたも》うたことをも思い出していた。[註2]
またある博物館の展示に関する授業で、私はさかぎしぎし作品を俎板にのせて、学生に学芸員がよくやる「作品キャプション」を書かせて、講評したり、あるいは、企画(キュレーション)と称して、「さかぎし作品プラス、日本美術の名品を一点選んで」、「そのたった二点(じゃなく、さかぎし作品は数点から十点余りだが)

でもって、日本文化の本質を紹介する、海外へ向けた小展覧会を企画する」という、演習すらやっている。キャプションでは、テニヲハからなんから赤字を入れて、ビフォー・アフターで、どうだ分かったか若造ども！と、「やってみせ、説いて聞かせ、やらせて褒《ほ》めて、人は育つ」という、山本五十六方式をやるのだが、肝要は、まず彼の作品を実際に見せて、「作品の本質は隠されている」と、ブチ上げるのであった。

「作品の本質は隠されている」ということは、普通の観客、一般市民は、作品を見たって、この粒々ブツブツ、の堆積、積み重なったような、硬くてコリコリ、すべすべしている、「訳の分からない代物が一体何？なのか、何を意味する？のか」とうてい知りようが無い、ということだ。

ではさかぎしのこの不思議な作品の本質をどこで探すのか？

それは、先のシュタイナーの名言にある通り。社会そのもの、世間そのもの、そこに生きて、笑い、苦しみ、悩んで悲しんで右往左往している、私とあなた、それらすべての同時代人の庶民我々自身の顔つきを表に出て、駅や電車の中でよくよく見て来い、と言うのである。

作品の本質は、隠されている

私の癖は「やってみせ、云々」という山本五十六方式であるのは前に言ったが、学生には、二種類の、模範？解答を、演習の最後に配るようにしている。その二つを、ここに並べてみる。

とりわけ、ふざけているわけじゃないが、最初の方は、かつて彼に見せたら、「えーッ、これ本気なの？」と本人にも目を疑われた、曰くつきのものになる。

「はーなーもあらしもー、踏み越ーえーて、男さかぎし、何処へ行く?」

あーこりゃあ、頑張ってるねえ、何たって、何ともかとも清々しいじゃあねえか! この丸いけど切り立った、アオアオとした角刈り刈り込みの男振りったら無いね。今時の便所で鏡見い見い髪いじっている馬鹿小僧共には無い心意気だ。

角帯に鉢巻きキリッと巻いていきり立ち「さあ神輿だ! 祭りだ!」、そう来なくっちゃ始まるメエさ(そういやホオズキ市が立って、三社の祭りもすぐそこさあ)。ふつうだったら、もうこれ見ちまったら、俄然「江戸っ子だってねえ! 寿司食いねえ! 酒呑みねえ!」とくらあな。

刈り込みの丸坊主? そういやさかぎしさん、ツンつるスキンだったよね、面妖怪異というか、むしろかの、信貴山縁起に出てくる、空ストッ飛びの童子、「剣《つるぎ》の童子」に見えるじゃねえか? えー、俺様も下町育ちの職人あがりだが、なかなか学があるねえ。童子がストッ飛んで居なくなった後の、あの空気が俺りゃあ好きでね。

智に働けば角が立つ、情に棹《さお》させば流される、とかくこの世は生き難い。そうなんだってねえ、金之助先生よ、だけど、気落ちせずやって行ってくんな、必ず、良いこともあるからよお。皆の衆よ。

何だろうねえこの清々しいような、何んにも無い、気モーチ良い、でもちょっとモノ寂いっつうかさ。祭りの後の「ペーソス」ってえ奴? そんなもんまで、味わわせてもらって、嬉しくて涙ポロぽろだったよ、いやありがとさんよ、さかぎしさん。

お後が宜しいようで。

「『生まれ出づる悩み』、あるいは元気の源」

現代の世の中を見据えると、どういう作品が生まれるか？

現代アートの第一線を走る作家、さかぎしよしおうの仕事にみてみたい。

と言っても当の作家は「作品は、どこからともなく生まれて来るものだから、自分は何やかんややりながら、精一杯生きて、それに寄り添ってやるだけ」と言う。世紀末の詩人リルクの『ロダン論』に、「美を見いだした者はかつていない。芸術家は、その降りたって来る神殿を整えるだけだ」とある。これを、さかぎし流に「芸術における、媒体性」としておこう。

超級の優れた仕事は、かの天才モーツァルトの音楽がそうであるようにいつも宇宙の生気を呼吸しながら、見る者の身体にその自然界で繰り広げられる「一瞬一瞬の、生と死の繰り返し」、つまり「生きていることの奇跡」を感じさせる。

さかぎしが、深夜に密室で、静かに、不敵に強いながら、スポイトから一滴一滴、磁土を溶かした水滴を落とし重ねてゆく。その作業は、何日も何ヶ月も続く。そして、じっくり、たっぷり乾かされたそれは、火に、自然に最後に委ねられて、現われる。

『生まれ出づる悩み』

有島武郎の小説のように、さかぎしの手作業、その一滴 一滴が、現代社会の苦悩と不安に、じっくりと寄り添い、その一つひとつに「頑張れよ」と声をかける。

その時、芸術家ではなく、彼の手を離れた芸術作品こそが、神を代弁するはずだ。

Yell、いきものがかり

いきものがかり、の「Yell」を、私は数年前に、まったくの偶然から、ふだん聞いているNHK FMのクラシック番組の直前の歌謡曲特集で聴いた。

たまたまその時間前にラジオのスイッチをひねったら、最後のその曲がかかるところだった。

驚いた、驚くべき曲であった。それはこの曲が、別れの曲であって、そもそもがこの地球に元から居なかった惑星からやって来た異人たちが、しばしこの地に住んだが、さあ今から故郷に帰るから、サヨナラだね、という歌に聴こえたからだ。

私は一瞬にして、それを理解した。彼らはもはや、帰ろうとしている、この地球を後にして、あの惑星へと。

何という、悲しい歌か。いや、それこそが、歌というものの、もともとの原点のあり方ではないか。

私にも、実は同じ体験があったからだ。それを以下に書こうと思う。

「トゥー・ラヴ・アゲイン」
——TO LOVE AGAIN 再び愛して、星星の、その故郷へと帰り給いし物語にかえて
人はそのそれぞれのやり方で、生の輝かしさも、また悲惨も、ひとつひとつはすべて、ただ一回限

り、かけがえのない、二度と同じことはけっして起こらない、奇跡的な光芒である、という実相を知っている。

だから、一度起こったことは、けっして消えない。

たとえ、それが、果てのない悔悟《かいご》であっても、忘れ難い光輝であっても。

その時、私は偶然、日本でいちばん嫌いな街である渋谷、生半可な人格骨品しか持ち合わせない自分にとっては、もっともヒューマニズムを失い易い、休日の渋谷の雑踏を、歩いていた。

性狷介《せいけんかい》にしてミザントロフ、独りよがりの、芸術至上主義者である私には、こうも人間が犇《ひし》めきあっていること自体、堪え難い。

ところがその時、ふと、こういう考えが浮かんだ。

月日は百代の家客にして、と芭蕉はいうけれども、家客であるのは、月日のほうではなく、私ども人間という、旅の舟、時の器そのものではないのか、と。

そして、私ども人間は、この地球上に仮棲まいするが、ここにはまた、本来の故郷、古里のようなものは、いっさい無いのではないか、と。

私どもは、それぞれが、果てもなく遠い、遥かかなたの星星から、やって来たる、それぞれ別別の、星の人種なのである。だから、母にして子であっても、また幼馴染みであっても、師弟であっても、人はそれぞれ、まったく別個の人格人間であるいじょうに、まったく異なる種族、星の民であるのではなかろうか。

種族の寄寓というか、それは、生の奇遇でもある。

だから、世界幾十億という人間は、やがてはその生を終えて、この地球上の仮棲まいが終われば、またまた再び、延々たる光芒の旅を続けながら、その本来の故郷、古里である、幾億光年先の星へと、帰っていかねばならぬ。

蒼穹《そうきゅう》、その夜空の天空を、幾十億もの星のつぶてが、またそれぞれの軌跡をめずらかに形づくりながら、幾十億もの、宇宙の果てなる星星へと、拡散し、散らばり、帰ってゆく。そしてまた、入れ替わりながら逆の方向へと、地球という港に艫《ともづな》をあずけるべく、飛来する星星もまた、幾十億。

それが、この地上では、死と生として理解されているものの、真相のような気がして、今の私にはならないのである。そうして、私ども人間の深層には、やはりこの旅の宿りの止まり木である、地球をあだやおろそかに汚してはならない、醜いものにするわけにはいかぬという、星星からの遺伝の声の谺《こだま》が、幸いにも横たわっているような気がする。

だから、人は、再び、愛し合わなければならない。

いまだ、旅の途中である故には。そして、生きている限りは。

そして、旅は、生の後にもまた、用意されているというか、本懐とも義務ともいえるかたちで、与えられてゆくのであるからには、これでもうお仕舞い、とたかを括《くく》ることとじたいが、人間には決して許されてはいないのだ、と考えたほうが宜《よろ》しかろうとも思える。

一度、起こったことは、けっして無くならない。深い悔悟も、絶望も、奇跡的な光輝も、恍惚も。

だから、なお、さらに、「トゥー・ラヴ・アゲイン」。

そのようにしてしか、私どもは、生きられないのである。

最後に、唐突なようだが、長く付き合って（個人的には一度しか会ってないから、向こうは覚えているはずも無いが）、本も何冊か書いたイサム・ノグチだが、ノグチはモダンでエリート主義的な近代彫刻を超えて、もっと開かれた二十一世紀の新しい庭に向かったわけだが、その営為は、まさしく地球上のどこにも無い庭、それをつくる、果敢で孤独な営みだった。

彼の眼差しには、地球をすでに絶滅した古種として、遠い星座から眺めているような悲しいところがある。

それとまったく同種のものを、私は、この夏に偶然にラジオから流れて来た、「いきものがかり」という、それまでまったく知らなかった歌手？ソングライターのグループの歌に聴いた。

彼ら、つまり現代の若者のもっとも研ぎ澄まされた感受性もまた、この社会に徹底的に絶望し、悲嘆にくれ途方に迷い、それでも告別の明るい歌を歌っているのじゃないだろうか。

時代の感性とは、もしかしたら、昔からそうだったのかも知れない。

北山修の「戦争知らない子供たち」の最後のフレーズも、「涙を堪えて、歌うことだけさ」だった。

それこそ、芸術の意味でなくて、他の何が芸術だろう。

何度でも言おう。だから芸術だけが、社会と人びとを救うのである。

それが、さかぎしという男と彼の仕事に私が感じる芸術の本質、心意気である。

［註］

1　「透きとおった夢」は、かつて神奈川県立近代美術館での野中ユリ展についた、サブタイトル。

2　かつての上司で、手取り足取り学芸員のイロハを教えてくれた、現セゾン現代美術館名誉館長の、難波英夫さん。

＊本稿は、過去にさまざま書いたものの、パッチワークで出来ており、さらにそれに加筆したものである。以下にあげる。とりわけ「Yell」とノグチの分も。「トゥー・ラヴ・アゲイン」は、どこに書いたかも失念した。

「尾崎翠新聞」（ギャラリー册、北山ひとみ、二〇〇八）

「ヴィーナスたちの午後　歌人、川野里子に」『新見隆と大分を巡った二年間　たびするシューレ　全記録』（令和元年度大分県地域アート活動支援委託事業報告書、二〇二〇）

以下、さかぎしよしおうさんに出てもらった展覧会である。
「二十一世紀・的・空間」現代美術と民俗的空間の出会い：日本の眼と空間III（セゾン美術館、一九九四）
「尾崎翠美術館」展（ギャラリー冊、二〇〇七）
「生の言祝ぎ――インスタレーション、十二の柱＋出会いのパフォーマンス」（大分県立美術館、二〇一六）
「『ゲーテの手』―白と白―手技（アルス）の深層II　さかぎしよしおうvs徳丸鏡子　二人展」（ギャラリー冊、二〇一九）
そこには、以下のように書いた。
「シリーズの第二回は、磁土の丹念、精密なたらし込みを焼成した立体で、圧倒的な宇宙観を示し続けるさかぎしよしおうと、白い、『花びらが生命のように燃える』焼き物で、部分と全体の一体となった造形を追い、『言祝ぎ』を謳歌する徳丸鏡子、この二人の異なる境地を紹介する。
　四人に共通するのは、『手と物質』の接触点、『植物生命の成長の先端の出現』にこだわるその姿勢であって、それはある意味きわめてゲーテ的であって、ゲーテによる『生命成長理論』、その現代における、甦《よみがえ》り、とも言い得るのではないか、という試論的試みである。」
留守玲の章で紹介した、アートビオトープ那須における「ゲーテの手――スイートヴィラの客室における十五棚」（二〇〇〇）もある。
文中に、武蔵野美術大学美術館・図書館での「大浦一志――雲仙普賢岳／記憶の地層」展（二〇二三）挨拶文に重なる文言がある。

現代作家略歴

横尾龍彦（YOKOO, Tatsuhiko）

一九二八年福岡県生まれ。東京藝術大学日本画科卒業。一九六五年シトー会修道院より奨学金を受けた渡欧をはじめ、欧州での滞在多数。一九八〇年、ドイツへ移転し、一九八五年以降は埼玉県秩父市のアトリエと往来する。一九七八年、高橋巖によるシュタイナー研究会に参加、一九七八年より鎌倉三雲禅堂、山田耕雲老師に師事。二〇一五年逝去。二〇二二年から二三年にかけて「横尾龍彦 瞑想の彼方」（北九州市立美術館 本館、神奈川県立近代美術館 葉山、埼玉県立近代美術館）開催。

「神は美の正体です／美しいものは　風のように過ぎていきます／自我が強いと　風は避けていきます／自我が空になっていると　風はその穴から霊妙な音楽を奏でます／心が空になるためには　只忘れる／自己を忘れてしまえば　風が吹いてきて美しい音を奏でる／すべて私が成すのではなく／私の中の神様が成さっているのです」

西井葉子（NISHII, Yoko）

三重県伊勢市出身。慶應義塾大学文学部仏文学専攻卒業後、クロアチアのイーノ・ミルコヴィッチ音楽アカデミーピアノ科に特別全額奨学生として入学、同アカデミー大学院修士課程修了。二〇〇五年〜〇七年文化庁新進芸術家海外留学研修員として、クロアチア国立ザグレブ音楽アカデミー大学院研究科に留学。国際コンクール受賞歴多数。日本とクロアチアを拠点に、国内外で多数のソロリサイタルを開催。二〇一五年クロアチアの女流作曲家ドラ・ペヤチェヴィッチのピアノソロ作品全曲を収めた世界初となるCDを出版。令和五年度外務大臣表彰受賞。

「良い演奏は、個人の意識や感情を超越した普遍的な意識、宇宙との一体性を感じられるような時に生まれる気がします。／『私達は一体何処から来て何処へ向かっているのか？』を問いながら、常に『祈り』の精神で演奏しています。」

構成・編集：森遥香

椎名 絢 (SHIINA, Aya)

一九七九年茨城県生まれ。お茶の水女子大学理学部生物学科卒業後、武蔵野美術大学造形学部日本画学科に入学、同学大学院造形研究科修士課程美術専攻日本画コース修了。主な個展に二〇一九年「冬の旅」（武蔵野美術大学 gFAL）、二〇二二年「茂み」（ギャラリーナユタ）など。主なグループ展に、二〇一五年「a.a.t.m. アートアワードトーキョー丸の内 二〇一五」（丸ビル／東京）、二〇一八年「第七回日経日本画大賞展」（上野の森美術館）、二〇二一年「絵、纏う」（数寄和／東京）などがある。

「自分は何とも心許ない。日々過ごす中であるいは旅先で、ふと気になった事象をスケッチし、描く。どう描き上がるのか自分にも分からない。そこに現れたものは、心許ない自分を少し補ってくれるように思う。」

関根直子 (SEKINE, Naoko)

東京都生まれ。武蔵野美術大学大学院造形研究科美術専攻油絵コース修了。二〇一三年文化庁海外研修制度研修員として渡仏。主な展覧会に二〇〇六年「カオスモス'05 辿りつけない光景」（佐倉市立美術館）、二〇〇七年「線の迷宮〈ラビリンス〉II——鉛筆と黒鉛の旋律」（目黒区美術館）、二〇〇九年「I BELIEVE」（富山県立近代美術館）、二〇一〇年「ドゥーブル・リュミエール」（パリ日本文化会館）、二〇一一年「MOTアニュアル二〇一一 Nearest Faraway｜世界の深さのはかり方」（東京都現代美術館）、二〇一五年「モダン百花繚乱『大分世界美術館』」（大分県立美術館）など。

「私は質を描き、その質がイメージを必然的に内包し、絵の構造自体がまた別のイメージを形成して、それらがシンクロしているような作品を造っています。それは複合的な存在の仕方で、それが私の表現言語であり、感覚や意識であると思っています。」

新見 藍 (NIIMI, Ai)

東京都生まれ。彫刻家、陶芸家、詩人。文化学院専門課程美術科卒業。陶彫をやっている。用の器や、針金とビーズなどでブローチやネックレスもつくる。現在詩集出版準備中。主な個展に二〇一一年「闇の輝き」（魚しけ 別邸）、二〇一六年「生命の魔法」（ギャラリー TOM／東京）。二〇一二年アーティスト・イン・レジデンス（アートビオトープ那須、ワークショップ「陶土で人形を作る——自由な心と大切な人」）。グループ展に二〇一六年「掌の宇宙に、曼荼羅の花咲く」（とちぎ蔵の街美術館）など。

「人間は恐ろしいほどに愚かで、醜く、浅墓《あさはか》だ。現世での罪は人の心を奪ってしまう。その思いも、どの思いも、早くてもだめ、遅くてもだめ。ただ、静かに静かに、浮かび上がらせなければならない。それが無くしてはならぬもの。見失ってはならぬもの。」

松本陽子 (MATSUMOTO, Yoko)

一九三六年東京都生まれ。東京藝術大学美術学部絵画科油画専攻卒業。主な個展に二〇〇三年「宇宙エーテル体」武蔵野美術大学 αMプロジェクト(art space kimura ASK?/東京)、二〇二三年ヒノギャラリー/東京など。主なグループ展に一九九五年「視ることのアレゴリー」(セゾン美術館)、二〇〇九年「光：松本陽子/野口里佳」(国立新美術館)、二〇一五年「モダン百花繚乱『大分世界美術館』」(大分県立美術館)、二〇二三年「MOTコレクション 被膜虚実/Breathing めぐる呼吸」(東京都現代美術館)など。主な所蔵先に神奈川県立近代美術館、国立国際美術館、東京都現代美術館など。

「藝大時、小磯良平先生に『君は抽象を描きなさい』と背中を押されたその日から、たったひとり抽象画に魂を捧げてきた。透明な色彩と理想の空間を求め、気づけば六十年が過ぎていた。目の前にはまた真っ白なキャンバスが、描かれんと待ちわびている。」

樋口健彦 (HIGUCHI, Takehiko)

一九六六年福岡県生まれ。大阪芸術大学芸術学部工芸科陶芸コース卒業、多摩美術大学絵画科陶芸専攻研究生修了。一九九九年 Asian Artists Fellowship により渡米、二〇〇四年から一七年まで多摩美術大学工芸学科非常勤講師。主な展覧会に一九九八年「Contemporary Ceramics '96」(Gallery Art Present/パリ)、二〇一〇年「『モノ・黒』樋口健彦の仕事二〇〇五—二〇一〇」(平塚市美術館)、二〇一六年「生への言祝ぎ」(大分県立美術館)など。主な所蔵先に平塚市美術館、町田市立博物館、アルゼンチン近代美術館など。主な公共設置に立教大学付属中学高等学校音楽ホール、JRA新潟競馬場、インターコンチネンタルホテル別府など。

「暗く消えるか? 輝いて消えるか? 取留もなく気配のみ残る様。光を全て吸収し黒く見えるモノ、正しくは黒くて見えないモノ。輝きしもの、光源ではなく光を全て跳返し、挙句見えなくなるモノ。なさそげであるもの。逆説的実験を怪逆的に手工作的で画一されない情緒と侘び寂びの妙を被せ様々な場に置くこと。」

中村錦平 (NAKAMURA, Kimpei)

一九三五年石川県生まれ。東京焼窯元、多摩美術大学名誉教授。金沢美術工芸大学中退。ソニービル、モントリオール万博日本館の陶壁の評価で、一九六九年J・D・ロックフェラー三世基金フェロー。一九七三年 THINKING TOUCHING DRINKING CUP 国際展企画/百三十名十一ヶ国 金沢 東京

大阪 巡回(北海道立美術館蔵)。一九八五年仏政府の求めで国立セーブル製陶所にて試作、ルーヴル宮国立装飾美術館が紹介。一九九三年「東京焼・メタセラミックスで現在をさぐる」(石川県立美術館)で芸術選奨文部大臣賞。スパイラルガーデン/東京、芦屋市立美術博物館巡回。二〇一四年「OPAM誕生祭 OPAM VS 東京焼インスタレーション」(大分県立美術館)。著書『東京焼 自作自論』(美術出版社)。「八十八になっ(て観)た。疲労/疲労感が頻繁に。暗澹に繋がり閉口する。対策に『南無阿弥陀仏』と念ずるか『則天去私』で逃げるが知恵と思い始めた。紹介の個展画像で当時の『挑戦と克服の気概』を反芻。二策に勝るのを実感。」

中村洋子 (NAKAMURA, Yoko)

一九五〇年石川県生まれ。東横学園女子短期大学国語国文学科(東京都市大学)卒業。中村錦平に出会い、造形をはじめる。陶芸から出発し、現在はインスタレーションを制作。主な個展に一九九七年「渇きつつある繁殖体」(スパイラルShowcase)、二〇〇七年「僅かな相違点」(中京大学)、二〇二一年「《雲》—ベイクォーターに触発されて—」(横浜ベイクォーター)。主なグループ展として二〇〇六年より野外展「雨引の里と彫刻」(茨城県桜川市)に毎回参加、二〇一六年「生への言祝ぎ」(大分県立美術館)、二〇一九年「来るべき世界:科学技術、AIと人間性」(青山学院大学)。一九九五年第四回国際陶磁器展美濃審査員特別賞受賞。著書に『MESH/CLAY/FIRE——中村洋子のやきもの』(美術出版社)。「素材はステンレスメッシュ。雲のように形は自由自在。存在も軽々と変えられる。空気も光も透過させる。これらの特質を基に、周囲の状況をまき込んで、物的だけでなく事的世界観でインスタレーションする。」

真島直子 (MAJIMA, Naoko)

一九四四年愛知県生まれ。東京藝術大学美術学部油画科卒業。一九八〇年代初頭より、おどろおどろしくも美しい鉛筆絵画やオブジェを発表し続け、近年は油絵にも取り組む。二〇〇一年「第十回アジアアートビエンナーレ」(バングラディシュ)でグランプリを受賞。インドネシア、フランスをはじめ、世界を舞台に活躍。主な展覧会に一九九七年個展(中京大学)、二〇〇三年「地ごく楽」(武蔵野美術大学 αMプロジェクト)、二〇〇六年「地ごく楽」(愛知県美術館)、二〇一五年「モダン百花繚乱『大分世界美術館』」(大分県立美術館)、二〇一八年「真島直子 地ごく楽」(名古屋市美術館、足利市立美術館)など。「いつから絵をかいたのか。印象に残っているのは五歳になっていないころだったと思うが母親が結核になり、母方の祖父母の家に預けられ親に捨てられたと思いこんだ孤独と不安な日々、玄関に近い窓から母が迎えに来てくれるのをづーっと絵を描いて待っていたことを思い浮かべる。/窓から見える向かいの家の瓦と縦格子戸を描いた。」

長谷川さち（HASEGAWA, Sachi）

兵庫県生まれ。武蔵野美術大学大学院造形研究科美術専攻彫刻コース修了。主な個展に「長谷川さちの彫刻――レイライン」（平塚市美術館）など。主なグループ展に、二〇一九年「ゲーテの目I　舞踏する眼差し　関根直子vs長谷川さち」（ギャラリー冊／東京）、「四次元を探しに　ダリから現代へ」（諸橋近代美術館）、二〇二二年「Flower of Life　生命の花」（ヴァンジ彫刻庭園美術館）など。収蔵先に、平塚市美術館、足柄下郡真鶴町真鶴港。

「一見すると何もない場に、感覚を研ぎ澄ませると、小さく揺らめいている泡のような物が空間全体を埋めつくしている体感がある。そのようなものと物質との境界を石で探ることに興味がある。彫刻を置くことで、今いる次元の層を少しだけ軽く薄くする装置のような役割はできないものか、と常々思って制作している。」

古石紫織（FURUISHI, Shiori）

一九八六年滋賀県生まれ。武蔵野美術大学造形学部日本画学科卒業。主な個展に二〇一六年「水の深呼吸」（コート・ギャラリー国立／東京）、二〇二三年「spring after spring」（Ayumi gallery／東京）など。主なグループ展に二〇一九年「第三十七回上野の森美術館大賞展」（上野の森美術館）、二〇二一年「第十回菅楯彦大賞展」（倉吉博物館）、「絵、纏う」（数寄和／東京）など。二〇二三年、公益財団法人吉野石膏美術振興財団「若手日本画家による展覧会助成」で助成を受ける。収蔵先に雪梁舎美術館、星乃珈琲店、郷さくら美術館。

「蓄積された記憶の底から形成される情景は、日々形を変え、新たなものと融合してゆく。／いつかの自分が見た景色、そのときに感じた肌を撫でる風や葉擦れの音、眩い光。／幾重もの記憶がゆるやかに編み込まれた風景を、私はいつも探している。」

内田亜里（UCHIDA, Ali）

一九七八年東京都生まれ。東京造形大学デザインI類写真コース卒業。二〇〇六年文化庁新進芸術家国内研修員、二〇一二年公益財団法人ポーラ美術振興財団在外研修員として渡印。主な展覧会として、二〇一〇年「Earthbound」（MUSÉE F／東京）、二〇一五年「ザ・ニュー・ヴィジョン」（ポーラミュージアムアネックス）、二〇二二年「風景のディアスポラを撮る　済州島、壱岐・対馬、そして長崎」（ギャラリー冊／東京）など。二〇二三年Reminders Photography Stronghold主催「Le Plac Art Photo に作品をピッチする日」にて大賞を受賞。

「韓国・済州島での撮影を機に、長崎県対馬を継続的に訪れ、民俗学的なフィールドワークを下地に中判フィルムカメラでの写真撮影を続けている。最終的なプリントとして、雁皮紙や箔、膠を使用しながら、写真古典技法であるプラチナプリントで写真の焼き付けを行っている。」

留守 玲（RUSU, Aki）

一九七六年宮城県生まれ。多摩美術大学大学院美術研究科修了。現在、多摩美術大学工芸学科准教授。主な個展に、二〇〇六年（目黒陶芸館／三重）、二〇一五年「鉄の置き物」（日本橋高島屋）、二〇二一年「RUSU AKI IRON WORKS Creative Reconsideration of Welding Method」（壺中居／東京）など。主な企画展に二〇一八年「所蔵作品展『こどもとおとなのアツアツこうげいかん』」内「特別陳列　留守玲」（東京国立近代美術館工芸館）など。主な収蔵先に、山口県立萩美術館・浦上記念館、菊池寛実記念智美術館、ヴィクトリア&アルバートミュージアムなど。

「熔接熔断の際に出来る小さな鉄の湯溜まりを動かしながら、熔融、凝固、歪みなどの現象を睨み、液体化した鉄を紡いでいきます。そこにある事象を通して周辺を見つめ、言葉とフォルムを発見する事が私にとっての創作行為・熔接観となっています。」

徳丸鏡子（TOKUMARU, Kyoko）

一九六三年東京都生まれ。多摩美術大学大学院修士課程絵画科油画専攻陶芸コース修了。二〇〇三年文化庁芸術家海外派遣プログラムにて一年の渡米。主な展覧会に、一九九一年「変貌する陶芸・国際現代陶芸展」（滋賀県立陶芸の森）、二〇〇九年「装飾の力　現代工藝への視点」（東京国近代立美術館工芸館）、二〇一四年「現代・陶芸現象」（茨城県立陶芸美術館）、二〇二一年「Toucher le feu. Femmes céramistes au Japon」（ギメ東洋美術館）など。主な収蔵先にボストン美術館、岐阜県現代陶芸美術館など。

「ふとイメージが心に降りてきて、それを体の外に出さないと苦しくてたまらないので手を動かす。出来た形を眺めて『私を通して現実世界に出現したかった何者かはこんな姿だったのか』と知る。その繰り返しで三十年経った。」

吉 雄介（YOSHI, Yusuke）

一九六五年神奈川県生まれ。東京造形大学美術学科II類卒業。主な個展に、METAL ART MUSEUM HIKARINOTANI／千葉、「New TOTOWN／ニュートタウン」（Cross View Arts／東京）、二〇二二年武蔵野美術大学鷹の台キャンパス九号館など。主なグループ展に二〇一〇年「桑沢デザイン研究所＋東京造形大学 SO+ZO 展」（Bunkamura ザ・ミュージアム）、二〇一一年「所沢ビエンナーレ美術展　引込線」（所沢市生涯学習推進センター）、二〇一六年「生への言祝ぎ」（大分県立美術館）など。サミー川越工場／埼玉にて野外彫刻設置。
「一九九二年からトタン彫刻を制作し発表、二〇〇〇年前後から子供造形教室の講師、武蔵美での展示をテーマにしたワークショップを現在まで続けている。／この三つの美術活動は僕にとっての『三本の矢』。／一本（トタン彫刻）だけでは少し弱い、二本（子供）、三本（展示）と束ねてみよ。／三本になると折れません！」

内田あぐり（UCHIDA, Aguri）
一九四九年東京都生まれ。武蔵野美術大学大学院日本画コース修了。一九九三年文化庁在外研修員として渡仏。近年の主な展覧会に、二〇一九年「内田あぐり——化身、あるいは残丘」（武蔵野美術大学美術館・図書館）、二〇二〇年「生命のリアリズム　珠玉の日本画」で「内田あぐり 特集展示」（神奈川県立近代美術館 葉山）、二〇二〇—二一年「内田あぐり VOICE　いくつもの聲」（原爆の図丸木美術館）、二〇二二年「内田あぐり 在 Existence」（佐喜眞美術館）、二〇二三年「顕神の夢——幻視の表現者」（川崎市岡本太郎美術館）など。第一回東山魁夷記念 日経日本画大賞など受賞多数。
「人体表現をテーマとしてこれまで描いてきたが、ここ数年は自然とともに移ろう日常の川に魅せられて、人体の有機的なフォルムとともに、水の流れに生まれる生命の循環を表現したいと考えている。」

藤本由紀夫（FUJIMOTO, Yukio）
一九五〇年愛知県生まれ。大阪芸術大学音楽学科卒業。主な個展に一九九七年から二〇〇六年まで十年間毎年一日のみ開催された展覧会「美術館の遠足」（西宮市大谷記念美術館）、二〇〇一年「四次元の読書」（ＣＣＧＡ現代グラフィックアートセンター）、二〇〇六年「ここ、そして、そこ」（名古屋市美術館）、二〇〇七年「ECHO——潜在的音響」（広島市現代美術館）、「＋／－」（国立国際美術館）、「関係」（和歌山県立近代美術館）など。主なグループ展に二〇〇一年「第四十九回ヴェネチア・ビエンナーレ」、二〇〇七年「第五十二回ヴェネチア・ビエンナーレ」（ヴェニス）など。
「十代の終わり、雑誌でマルセル・デュシャンの《瓶乾燥器》の画像を見て『何て格好いいんだろう』と思ったのがアートへの関心の始まりだった。それから半世紀程経て、私の作品がデュシャン家にある。これ以上何を望めというのか。」

さかぎしよしおう（SAKAGISHI, Yoshiou）
一九六一年米国オレゴン州生まれ。多摩美術大学絵画科卒業。主な展覧会に一九九四年「二十一世紀・的・空間」（セゾン美術館)、二〇〇五年「アジアの潜在力」(愛知県美術館)、二〇〇七年「プライマリー・フィールド」(神奈川県立近代美術館 葉山)、同年「六本木クロッシング 二〇〇七」(森美術館)、二〇一六年「生への言祝ぎ」(大分県立美術館)、「蜘蛛の糸」(豊田市美術館)、二〇一九年「ただいま/はじめまして」(東京都現代美術館)など。主な収蔵先にカスヤの森現代美術館、神奈川県立近代美術館、豊田市美術館、東京都現代美術館など。

「私は芸術の媒体性、芸術そのものへの信心に基づいて、芸術に身を添わせた人生を過ごそうとしている者です。ですから作品で何かを伝えようとか文脈を仕込むようなことはしていませんので、表現者という意味では異端かもしれません。」

これが最後なのか？
いやなーに、まだただの始まりなんだろうサ。

コロナ禍四年、これで四冊目の自著を出せるので、家長の威厳はもしかしたら保てたかも知れない。またまた駄弁を弄すると、所詮《しょせん》偏屈なる人間嫌いなので、コロナ禍ではどうしても会いたい、会わなくてはならない人との付き合いに出会いは限定されたから、ある意味幸運であったかも知れない。

前著『青春二十世紀美術講座──激動の世界史が生んだ冒険をめぐる十五のレッスン』（東京美術）で、私はあの未曾有の世界崩壊だった第一次世界大戦と、ヨーロッパ中で四人に一人が死んだインフルエンザ禍にあって、それこそが？生んだ、造形芸術の果敢な幾つもの革命を自らにトクトクと思いきかせるように味わい噛《か》み締《し》めて、書いた。だが翻《ひるがえ》ってそれから百年後、今日現在の私どもは、いったい全体、今日のパンデミックやウクライナの戦禍やイスラエルとパレスチナのまた再びの遺恨《いこん》の泥沼に、それを跳ね返すような気概でもって、私どもの職務たる芸術に挑んでいるのだろうか。まあ、そこにも深入りはしまい。

この小著は、二つの意味で宿願のものであった。

一つは、音楽である。

もしかしたら、私は音楽が美術より好きかも知れない。日がな一日聴いている。基本はクラシックだ。子供の頃からの影響もむろんある。田舎生まれだが、両親の世代つまり戦後地方で貧しくとも多少でも高尚に？ハイブラウに文化的に生きたいと願った庶民には、ベートーヴェンやバッハやモーツァルトのレコードと蓄音機は、百科辞典と同じ、不可欠なものだった。だから田舎（とは、さらさら思っていないが、それは文中で述べている）の、庶民プロレタリアの生まれ育ちの私にとっても、クラシックは飯食うのと同じ、育った環境の中にあった空気のようなものだ。教養主義はいちがいに否定できない。

聴くだけだ。演奏はしない、来世でもしないだろう。理由は簡単だ。私には生涯習いたく無いものがあって、車の運転と、楽器の演奏、そして料理の三つだ。どれも手順を踏んで習わないとならない。もっと言うとルールを守れないと出来ない。根っからのつむじ曲がり、アウトレージには不可能というものだ。

私は元々美術が専門だ、だから展覧会には専門家として通常は特別に招待される。だから大好きな酒も飲んでは行かない。絵画や彫刻は素面《しらふ》で見たいし（時間的にも一瞬で済むし）、原稿書くのと同じでアルコールは飲まない。だが音楽は素人だから、楽しみはコンサートやオペラの合間のシャンパンやらハイボールだ。ベロベロにはならないが、だいたいは酔っている。面白くないなら、途中退出もする。行くのは自前だから、手前《てめえ》の勝手だろう。

初めての音楽の本になる。その遍歴が単純なものでは無かったのは、読んでいただけたら分かるだろう。かと言って、音楽を書いたとも思っていない。その、遠い、遠い、生きているうちにはとうてい届かないだろう憧れを書いた程度かも知れない。簡単では無かったが、徹底的に、この本の中で私は、わがまま勝手に楽しませてもらった。日々、書いて書いて、書くのが、楽しかった。本にするとなれば、例えば、CDやレコードの記載の仕方など知る由もなく、当たり前のように難しい部分もあったし闇鍋的なる手当たり次第、出たとこ勝負だったが、ご勘弁いただくしか無い。

そういう私は、来世ではもう、美術造形のキュレーターは廃業してしまい、大好きなオペラの演出家を目指そうと思っていて、この本はその予行演習でもある。

そうやって、勝手気儘に、筆を滑らして書いて書いて、楽しく書きまくった。ベンヤミンのパリ時代を気取るわけではないが、だいたいは応接間（我が家に私の書斎は無い）のソファに寝転がって書いている。畏友で畏姉でもある文学少女の北山ひとみさんに、時に揶揄される。「ニイミさん、太宰はね、筆が濁るからと一日二枚半しか書かなかったそうよ」。さあ、大文豪に比較される筋合いも無かろうものだが、そう言えば、畏敬する作家、保坂和志も「どのくらい書くの?」と聞いたら、「一日、きっかり二枚半。原稿用紙でね。それをワープロで打って、さらに手書きで清書」と言っていた。あの、小説らしい筋の無い日常雑記みたいなのが?とは、思わなかったけれど。彼も太宰並の大作家、哲学者として私は尊敬しているから。

だから無理矢理、美術を呼び出したのか?というと、それも違う。美術もむろん、書きたかったものだ。それが宿願の二つ目。つまり同時代作家論だ。目標は、大きく出て詩人で美術評論家だった、巨星、美術批評家にして詩人の瀧口修造だ。晩年の瀧口は時事的な美術展評を書くのを一時期拒否して、個々の作家、美術家へのオマージュ、詩みたいな贈答エッセイばかりを書いた。それをまとめた本もある。それに倣ったわけではないが近いだろう。いまだに瀧口の影響からは抜け出していない。

　美術と音楽を牽強付会《けんきょうふかい》に「合わせ技」したのか、というとそういう部分もある。そうでないものもある。私は根っからのキュレーターであって、これらの小文、作家論はその学芸員としての同伴、伴走記録である。だから巨匠でも中堅でも、若手でも、彼らの作品は私が展覧会を企画して、ほとんどが自分で作品を壁に飾ったりして、私が身体ぜんたいで熟知しているものばかりだ。

　モダン編のものが、多くは、そのキュレーターとしての私の必殺技？である「普通は出合わないもの同士を、出合わせる」荒技によって、成ったものが多い。それも自然に感じた、身体で知っていることしか私には書けない。畏敬する遠山一行先生がよく出てくるが、先生のように「私は音楽について考え書いているが、自分の仕事は文学だと思う」と口幅《くちはば》ったく思っている。

　さらに。「批評とは、畢竟《ひっきょう》自らを語ることである」と身をもって私に教えてくれたのは、遠山先生が見出して世に出した才能、亡き兄貴分でもあった文芸批評家、大久保喬樹さんであった。ここに書いたことども、私は学芸員として、真に畏敬する作家とその作品の実感を語ったものではあるのだが、読む人が読むともしやして「自分のことしか書いてないだろう？お前！」と揶揄《やゆ》されるのかも知れない。そういう側面もたしかにあるだろう。それらの「モノ＝対象」を鏡としてそこに映った自分をただ畢竟、書いたのだろうからだ。また、私は智の醒《さ》めた味わいよりも、激情的な甘い高揚に走り易い、極めて直情径行型の人間であるから、そこも出来るだけ「自らを嗤《わら》う」ユーモア（これも、元来は「人間的」という原義をもつものだが）をもって、なんとか読者を白けさせせないように努めたつもりだが、はなはだ心許《こころもと》ない限りである。まあ、言い訳はこの辺《あたり》にしておこう。

面識も無かったアートダイバーの細川英一さんに、自分からこの企画を売り込んだ。始めはまさか受けてくれるとは思わなかったが、現代美術を専門にたった一人で出版社をやっている猛者の果敢なる大英断、だったかなと心より深く、深く感謝している。私の出発点であったセゾン時代からの盟友、梯耕治さんに無理に装丁（見事也）を頼んだ。最後の本？だからか。森遥香さんに、再び編集補助で助けてもらった。まだ考えてないが、次著からは、もう小難しい芸術モノはやめて、食いものエッセイに専心しようかとも思っている。この本を根元から支えたのは（私も入れて？）四本の矢であった。

文中にも書いたが、この本の中には、頭で考えたことはいっさい書かれていない。すべて、私が学芸員として「モノ＝作品＝ブツ」に触れて、身体で感じたことしか書いてはいない。だが最後に、伊丹十三がそのエッセイで言っているように、私もまた「クワセもの」であって、そのすべては人様、先人が考えたり書いたりした事の、受け売りか、借物だ。失礼にならないように、出来るだけ註記したが、万が一漏れていた場合は、どうか寛容に許していただきたい。

如何にも偉そうに西洋古典、クラシック音楽のことを縷々《るる》書いてきておいて最後に転《こ》けるのもなんなんだが、正直に言うと、私は昭和演歌、歌謡曲が大好きである。一時は、カラオケの帝王と呼ばれていたくらいだ。師走になるといつも、酔って寝る前に聴くのは、不世出の天才歌手、森進一が私の生まれたちょうど十年後に歌って昭和の世、一世を風靡した「港町ブルース」だ。あの最後のリフレインが、耳に響く。「女心の残り火は、燃えて身を焼く桜島。ここは鹿児島、旅路の果てか」。

まあ、いずれにしてもとにかく旅である。人生がすべからく旅なのは当たり前としても、「私は古里をもたない、宿命的に放浪者」であると、古里尾道の大先輩、林芙美子が絶叫して、都市に出稼ぎに出てきた昭和の始めの私ども大衆元祖を鼓舞《こぶ》したように、近代人は、畢竟かの「冬の旅」のシューベルトこの方、皆ひとしなみに旅人なのであろうと思われる。

巻末謝辞に記したように、畏敬する作家たちはもとより、図版掲載や情報提供などでご協力いただいた方々に深謝する。

さまざまな僥倖《ぎょうこう》で生まれたこの本を、生まれて始めて、我が家のお女将、ヴィーナス早苗に捧げたい。

二〇二三年長月、聖母生誕月に、東村山サナトリウム食い道楽亭にて。

新見　隆

謝辞｜Acknowledgement.

本書籍刊行にあたって、多大なご厚誼、ご便宜をいただきました個人、団体の各位皆さまをここに感謝に代えて明記いたします(敬称略)。
We want to express our heartfelt gratitude to these individuals and institutions owing much for accomplishing this publication.

内田あぐり
内田亜里
さかぎしよしおう
椎名 絢
関根直子
徳丸鏡子
中村錦平
中村洋子
新見 藍
西井葉子
長谷川さち
樋口健彦
藤本由紀夫
古石紫織
真島直子
松本陽子
横尾嘉子
吉 雄介
留守 玲

岡崎京子
田部京子

*

池田隆代
大内真理
小笠原愛美
長田実穂
木藤野絵
高野小百合
宮澤政司
山崎 慧
山本 孝
山本美鈴
Dr. Paul Asenbaum
Dr. Sachiko Kubo-Kunesch
Dr. Elizabeth Leopold
Dr. Ernst Proil
C. Raman Schlemmer
Hans-Peer Wipplinger

DIC川村記念美術館
大分県立美術館
株式会社 宝島社
日本コロムビア株式会社
hino gallery
MIZUMA ART GALLERY
株式会社 ミヤザワ＆カンパニー

*

株式会社 エクスナレッジ
NHK
NHKプロモーション
株式会社 彰国社
タッシェン・ジャパン株式会社
株式会社 淡交社
豊橋市美術博物館
パナソニック汐留美術館
読売新聞社
株式会社 リブロポート

Edition Hentrich
Himer Verlag
Leopold Museum
Merrell Publishers Ltd.
Neue Galerie New York
Österreichische Galerie Belvedere
Prestel Verlag
South Bank Centre
Stedelijk Museum Amsterdam
Tate
University of Chicago Press
Verso
Yale University Press

◉著者プロフィール

新見 隆（ニイミ・リュウ）

キュレーター、美術史・デザイン史・博物館論。

一九五八年広島県尾道生まれ。慶應義塾大学文学部フランス文学科卒。

武蔵野美術大学造形学部教養文化・学芸員課程教授。同美術館・図書館長。

Nikissimo 文化顧問。イサム・ノグチ庭園美術館学芸顧問。

慶應義塾大学アート・センター訪問所員。元大分県立美術館館長。

著書に『モダニズムの庭園・建築をめぐる断章』（淡交社、二〇〇〇）、『イサム・ノグチ 庭の芸術への旅』（武蔵野美術大学出版局、二〇一八）『時を超える美術――「グローカル・アート」の旅』（光文社新書、二〇二二）、『青春二十世紀美術講座――激動の世界史が生んだ冒険をめぐる十五のレッスン』（東京美術、二〇二二）他。

食のスケッチ、コラージュ・箱・人形の作家。

共感覚への旅

モダニズム・同時代論

二〇二四年四月二十五日　初版第一刷発行

著者　新見 隆

発行人　細川英一

発行所　アートダイバー

〒二二一—〇〇六五

神奈川県横浜市神奈川区白楽一二一

TEL　〇四五—二八一—三〇八一

FAX　〇四五—三三〇—五一六五

info@artdiver.moo.jp

装幀・レイアウト　梯 耕治

印刷・製本　シナノ印刷株式会社

ISBN978-4-908122-27-9　*Printed in Japan*